H. Anna Ziaja

Liebe war nicht geplant

Roman

FSC
www.fsc.org
MIX
Papier aus verantwortungsvollen Quellen
Paper from responsible sources
FSC® C105338

Bibliografische Information der Deutschen Nationalbibliothek: Die Deutsche Nationalbibliothek verzeichnet diese Publikation in der Deutschen Nationalbibliografie; detaillierte bibliografische Daten sind im Internet über dnb.dnb.de abrufbar.

Verlag: BoD · Books on Demand GmbH, Überseering 33,

22297 Hamburg, bod@bod.de

ISBN: 978-3-8192-1372-4

Druck: Libri Plureos GmbH, Friedensallee 273, 22763 Hamburg

„Wenn du spürst,

dass in deinem Herzen etwas fehlt,

dann kannst du,

auch wenn du im größten Luxus lebst,

nicht glücklich sein.“

(Dalai Lama)

Für meinen Mann Janus, den ich über alles liebe ...

Die Insel

Nachdem die letzten Arbeiter seine Insel verlassen hatten, ging Matthew los, um alles zu inspizieren. Ihm gefiel, was er sah. Am Strand der Korallenbucht war ein lichtdurchfluteter Speiseraum mit einer modernen Küche entstanden. Die große Terrasse davor und eine gemütliche Lounge ergänzten den Essbereich. Daneben gab es eine typisch karibische Bar. Abseits davon, auf einem von Palmen bewachsenen Stück Land, standen mehrere bunte Bungalows. Dazwischen befand sich ein riesiger Swimmingpool. Alles mit dem Blick auf einen feinsandigen, weitläufigen Strand. Von dort aus konnte er auf sein Haus schauen, das schon vor längerer Zeit fertiggestellt worden war. Es lag auf einem Hügel, hinter dem ein Berg in der Mitte der Insel imposant in die Höhe ragte. Mit seiner üppigen Vegetation lud der Berg dazu ein, sich auf seine Pfade zu begeben, der Natur zu lauschen und am Wasserfall zu verweilen. Auf der anderen Seite der Insel befanden sich die Wohnhäuser seiner Angestellten, sowie eine kleine Plantage, die mit ihren exotischen Pflanzen für kulinarische Abwechslung sorgte. In der Bucht davor ankerte seine Yacht. Dort legten auch die Versorgungsboote an. Mitten durch die Insel floss ein schmaler Fluss, der mit einer idyllischen Mangrovenlandschaft in den Ozean mündete. Seine Insel war ein kleines, zauberhaftes Paradies.

Jetzt war es für ihn an der Zeit, seinen vergnüglichen Plan in die Tat umzusetzen. Alle Arbeiten waren abgeschlossen und die Insel war bereit, ihre Gäste zu empfangen. Zufrieden und voller Vorfreude ging er zu seiner Yacht und machte sich auf den Weg nach Miami Beach. Dort befand sich sein zweiter Wohnsitz, eine Villa an der Biscayne Bay.

 # 1 #

Miami Beach ...

„Hallo Matthew, du hättest mich anrufen sollen, dass du heute nach Hause kommst, dann hätte ich dir etwas Leckeres zum Abendessen vorbereiten können", rief Martha, als sie ihn erblickte. Sie war seine Haushälterin und gerade damit beschäftigt, die vielen Pflanzen im Haus zu gießen. Sie klang ein wenig überrascht, freute sich allerdings sehr, dass er wieder mal nach Hause kam, denn seine Insel hatte viel Zeit in Anspruch genommen. „Hey Martha, du musst dir deswegen keinen Kopf machen, ich lasse mir etwas kommen. Soll ich für dich mitbestellen?", fragte er, während er sie zur Begrüßung herzlich umarmte und hörte im selben Moment auch schon ein Miauen, das er so sehr vermisst hatte. Sein Kater Benny kam auf ihn zugelaufen und er fing an, ihn liebevoll zu kraulen. Er liebte diesen kleinen, weißgrau getigerten Kater abgöttisch. Benny rieb seinen Kopf an Matthews Kinn und schnurrte laut vor Freude. Diesen Anblick genoss Martha besonders, denn er zeigte ihr, wie viel Güte und Liebe in ihrem Arbeitgeber steckte. Doch sie betrachtete Matthew nicht nur als ihren Arbeitgeber. Er war ihr schon vor Jahren sehr ans Herz gewachsen, denn er behandelte sie immer respektvoll und ließ sie in seinem Haus in einer Nebenwohnung wohnen. Da sie selbst verwitwet und leider kinderlos geblieben war, sah sie in ihm einen Mann, den sie sich als ihren eigenen Sohn gewünscht hätte. Ihm ging es nicht anders. Als er vor einigen Jahren Personal suchte, begegnete er Martha, und die Chemie zwischen ihnen stimmte sofort. Nachdem er erfahren hatte, wie dringend sie den Job brauchte und wie einsam sie war, konnte er nicht anders, als sie zu beschäftigen. Es war die beste Entscheidung, die er in dieser Hinsicht getroffen hatte. Er mochte sie von ganzem Herzen und schätzte ihren Dienst sehr.

„Nun, Martha, jetzt habe ich aber wirklich Hunger. Ich habe Appetit auf eine richtig leckere Sushi-Platte. Was hältst du davon?“, fragte Matthew, als er Benny zu Ende gekrault hatte. Martha überlegte kurz und dachte, dass Sushi doch tatsächlich gut wäre, denn es war ein warmer Abend und sagte zu. Also bestellte er das Essen und ging zwischenzeitlich duschen. Martha brachte Teller und Besteck auf die Terrasse. Kurz darauf erschien Matthew mit einer Flasche Champagner im Kühler, was Martha sehr wunderte. Insgeheim jedoch genoss sie seine Gesellschaft, da er mehrere Tage nicht zu Hause war. Das Essen wurde geliefert und Matthew schenkte den Champagner ein.

„Darf ich nach dem Anlass für dieses besondere Abendessen fragen?“ Martha wurde ein wenig verlegen, als sie diese Frage stellte, denn Champagner gab es nicht so oft zum Essen.

„Martha, ich habe heute einen hervorragenden Grund, um mit dir anzustoßen. Die Arbeiten auf meiner Insel sind nun abgeschlossen. Das ist doch ein Anlass zum Feiern, meinst du nicht?" Matthew strahlte. Martha lächelte ihn an und nickte. Da sie immer schon sehr diskret war und keine unnötigen Fragen stellte, erfuhr sie nur dann von seinen Angelegenheiten, wenn er es ihr erzählte. Sie wusste zwar von dieser Insel, war aber noch nie dort gewesen. Doch sie gab die Hoffnung nicht auf, dass er sie eines Tages dorthin mitnehmen würde. Ihre Neugierde war zwar groß, sie traute sich jedoch nicht, es ihm zu gestehen. Von seiner heimlichen Sucht, die ihn gefangen hielt, ahnte sie in diesem Moment nichts. Und so saßen sie im Dämmerlicht, aßen das leckerste Sushi von ganz Miami und tranken Champagner, der kühl, prickelnd und mit leichter Säure bestens dazu passte. Dabei schwärmte Matthew von seiner Insel. In seiner Fantasie jedoch lebte er sein heimliches Verlangen aus und freute sich schon auf die kommenden Wochen, denn bald würde er seinen imaginären Hunger auch physisch stillen können.

In der Abenddämmerung ging die Farbe des Wassers in der Bucht vom hellen Türkis ins schimmernde Grün über, und in der Ferne konnte man die Lichter des Festlands erkennen. Kleine Boote, bunt beleuchtet, spiegelten sich im Wasser auf dem Weg zu ihren Anlegeplätzen. Benny saß bei Matthew auf dem Schoß und versuchte, etwas von dem leckeren Essen zu ergattern, was ihm auch gelang. Martha war dankbar für diesen schönen Abend. Als sie jedoch merkte, dass der Champagner sie müde machte, verabschiedete sie sich, wünschte den beiden eine gute Nacht und zog sich zurück in ihre Wohnung. Matthew blieb aber noch eine ganze Weile draußen sitzen. Er genoss die angenehme Kühle der Nacht und schmiedete weitere Pläne, um sich seinen geheimen Traum zu erfüllen. Seine Vorfreude wuchs.

 # 2 #

Am folgenden Tag entschied sich Matthew, nach längerer Zeit wieder eine Joggingrunde zu drehen. In Miami Beach befand sich der großartige Lummus Park, und den nutzte er gern dazu. Obwohl die Temperatur langsam anstieg, waren einige Jogger unterwegs. Wer etwas auf sich hielt, versuchte, so viel Sport wie nur möglich zu treiben. Also machte auch er einige Aufwärmübungen und lief dann los. Der Park war perfekt dafür. Breite, von Palmen gesäumte Wege, die parallel zum Strand verliefen, boten sehr viel Platz. Vereinzelt gab es Flächen mit Geräten und Vorrichtungen, an denen man seinen Körper auch im Freien trainieren konnte. Viele, vorwiegend junge, gut aussehende Menschen trafen sich dort und nutzten die Gelegenheit zum Training. Sie plauderten miteinander, gaben sich Tipps zur Fitness und tauschten Erfahrungen aus. Vor allem die vielen wunderschönen Frauen in ihren sexy Outfits lockten Matthews Blick. Was gibt es Anmutigeres als einen makellosen weiblichen Körper, dachte er entzückt. Und davon gab es hier reichlich. Das Wetter war perfekt, die Sonne schien und eine leichte Brise wehte vom Meer her. Das wird ein toller Tag werden, dachte er, während ihn seine Füße immer weiter trugen. Nachdem er eine längere Strecke gelaufen war, kaufte er am Kiosk einen erfrischenden Iso-Drink und trank ihn begierig. Anschließend verweilte er noch kurz am Strand, labte sich am Anblick der sonnenbadenden Schönheiten und kehrte dann gemächlich zurück. Ein Gefühl der Zufriedenheit machte sich in ihm breit. Nun war er bereit für den Tag. Er musste unbedingt seine Freunde treffen und ihnen von seinem Vorhaben erzählen. Also fing er an zu telefonieren. Sie verabredeten sich für den Abend in einem der Beachclubs. Dort hatte Matthew eine Lounge für sie reserviert.

Als das erledigt war, erteilte er Martha einige Anweisungen zu seinem Aufenthalt hier im Haus und verbrachte die restliche Zeit des Tages am Pool. Er schwamm mehrere Bahnen, genoss die Sonne und natürlich gab es auch Streicheleinheiten für Benny, der genüsslich bei ihm lag. Die Musik im Hintergrund war so entspannend, dass er eingeschlafen war. Matthew fing an zu träumen. Im Schatten der Palme in seinem Garten sah er eine Gestalt. Von der Sonne geblendet, kniff er die Augen zusammen. Was er da sah, erregte sein Gemüt, denn eine äußerst attraktive Frau kam auf ihn zu. Sie war groß, schlank, hatte schwarzes, mittellanges Haar und sah einfach umwerfend aus. Es war ihm unmöglich, seinen Blick von ihr abzuwenden. Sie lächelte verführerisch und setzte sich zu ihm. Ihre kupferfarbenen Augen strahlten ihn an. Matthew hielt die Luft an, denn ihre Schönheit raubte ihm den Atem. Sie senkte ihren Kopf und ihre samtigen Lippen berührten die seinen. Ihr Duft durchdrang ihn und weckte das reinste Begehren in seinen Lenden. Bedächtig entkleidete er sie und berührte mit seinem Mund jeden Zentimeter ihrer Haut. Sie setzte sich nun auf seinen Schoß. Schauer durchliefen seinen Körper, als er den Ansatz ihrer zarten Brüste liebkoste. Sie wand sich genüsslich unter seiner Berührung. Ein betörender Duft ihrer erhitzten Haut ließ ihn tief einatmen. Ihre Körper, in einem Tanz der Begierde vereint, trieben nun auf den Höhepunkt zu. Beim Versuch, sie erneut zärtlich und begehrlich zu küssen, wurde er jäh aus seinem herrlichen Traum gerissen. Ein schriller, qualvoller Ton erklang. Sein Telefon klingelte. Benommen und verschwitzt nahm er wahr, dass es nicht real war, was er gerade erlebt hatte. Es war lange her, dass er eine Frau auf diese Weise berührt hatte.

Durstig ging er ins Haus und machte sich über das kühle Mineralwasser her. Martha war gerade vom Einkaufen zurückgekommen und bereitete eine Kleinigkeit zum Mittagessen zu. Es gab frischen Salat, dazu Garnelen in Knoblauchbutter. Bei dem heißen Wetter genau das Richtige. Später machte er sich auf den Weg zu seiner Firma. Er wollte nach dem Rechten schauen. Sein Einkommen verdiente er überwiegend durch den Handel mit Kryptowährungen, dem Zahlungsmittel der Zukunft. Trotz des

Risikos, alles zu verlieren, investierte er in seinen jungen Jahren fast sein gesamtes Vermögen. Wie es sich herausgestellt hatte, war es eine sehr lohnende Investition, die ihm sein luxuriöses Leben ermöglichte. Seine Geschäfte florierten, sodass er sich keine Sorgen machen musste. Nach einer kurzen Besprechung fuhr er dann zu seiner Verabredung im Beachclub.

Obwohl er zu früh dran war, ließ er sich davon nicht beirren. Entspannt und mit einem kühlen Bier in der Hand machte er es sich in einem Liegestuhl im Sand bequem. Neugierig beobachtete er die Menschen um sich herum. Vor allem die vielen hübschen Damen, die sich hier aufhielten. Dabei fiel ihm eine junge Frau besonders auf. Sie saß allein in einem der Lounge-Sessel, hatte in einem Skizzenblock gezeichnet und dabei völlig ihr Getränk vergessen. Vollkommen vertieft in ihre Arbeit bemerkte sie nicht, wie intensiv sie von ihm beobachtet wurde. Matthew schaute nur noch in ihre Richtung. Sie war groß, schlank, hatte dunkelbraunes Haar und ein schmales Gesicht. So konzentriert und in ihre Gedanken versunken, sah sie besonders aufregend aus. Unverzüglich fiel Matthew sein Traum wieder ein. Diese Ähnlichkeit! Unglaublich, dachte er bei ihrem Anblick. Das war es auch, warum sie ihm direkt aufgefallen war. Soll mein Traum etwa real werden, fragte er sich in Gedanken, und ein eigenartiges Gefühl erfasste ihn. Er musste sie unbedingt ansprechen, also stand er auf und ging zu ihr.

„Hallo. Darf ich mich zu dir setzen?“, fragte er charmant. Sie

schaute auf und sah in sein Gesicht. Welch wunderschöne Augen, dachte sie in diesem Augenblick. Sie strahlten eine gewisse Anziehungskraft aus und zogen sie in ihren Bann. Ihr Herz machte einen Satz.
„Ja, bitte sehr“, erwiderte sie höflich. Er hatte sie von ihrer Arbeit abgelenkt. Doch er gefiel ihr, und so ließ sie diese Ablenkung gerne zu. Matthew schaute sie sich nun etwas genauer an. Ihre großen braunen Augen schimmerten bernsteinfarben. Er meinte, kleine Goldfunken darin entdeckt zu haben. Ihre Lippen waren so sinnlich, dass er sie am liebsten sofort küssen wollte. Die hohen Wangenknochen machten ihr Gesicht besonders markant.
„Was führt dich denn zu mir?“, fragte sie verlegen, als sie bemerkte, wie intensiv er sie ansah.
„Hi, ich bin Matthew“, stellte er sich vor. „Mir ist aufgefallen, dass du zeichnest. Bist du eine Künstlerin?“, fragte er. Er war irritiert und verblüfft zugleich über diese Begegnung.
„Hi, ich bin Angelique“, stellte sie sich vor und lächelte bezaubernd. In dieser Sekunde war es um ihn geschehen. Er musste sie unbedingt für sein Vorhaben gewinnen, das stand fest. Und das um jeden Preis. Er glaubte an das Schicksal und das hier war garantiert sein Werk.
„Nein. Ich bin keine Künstlerin. Ich entwerfe Mode, jedenfalls versuche ich mich darin“, war ihre Antwort. Erneut sah sie ihm in die Augen und versengte ihren Blick darin.
„Das hat doch auch etwas Künstlerisches an sich“, stellte er fest.

„Und? Schon irgendwelche Erfolge verbucht?“, fragte Matthew nun besonders interessiert weiter.
„Nein. Bisher leider noch nicht. Ich bin gerade dabei, die ersten Entwürfe zu fertigen. Und was machst du beruflich?“, erkundigte sie sich, um von ihrer misslichen Lage abzulenken.
„Ich bin in der Immobilienbranche tätig“, sagte er kurz angebunden. Dass er vermögend war, versuchte er nicht gleich preiszugeben, wenn er jemanden kennenlernen wollte. Es gab genügend Frauen, die ausschließlich danach strebten, sich einen reichen Kerl zu angeln, und das mochte er überhaupt nicht. Solche Individuen widerten ihn an. Außerdem war er nicht auf der Suche nach einer neuen Liebe. Er wollte lediglich seinen Spaß haben.
„Woher kommst du, wenn ich fragen darf? Dein Akzent klingt irgendwie anders.“
„Aus Frankreich, ich bin noch nicht lange in Miami“, antwortete sie. In diesem Moment erblickte Matthew seinen besten Freund, der Ausschau nach ihm hielt. Angelique merkte, dass er abgelenkt war. Nicht gut, dachte sie enttäuscht, denn sie hätte ihn gerne näher kennenlernen wollen. Dazu fehlte jetzt anscheinend die Zeit. Schade, dachte sie resigniert.
„Angelique, es tut mir leid. Bedauerlicherweise muss ich dich jetzt verlassen. Ich habe eine Verabredung, die ich nicht verschieben kann. Würdest du mir bitte deine Telefonnummer geben? Ich rufe dich auf jeden Fall an.“ Matthew entschuldigte sich für diese Unterbrechung.
„Aber sicher doch, ich würde mich sehr freuen, von dir zu hören.“

Sie riss ein Stückchen Papier aus ihrem Block, schrieb ihre Nummer darauf und gab es ihm. In diesem Augenblick hoffte sie sehr, dass er sein Versprechen hielt und beobachtete unauffällig, wie sich seine Lounge füllte. Den Fremden, der sie die ganze Zeit über im Visier hatte, bemerkte sie nicht.

Als Erster zu der abendlichen Verabredung kam Aiden, sein langjähriger und bester Freund. Sie kannten sich schon seit der Schulzeit. Die Begrüßung fiel sehr herzlich aus. Matthew konnte mit Aiden immer über alles reden, eine Sache jedoch behielt er nur für sich. Und zwar seine geheime Vorliebe. Kurz danach traf Mateo ein, einst sein Fitnesstrainer, der mittlerweile auch zu seinen besten Freunden zählte. Und als Letzter, beinahe wie üblich, erschien Christopher. Er war Anwalt und neigte dazu, regelmäßig verspätet zu erscheinen. Termine. Sie bestellten Getränke und erhielten die Speisekarten. Später gaben sie die Bestellung für ihr Essen auf. Unterschiedlicher hätte es nicht ausfallen können. Aiden und Matthew bestellten Burger, Mateo gegrillten Fisch mit Salat und Christopher Pizza. Inzwischen beobachtete Matthew, wie Angelique ihre Habseligkeiten packte, bezahlte und ging. Dass ein Unbekannter ihr folgte, fiel ihm nicht auf. Matthews Interesse an der jungen Dame blieb den Freunden nicht verborgen, da er ihr besonders intensiv nachschaute.
„Wer ist das denn?“, fragte Aiden neugierig und hob verschmitzt die Augenbrauen.
„Das ist Angelique. Ich habe sie vorhin entdeckt und

angesprochen. Hätte sie liebend gerne näher kennengelernt, nur bist du mir leider dazwischengekommen." Matthew lachte verschmitzt, als er das sagte. „Doch noch ist nichts verloren, denn ich habe ihre Handynummer und bleibe dran", fügte er amüsiert hinzu. Das Essen wurde kurz darauf gebracht.

„Matt, weswegen wolltest du uns eigentlich sprechen?", fragte Christopher mit vollem Mund. Er hatte einen Riesenhunger nach dem langen Tag und ließ sich nicht mehr davon abhalten, diesen zu stillen. Man sollte nicht mit vollem Mund reden, dachte Matthew bei diesem Anblick und wollte es Christopher sagen. Doch es amüsierte ihn, ihm dabei zuzuschauen, und so entschied er sich dagegen. Stattdessen erzählte er ihnen von seinem Vorhaben. Seine drei Freunde kannten seine Insel bereits, doch jetzt wurde alles so weit fertiggestellt, dass sie sich dort bald vergnügen könnten. Sie waren alle Singles aus Überzeugung, liebten das Leben und die ungezwungenen Begegnungen mit attraktiven Frauen. Auf diese Weise war ihrer Meinung nach alles weniger kompliziert und sie genossen ihre Freiheit. Deshalb verstanden sie sich so gut, und die Freundschaft zwischen ihnen hielt auch deshalb so lange. Und nun beschloss Matthew, dafür zu sorgen, dass seine besten Freunde noch mehr Spaß erleben konnten. Sein Plan: Einige Frauen auf seine Insel zu holen, die bereit wären, bei seinem Vorhaben mitzumachen. Dabei dachte er vorrangig an sein geheimes Verlangen, das er bald stillen würde. Keiner seiner Freunde ahnte etwas davon. Alle freuten sich auf die vergnügliche Zeit und waren auf dieses Erlebnis sehr gespannt. Sex auf einer Insel wie dieser hat man ja nicht alle Tage, dachten sie amüsiert. Die Auswahl der Frauen überließen sie Matthew, denn sie vertrauten seinem Instinkt, und so nahm sein Plan immer mehr Gestalt an. Der Abend wurde für die vier Freunde noch so richtig gemütlich. Sie erzählten von ihrer Arbeit, tauschten manche Erlebnisse aus, genossen die milde Abendluft und als es spät wurde, gingen sie auseinander.

3

Am Tag darauf hieß es für Matthew, keine Zeit zu verschwenden. Nach seiner morgendlichen Joggingrunde rief er zuerst Angelique an. Diese Frau ging ihm nicht mehr aus dem Kopf. Er wählte ihre Nummer, doch sie ging nicht ran. Dann eben später, dachte er und machte sich auf den Weg zu einer Agentur, die den Escort-Service anbot. Matthew kannte die Chefin persönlich, denn er buchte bei ihr seit geraumer Zeit Frauen, die ihn zu gesellschaftlichen Events begleiteten. Gelegentlich jedoch auch welche zum eigenen Vergnügen. Jetzt allerdings war er auf der Suche nach interessanten Damen, die er für sein Projekt anwerben wollte. Er schaute die Karteien durch, fand drei passende Schönheiten und ließ Christin, die Chefin der Agentur, ihre Kontaktdaten ausdrucken. Nach einer kurzen Unterhaltung fuhr Matthew dann wieder heim.

In der Zwischenzeit bereitete Martha ein deliziöses Mittagessen zu. Ein zarter Duft von Tomaten lag in der Luft, aus denen sie leckere Soße für die Pasta zubereitet und diese gerade fertig gekocht hatte. Sie gab frisches Basilikum, Knoblauch sowie diverse Gewürze hinzu. Der Duft war umwerfend. Matthew lief das Wasser im Mund zusammen, als er die Küche betrat. Martha kochte sehr lecker, darum naschte er immer bereits vor dem Essen davon. Sie nahm es dann als Kompliment an ihre Kochkünste und lächelte zufrieden. Er bat sie, wie schon so oft, mit ihm zu speisen. Nachdem seine Mutter viel zu früh an Krebs verstorben war, beherrschte eine schmerzliche Sehnsucht nach ihr sein Herz. Sie hatten früher fast jeden Tag zusammen zu Mittag gegessen und sehr viel Zeit miteinander verbracht. Seine ganze Liebe gehörte ihr. Und so wurde mit der Zeit die Anwesenheit von Martha für ihn von großer Bedeutung. Zwar konnte niemand seine Mutter ersetzen, doch mit Martha im Haus kam er sich nicht mehr so einsam vor. Also saßen sie wieder einmal zusammen auf der Terrasse und aßen Pasta mit Tomatensoße. Dazu gab es einen kräftigen Rotwein. Diesmal bettelte Benny nicht, denn der Knoblauchgeruch hatte ihn zurückgehalten, und Matthew schmunzelte, als sein süßer Kater ins Haus trottete. Nachdem sie fertig gegessen hatten, ging Matthew in sein Arbeitszimmer, um erneut zu telefonieren.

Angelique war gerade dabei, eines ihrer entworfenen Kleider zu schneidern, als sie das Telefon klingeln hörte. Wer stört mich ausgerechnet jetzt, dachte sie ein wenig verärgert. Ging aber ran. „Hallo!“, sprach sie in einem gereiztem Ton, was Matthew auf

Anhieb heraushören konnte.
„Hi Angelique, hier ist Matthew“, hörte sie ihn sagen und sofort erhellte sich ihr Gesicht.
„Hallo Matthew, was für eine nette Überraschung.“ Nun war sie nicht mehr gereizt, denn die Freude über seinen Anruf überwog alles. Das Schneidern konnte jetzt warten.
„Was machst du gerade? Störe ich dich?“, fragte er in der Hoffnung, dass es nicht so sei.
„Nein, alles gut. Ich habe ein wenig gearbeitet. Das kann warten“, erwiderte sie freudig.
„Ich wollte dich fragen, ob du mich vielleicht wiedersehen möchtest?“, fragte Matthew vorsichtig und betete zu Gott, dass sie ihm nicht absagte. Sein Vorhaben durfte nicht scheitern.
„Ja, sehr gerne sogar“, war ihre Antwort. Er vernahm aufrichtige Freude in ihrer Stimme.
„Das freut mich. Darf ich dich in deinem Zuhause besuchen? Oder möchtest du lieber in ein Café gehen?“ Er war neugierig, wie sie lebte. Angelique schaute sich schnell um, war mit der Ordnung in ihrem Zimmer zufrieden und sagte dann: „Du kannst gerne zu mir kommen, kein Problem.“ Sie nannte ihm die Adresse und fragte, wann er denn kommen würde. Da er es nicht erwarten konnte, sie wiederzusehen, sagte er sofort zu und machte sich auf den Weg zu ihr. Als er dort klingelte, kam ihm aus der Eingangstür ein Mann entgegen, der es anscheinend sehr eilig hatte. Matthew schaute ihn kurz an und wich zur Seite, weil dieser ihn fast umgerannt hatte. Nuschelnd entschuldigte sich

der Fremde und eilte davon. Matthew trat ein und klingelte nun an der Wohnungstür. Kurz darauf öffnete eine junge, ihm unbekannte Frau die Tür. Mit überraschtem Blick sah er sie an. Diese Frau sah nicht wie Angelique aus. Im Glauben, sich in der Tür geirrt zu haben, wandte er sich ab, um zu gehen. Doch die junge Dame hielt ihn zurück. Sie musterte ihn prüfend und lächelte zufrieden.

„Hi. Matthew, nehme ich an? Ich bin Louise, Angeliques Freundin. Komm bitte herein“, sagte sie und führte ihn in Angeliques Zimmer. „Sie kommt gleich, nimm bitte schon mal Platz“, sagte Louise und verschwand dann wieder. Matthew schaute sich neugierig um. Dieses Zimmer war sehr geräumig. An der Wand unter einem großen Fenster befand sich ein Tisch, auf dem viele Nähutensilien und Zuschnitte lagen. Daneben stand ein Ständer mit eleganter Kleidung. Wahrscheinlich die maßgeschneiderten Stücke, dachte er. In einer Ecke entdeckte er zwei gemütliche Sessel mit einem Beistelltisch in ihrer Mitte. Alles in bunten, aber stimmigen Farbtönen gehalten. Hinter der Raumabtrennung befand sich ein Bett und daneben ein Kleiderschrank. Anhand des Zimmers konnte er einige Schlüsse über ihre Persönlichkeit ziehen. Angelique kam nun herein und begrüßte ihn mit einer zaghaften Umarmung. Er vernahm einen frischen, leicht fruchtigen Duft an ihr, der Sehnsüchte in ihm weckte. Wie kann diese Frau plötzlich solches Empfinden in mir erwecken, fragte er sich.

„Hi. Schön, dass du hier bist. Möchtest du etwas trinken?“, fragte sie ein wenig verlegen.

„Einen Kaffee, falls es keine Umstände macht. Danke.“

„Kommt sofort, gib mir nur eine Minute“, sagte sie lächelnd und verließ das Zimmer. Dir gebe ich gerne Tausende davon, dachte Matthew verträumt. Dabei betrachtete er die Skizzen, die auf dem Tisch lagen. Das, was er da sah, gefiel ihm besonders gut. Sie besaß anscheinend ein Talent, das nicht zu verachten war. Augenblicke später vernahm er den Kaffeeduft und ließ sich in einem der Sessel nieder. Angelique erschien mit einem Tablett und schenkte ihm den Kaffee ein. Auch sie liebte es, Kaffee zu trinken und füllte ihre Tasse.

„Ich sehe, dass du sehr talentiert bist. Hast du studiert?“, fragte Matthew, während er den Kaffee genoss. Angelique errötete und schob sich zaghaft eine Haarsträhne hinter das Ohr. Diese Geste machte Matthew verlegen, denn er empfand sie als besonders sexy.

„Ja. Ich komme aus Nizza. Dort habe ich mein Studium in Design und Kunst abgeschlossen“, antwortete sie mit sehr viel Stolz in ihrer Stimme, denn sie war wirklich stolz auf sich.

„Und was führt dich nach Miami Beach? Hast du einen Job hier“, fragte er neugierig.

„Hier lebt seit einiger Zeit meine beste Freundin Louise. Du hast sie vorhin kennengelernt. Wir beide wollen unser Glück in den Vereinigten Staaten versuchen“, erklärte sie.

„Ist Louise auch eine Designerin?“ Matthew wollte alles erfahren. Das war so seine Art.

„Ja, wir haben uns an der Uni kennengelernt und sind

mittlerweile unzertrennlich.“
„Habt ihr denn schon Abnehmer für eure Entwürfe?“, fragte Matthew weiter.
„Im Moment leider noch nicht, denn wir stehen erst am Anfang“, antwortete sie betrübt. Matthew witterte sofort seine Chance. Jetzt oder nie, dachte er und legte sofort los.
„Wenn es so ist, dann würde ich dir gerne ein Angebot machen“, sagte er eifrig und dachte dabei an seine Insel und seinen Plan. In seiner Fantasie stellte er sich vor, wie Angelique dort ihre Mode entwarf und auch noch andere Dinge tat. Sein Herz schlug sofort schneller.
„Darf ich dich für ein paar Tage entführen? Ich würde dir gerne etwas zeigen. Vielleicht wirst du dich dann für mein Angebot entscheiden.“ Er sprach besonders verführerisch. Angelique schien zu überlegen, und er sah ihr ihre Unsicherheit an. Ihm war bewusst, dass sie ihn noch gar nicht richtig kannte. Wie kann ich sie nur überzeugen, fragte er sich in Gedanken.
„Matthew, ich weiß so gut wie gar nichts über dich. Woher soll ich denn wissen, worauf ich mich da einlasse?“, fragte sie irritiert, denn sie hatte Angst, dass er etwas Böses im Schilde führen könnte, obwohl sie sich das eigentlich gar nicht vorstellen konnte.
„Dann möchte ich dich bitten, morgen in mein Haus zu kommen. Dort kannst du dann mehr über mich erfahren. Vielleicht wird es dir danach leichter fallen, mit mir zu kommen“, versuchte er sie zu überreden, denn er wollte und konnte sie nicht aufgeben.

Außerdem wollte er keine Zeit verlieren. Sie überlegte immer noch fieberhaft, also schrieb er für sie seine Adresse auf. Anschließend unterhielten sie sich über Frankreich und ihre Familien. Bevor er ging, bat er sie fast schon flehend, morgen zu ihm zu kommen. Angelique bedankte sich für sein Kommen und begleitete ihn zur Tür. Dieses Mal fiel die Umarmung herzlicher aus, denn er war ihr sehr sympathisch. Nachdem Matthew gegangen war, eilte sie zu Louise. Aufgeregt erzählte sie ihr von seiner Bitte und wollte ihre Meinung dazu hören. Louise ermunterte sie, es zu versuchen. Was habe ich schon zu verlieren, dachte Angelique erleichtert und beschloss, ihn am nächsten Tag zu besuchen.

Matthew kehrte mit einem seltsamen Gefühl im Bauch nach Hause zurück. Er war sich nicht sicher, ob Angelique kommen würde, doch er wollte sie unbedingt bei seinem Vorhaben dabei haben. Jetzt blieb ihm nichts anderes übrig, als zu warten. Nun holte er die Ausdrucke des Escortservices aus dem Arbeitszimmer und machte es sich auf der Couch im Wohnzimmer gemütlich, denn hier im Haus war es angenehm kühl. Benny kam sofort angelaufen, miaute laut, schlich um seine Beine, sprang dann hoch und hielt ihn von jeglicher Arbeit ab. Nachdem Matthew Benny ausgiebig gekrault hatte, telefonierte er erneut. Er rief alle drei Damen, deren Daten er vor sich liegen hatte, an. Als er ihnen sein Anliegen erklärt hatte und alle drei großes Interesse gezeigt hatten, vereinbarten sie Termine zum Treffen. Seine Arbeit für heute war damit erledigt, also zog er sich um und ging zum Pool, um seine täglichen Bahnen zu schwimmen. Später am Abend machte er noch einen Spaziergang am Strand. Dort saßen mehrere Jugendliche, die mit ihren Gitarren musizierten, und er setzte sich in deren Nähe in den Sand. So genoss er den herrlichen Sonnenuntergang, lauschte der Musik und trank dabei ein kühles Bier. Seine Erwartung an den morgigen Tag ließ ihn nicht zur Ruhe kommen. Wird sie mich besuchen, fragte er sich.

4

Matthew hörte, wie es an seiner Schlafzimmertür klopfte. Martha machte sich Sorgen, denn es war kurz vor dem Mittag, und er war immer noch nicht wach. Er beruhigte sie und zwang sich dazu, aufzustehen. Der Kaffeeduft lockte ihn aus dem Bett. Mit einem großen Becher frisch gebrühten Kaffees setzte er sich auf die Terrasse, um wach zu werden. Die Terrasse war sein Lieblingsort hier am Haus. Seine Haare waren zerzaust vom Schlaf, die Sonne blendete ihn ein wenig, doch für ihn gab es nichts Besseres als einen leckeren Kaffee am Morgen. Das Joggen musste er auf den Abend verschieben, denn es war zu dieser Uhrzeit schon viel zu warm dafür. Nachdem er geduscht hatte, servierte Martha ihm das Frühstück. Kurz darauf klingelte es an der Tür und er ging hin, um zu öffnen. Und da stand sie nun vor ihm: Angelique. Er hatte gedacht, dass sie vorher anrufen würde. Jetzt war sie da und er war nicht darauf vorbereitet, denn er stand nur

in Shorts bekleidet vor ihr.
„Hi, Angelique. Schön, dich zu sehen“, sagte er ein wenig verlegen und hoffte, dass sein nackter Oberkörper sie nicht störte. Sie sah die Verwirrung in seinem Gesicht und lächelte ihn entwaffnend an. Überraschung gelungen, dachte sie zufrieden.
„Darf ich hereinkommen? Oder soll ich warten, bis du dich umgezogen hast?“, zog sie ihn belustigt auf. Seinen fast nackten Body sah sie sich gerne an, denn er machte sie an.
„Nein, nein! Komm ruhig rein“, sagte er schnell und ließ sie hinein. Dass sie erneut unter Beobachtung standen, ist keinem von beiden aufgefallen. Angelique betrat den Flur und schaute sich neugierig um. Sie sah auffallend schöne Bilder von Blüten und Knospen in dazu farblich abgestimmten Rahmen an den Wänden hängen. Dazwischen rankten Pflanzen fast bis zum Boden. Alles sah sehr einladend aus. Matthew führte sie nun weiter ins Wohnzimmer. Ihr stockte der Atem, als sie hineinkam. Der Raum war riesig und die Einrichtung in verschiedenen sanften Grautönen gehalten. Nur die Wände strahlten weiß. Eine Malerei an der Wand hinter der Couch beeindruckte sie besonders, denn sie zog den Blick des Betrachters sofort auf sich. Das warme Licht des Tages verstärkte die Wirkung des Bildes. Im Zimmer verteilt standen einige Skulpturen unterschiedlicher Art und Größe. Dazwischen mehrere grüne Pflanzen. Sie war von diesem Raum überwältigt und bestaunte alles völlig fasziniert. Ihr Interesse an Kunst begeisterte wiederum Matthew. Es war bemerkenswert.

„Bist du ein Künstler?“, fragte sie von diesen Gegenständen vollkommen beeindruckt.
„Nein, das bin ich leider nicht. Ich habe jedoch eine große Vorliebe für Kunst und junge Künstler. Darum versuche ich, so gut es geht, sie zu unterstützen“, antwortete er lächelnd.
„Das sehe ich. Wie bist du denn zu diesen Objekten gekommen?“, fragte sie neugierig und schaute sich alles noch genauer an. Er hatte einen sehr guten Geschmack, stellte sie fest.
„In Miami gibt es mehrere Künstleragenturen. Dort schaue ich oft vorbei. Und wenn mir ein Kunstwerk gefällt, dann kaufe ich es“, erläuterte Matthew. Er liebte zeitgenössische Kunst.
„Diese Wand hier ist fantastisch. Abstrakte Kunst hat mich schon immer fasziniert“, sagte Angelique begeistert. Sie betrachtete die Wand mit der Malerei besonders intensiv. Er empfand diesen Anblick göttlich, denn Frauen, die Kunst verstanden, hatte er nicht oft vor sich. Das Bild war mit verschiedenen grauen und grünen Farben gemalt worden. Sie verschmolzen alle leicht miteinander. Goldfarbene und schwarze Linien durchzogen das Gemälde.
„Was siehst du in diesem Bild?“, fragte Matthew interessiert. Welche Fantasie hat sie wohl, überlegte er neugierig. Mit großer Spannung wartete er auf ihre Antwort.
„Ich sehe darin den Strand und das Meer. Die Wellen umspülen den Sand, und die Sonne glitzert darin. Die Auswahl der Farben ist phänomenal. Der Verlauf von Türkis zu Petrol sollte vielleicht die Kraft des Wassers widerspiegeln?“, gab sie von sich. Sie war

voll in diese Malerei versunken. Matthew verschlug es die Sprache. Es war nämlich genau seine Vorstellung von diesem Bild gewesen, denn er gab es schließlich so in Auftrag, und der junge Künstler hatte es perfekt umgesetzt. Er war mehr als beeindruckt von ihrer Art, die Dinge zu sehen und zu beschreiben. Auch wenn sie es studiert hatte, sie hatte wirklich Talent.

„Nun aber genug der Betrachtung. Möchtest du etwas trinken?“, brachte er heraus.

„Ja. Liebend gerne. Eine kalte Apfelschorle wäre angenehm. Danke schön“, sagte sie.

Matthew bat Angelique inzwischen, auf der Terrasse Platz zu nehmen und ging in die Küche, um die Getränke zu holen. Sie schaute sich draußen um. Sein Anwesen beeindruckte und erschreckte sie zugleich. Er muss sehr vermögend sein, um sich das alles leisten zu können, ging ihr durch den Kopf. Plötzlich erschrak sie, weil sie etwas am Bein gekitzelt hatte. Sie sprang zur Seite und wollte laut aufschreien. Doch im selben Moment sah sie eine Katze neben sich schleichen. Sie liebte Tiere, und dieses süße Wesen hatte sofort ihr Herz erobert. Die Färbung ihres Fells war traumhaft. Ein kleiner Tiger, nur in Grau, dachte Angelique. Die graublauen Knopfaugen der Katze beobachteten sie neugierig. Angelique ging in die Hocke und konnte beschnuppert werden. Und umgehend durfte sie die Katze streicheln.

„Hey. Ich sehe, du hast schon Freundschaft mit meinem kleinen Tiger geschlossen. Darf ich vorstellen? Benny, mein Kater“, sagte Matthew, als er wiederkam. Er stellte das Tablett ab, schenkte die Getränke ein und reichte ihr eines der Gläser. Genussvoll trank Angelique die kalte Schorle, denn es war ein sehr warmer Tag.

„Ein Kater also. Er ist zum Verlieben süß. Bei mir zu Hause gibt es zwei Katzen. Ich vermisse sie sehr“, sagte sie mit Wehmut in ihrer Stimme. Angelique fühlte sich immer wohler in Matthews Gesellschaft. Plötzlich bemerkte sie, dass sie ihn beim Frühstück gestört hatte.

„Oh, Matthew, ich sehe, du frühstückst gerade. Entschuldige, dass ich so hereingeplatzt bin“, sagte sie verlegen. Es war ihr peinlich, dass sie nicht vorher angerufen hatte.

„Es macht doch nichts. Ich habe heute verschlafen, daher mein spätes Frühstück. Möchtest du auch etwas essen?“, fragte er. Sie verneinte und bat ihn, sich nicht stören zu lassen.

„Darf ich vielleicht zum Strand gehen und mir die Aussicht dort anschauen, während du zu Ende frühstückst?“ Sie wollte ihn wirklich nicht stören. Er nickte, und sie ging.

Das Grundstück hinter seinem Haus war riesengroß und endete an der Biscayne Bay. Am Strand angekommen, entdeckte sie einen Bootssteg, an dem eine kleine Yacht ankerte. Sie war überwältigt. Matthew hatte nun sein Frühstück beendet und kam auf sie zu. Er merkte, dass sie erneut unsicher wurde. Das gefiel ihm nicht, denn es gefährdete sein Vorhaben.

„Stimmt etwas nicht? Belastet dich etwas?“, fragte er besorgt.

„Ich habe nicht damit gerechnet, dich an so einem Anwesen anzutreffen“, antwortete sie leise und schaute ihn verlegen an. Bin

ich hier überhaupt richtig? Überlegte sie hastig.
„Hast du damit ein Problem?“, fragte er beunruhigt und hoffte, sie würde jetzt keinen Rückzieher machen. Es gefiel ihm jedoch, dass sie anscheinend nicht auf sein Geld aus war.
„Was für ein Angebot wolltest du mir denn machen?“, fragte sie, um ihn abzulenken und um nicht auf seine Frage antworten zu müssen. Diese Fülle an Reichtum machte sie tatsächlich unsicher. Sie konnte damit nicht umgehen, denn sie lebte bisher in bescheidenen Verhältnissen.
„Lass dich überraschen. Ich bitte dich erst einmal um ein paar Tage, in denen du mich begleiten würdest. Würdest du mitkommen? Bitte.“ Er streckte seine Hand nach ihr aus.
„Was muss ich denn dabei tun?“, fragte sie misstrauisch.
„Nichts, was du nicht möchtest. Magst du schönen Strand, Palmen und traumhafte Sonnenuntergänge?“, fragte er und sah sie erwartungsvoll an.
„Ja, sicher. Wer mag es nicht?“, antwortete sie etwas mutiger.
„Genau das möchte ich gerne mit dir erleben. Mach mir die große Freude und komm bitte mit mir mit“, bettelte er schon fast. Es fiel ihr schwer, seinen Worten Glauben zu schenken, doch ihr Herz schlug schneller bei der Vorstellung, mit ihm zusammen sein zu können.
„Und wann soll das sein?“, fragte sie jetzt neugierig. Den Gedanken an ein paar schöne Tage irgendwo am Strand fand sie schon sehr reizvoll. Matthew selbst gefiel ihr auch gut. Warum denn eigentlich nicht, überlegte sie und zwang sich zum positiven

Denken.

„Von mir aus direkt morgen“, antwortete er und lächelte sie strahlend an. Sein Gesichtsausdruck verriet ihr, dass er sich sehr freute.

„Morgen schon? Aber ich bin doch gar nicht darauf vorbereitet.“ Angelique war perplex. Es überraschte sie, dass es so schnell gehen sollte.

„Heißt das, dass du mitkommst?“, fragte er ungläubig und war überglücklich über ihre Entscheidung. „Du musst auch gar nicht viel mitnehmen. Es ist alles da, was wir benötigen“, fügte er hinzu. Dann nahm er sie bei der Hand und sie gingen zum Haus zurück. Als sie sich wieder auf die Terrasse gesetzt hatten, kam Martha, um zu fragen, ob der Besuch zum Essen bleiben würde. Sie war neugierig geworden, nachdem sie die junge Frau erblickt hatte. Matthew stellte ihr Angelique vor. Sie war Martha auf Anhieb sehr sympathisch.

„Möchtest du denn heute noch so lange bleiben?“, fragte Matthew erwartungsvoll. „Ich würde mich riesig freuen“, fügte er rasch hinzu.

„Wenn es keine Umstände macht, dann gerne“, antwortete sie jetzt ein wenig entspannter. Sie hatte keine Termine, die sie wahrnehmen musste, und konnte so mehr Zeit mit ihm verbringen und noch einiges mehr über ihn erfahren. Martha freute sich über seine weibliche Gesellschaft und ging wieder hinein. Angelique betrachtete jetzt seinen Körper. Er war gut gebaut, hatte eine sportliche Figur, dunkle Haare und dunkelbraune Augen.

Die kleinen Lachfältchen um seine Augen herum machten ihn unsagbar sexy. Sein Tattoo auf der linken Schulter ist ihr besonders aufgefallen. Ein chinesischer Drache. Ausgezeichnet gestochen. Sie selbst hatte noch keine Tattoos. Vielleicht lasse ich mir eines Tages doch eins stechen, überlegte sie träumerisch in diesem Moment.

Während sie so plauderten, stieg die Tagestemperatur stetig an. „Magst du dich ein wenig abkühlen?“, fragte Matthew, nachdem ihm aufgefallen war, dass sie schwitzte. „Wir könnten in den Pool springen. Was hältst du davon?“ Er hatte große Lust darauf, einen Vorgeschmack darauf zu bekommen, was sie auf der Insel erleben würden.
„Ich habe leider keinen Badeanzug dabei, und ohne geht das wohl schlecht.“ Angelique lächelte schelmisch bei diesem Satz.
„Darf ich dir denn einen bringen?“, fragte er eifrig und stand sofort auf.
„Falls du einen hast, dann sehr gerne“, antwortete sie und sah ihn dabei verschmitzt an. Ein wenig Abkühlung genießen kann nicht schaden, dachte sie, während er im Haus verschwand. Kurz darauf erschien er mit einem Badeanzug in der Hand, was sie verwundert schauen ließ, denn sie hatte nicht damit gerechnet. „Du bist wohl auf alle Eventualitäten vorbereitet?“, witzelte sie heiter. Matthew zeigte ihr, wo sie sich umziehen konnte und wartete schon im Pool auf sie. Der Badeanzug passte wie angegossen. Sie stellte sich kurz unter die Dusche und sprang vergnügt

hinein. Dann schwamm sie eine Runde, während er sie beobachtete. Die Abkühlung tat richtig gut, und Matthew genoss ihre Anwesenheit. Wie schön wäre es, sie jetzt zu liebkosen, dachte er ein wenig erregt. Also schwamm er in ihre Richtung und fing an, sie zu bespritzen. Angelique kicherte und tauchte unter. Die Stimmung zwischen ihnen wurde immer lockerer. Um kurz durchzuatmen, hielt sie sich am Beckenrand fest. Matthew nutzte die Gelegenheit und schwamm direkt auf sie zu. Er versperrte ihr den Fluchtweg, ihre Gesichter kamen sich dabei sehr nahe. Als er in ihre Augen blickte, entdeckte er einen Hauch von Lust darin. Bedächtig fing er an, sie zu küssen, und sie ließ es geschehen. Es erregte ihn aufs Äußerste, sie zu spüren und zu schmecken. Angelique schlang ihre langen Beine um seinen Körper, dabei wanderten ihre Hände zu seinem Kopf. Mit den Fingern glitt sie durch sein nasses Haar. Er küsste sie immer leidenschaftlicher und sie erwiderte seinen Kuss mit solcher Hingabe, dass es ihm den Atem raubte. Jetzt gab es kein Zurück mehr. Er wollte sie, und zwar sofort, denn sein Verlangen wurde unerträglich. Auch ihre Lust stieg ins Unermessliche. Beide stöhnten vor Erregung.

„Wollen wir hineingehen?“, fragte Matthew sehnsuchtsvoll und wartete gar nicht erst ihre Antwort ab. Er führte sie aus dem Pool und schon waren sie im Haus verschwunden. Im Bad angekommen, zogen sie ihre nassen Sachen aus. Dabei konnten sie ihre Münder nicht voneinander trennen. Sie stellten sich unter die Dusche und Matthew fing an, sie einzuseifen. Das Wasser prasselte auf ihre Körper. Er schaute auf sie hinab. Alles an ihr lockte seine Hände und seinen Mund. Pure Begierde beherrschte den Augenblick. Ihre Körper tanzten nun im Rhythmus der ekstatischen Hingabe. Als sich dann ein heftiger Höhepunkt ihrer bemächtigte, sank Angelique schwer atmend in seine Arme. Zärtlich trocknete er sie ab und führte sie in sein Schlafzimmer. Nun lag sie auf seinem Bett. Ihr zerzaustes, nasses Haar und die leichte Röte in ihrem Gesicht machten sie noch anziehender. Matthew fing erneut an, sie zu verwöhnen. Angelique schloss die Augen und genoss seine Zärtlichkeit. Eine unsagbare Lust kroch in jede Zelle ihres Körpers, alles in ihr verlangte nach einer vollkommenen Erlösung. Er war wunderbar zärtlich und dennoch so fordernd. Sie betete, er möge gar nicht mehr aufhören, denn sein Treiben brachte sie zur süßen Verzweiflung. Ihr lustvolles Stöhnen machte wiederum Matthew wahnsinnig. Oh Gott, welch ein unglaubliches Gefühl. Diese Frau ist der reinste Wahnsinn, gestand er sich ein, als beide, Augenblicke später nach Atem ringend, zu einem unbeschreiblichen Höhepunkt kamen. Ihre verschwitzten Leiber klebten fast aneinander, als sie atemlos und befriedigt auf dem Bett liegen geblieben waren.

„Angelique, du bist sagenhaft“, flüsterte Matthew zärtlich und strich dabei mit seinem Zeigefinger über ihren Körper. Er schaute sie dabei an. Sie hatte die Augen geschlossen, lächelte zufrieden und genoss seine Berührung. Ihr Atem ging jetzt ruhig. Sie sah reizend aus, wie sie so neben ihm lag. Eine Traumfrau, dachte er verzückt. Ab morgen würde er noch mehr Zeit mit ihr

verbringen können. Der Gedanke daran war für ihn sehr zufriedenstellend und er konnte es kaum noch erwarten, mit ihr zur Insel zu fahren. Als sie erneut unter der Dusche standen, musste Matthew sich zurückhalten, denn er wollte sie am liebsten noch einmal vernaschen. Genug für heute, rügte er sich selbst.
„Möchtest du jetzt vielleicht einen Kaffee trinken?", fragte er, als sie sich angezogen hatten.
„Ja, sehr gerne", antwortete sie. Also ging er in die Küche, und Angelique nahm währenddessen im Wohnzimmer, wo es angenehm kühl war, Platz. Matthew brachte den Kaffee, den sie bei leiser Musik genossen. Und während Angelique erneut die Kunst bewunderte, betrachtete er sie. Sie war so wunderschön, dass sein Herz bei ihrem Anblick sofort schneller schlug. Nach einer Weile kam Martha herein und bat beide an den Tisch. Sie hatte wieder einmal einige Köstlichkeiten zubereitet. Als die beiden im Esszimmer Platz genommen hatten, wollte sie sich zurückziehen, um nicht zu stören. Angelique bat sie jedoch, mit ihnen zu speisen. Diese feine Geste gefiel Matthew besonders gut, denn damit zeigte sie ihre Wertschätzung Martha gegenüber. Martha war allerdings weniger begeistert, denn sie wollte die beiden wirklich nicht stören. Um jedoch nicht unhöflich zu erscheinen, blieb sie dann doch. Angelique staunte über Marthas Kochkünste.
„So lecker habe ich schon seit einer Ewigkeit nicht mehr gegessen, danke schön", sagte sie an Martha gerichtet, als sie ihren leeren Teller betrachtete.
„Möchte jemand noch einen Nachtisch?", fragte Martha mit

einem charmanten Lächeln, denn sie hatte ein leckeres Mango-Basilikum-Sorbet gezaubert.
„Vielleicht später", meinte Matthew, da er völlig satt war.
„Ich glaube, ich sollte mich mal langsam auf den Nachhauseweg machen", sagte Angelique. Sie hatte nicht damit gerechnet, dass sie so lange hier sein würde. Und erst recht nicht damit, was vorhin vorgefallen war.
„Bleib bitte noch ein Weilchen. Ich kann dich später nach Hause fahren", bettelte Matthew schon fast, denn er genoss diese Zeit mit ihr gerade sehr. „Außerdem musst du unbedingt noch Marthas Nachtisch probieren", fügte er hinzu und schaute sie dermaßen erwartungsvoll an, sodass sie nicht Nein sagen konnte. Dann führte er sie in den Garten. Der Tag ging langsam in den Abend über.
„Möchtest du den Sonnenuntergang mit mir genießen?", fragte Matthew nach einer Weile.
„Sehr gerne", antwortete sie begeistert und war froh darüber, noch mehr Zeit mit ihm verbringen zu können. Anscheinend war er ein Romantiker. Ihr Herz schlug wieder einmal schneller bei diesem Gedanken. Es gibt nicht viele Männer, die so etwas gerne tun, dachte sie zufrieden. Diese Eigenschaft von ihm gefiel ihr besonders gut. Also gingen sie zum Strand und genossen gemeinsam die letzten Sonnenstrahlen. Als sie zurückkamen, servierte Martha den Nachtisch. Das Sorbet war wirklich köstlich und ein guter Abschluss des Tages. Nun machte Angelique sich auf den Weg nach Hause. Matthew brachte sie hin.

„Ich hole dich dann morgen um acht Uhr ab. Ist das in Ordnung?", fragte er.
„Ja, ich werde auf dich warten. Freue mich schon sehr darauf", antwortete sie. Dann stieg sie aus.
„Und ich erst!" Matthew strahlte, als er das sagte. Angelique gab ihm noch einen sehnsüchtigen Kuss und ging dann in ihre Wohnung.

Am nächsten Morgen erzählte Angelique ihrer Freundin, dass sie mit Matthew für ein paar Tage wegfahren würde. Dann packte sie schnell ein paar Sachen zusammen und wartete ungeduldig auf ihn. Aufregung erfasste sie und sie freute sich auf die Zeit mit ihm. Als es an der Tür klingelte, verabschiedete sie sich von Louise und lief zum Auto. Während sie wegfuhren, schaute Louise den beiden ein wenig neidisch nach. Ihr fiel auf, dass ein anderes Auto ihnen folgte; sicherlich ein Zufall, dachte Louise und verschwendete keine weiteren Gedanken daran.

 # 5 #

Auf der Insel...

Nachdem Matthew Angelique abgeholt hatte, führte er sie zu seiner Yacht, und sie fuhren auch gleich los. Eine kleine Drohne kreiste währenddessen über seinem Anwesen und verweilte kurz über ihnen, als sie sich in Bewegung setzten. Doch keiner der beiden bemerkte sie, da sie mit dem Ablegen beschäftigt waren. Als sie aus der Bucht auf den Ozean fuhren, war die Drohne verschwunden. Ruhig und majestätisch lag das große Wasser vor ihnen. Angelique gesellte sich zu Matthew und beobachtete ihn, wie souverän er seine Yacht steuerte. Nach einer Weile jedoch zog sie ihr Kleid aus und ging nur mit einem Bikini bekleidet aufs Deck, um sich zu sonnen und den Fahrtwind zu genießen. Ein Gefühl der völligen Entspannung überkam sie. Sie schaute auf das Wasser hinaus, das sich immer dunkler färbte. Hier draußen war der Ozean mittlerweile sehr tief. Plötzlich bemerkte sie mehrere Delfine, die neben der Yacht auftauchten. Allem Anschein nach hatten sie eine Riesenfreude daran, mit dem Boot mitzuschwimmen und vollführten drollige Sprünge. Angelique sprang auf und lief zu Matthew. Vollkommen aufgeregt erzählte sie ihm davon. Er selbst hatte die Delfine auch schon gesichtet und das Tempo der Yacht ein wenig gedrosselt, damit Angelique sie noch länger beobachten konnte. Die Ehrlichkeit ihrer Gefühle beeindruckte ihn zutiefst. Er lächelte sie an, bekam einen Kuss und schon war sie wieder verschwunden. Während sie so weiterschipperten, tauchten vereinzelt kleine Inseln am Horizont auf. Angelique fiel auf, dass sie einer davon immer näher kamen. Er bringt mich auf eine Insel, dachte sie freudig erregt. Diese hier muss es sein, überlegte sie weiter, als das Wasser unter der Yacht immer flacher wurde. Nach einem kurzen Manöver legte Matthew dann am Steg an. Schnell zog sie ihr Kleid über und war bereit, von Bord zu gehen. Unten nahm ein Mann sie in Empfang, der sie neugierig betrachtete.

„Hallo Jaden. Das ist Angelique. Wir bleiben ein paar Tage“, sagte Matthew und begrüßte sein Gegenüber mit einer herzlichen Umarmung.

„Hallo Angelique. Willkommen auf dieser Insel." Jaden umarmte auch sie herzlich .

„Hallo Jaden." Angelique wurde verlegen, als sie seinen Blick über sich wandern sah. Dann sah auch sie ihn genauer an. Er war ein dunkelhäutiger, großgewachsener junger Mann, trug Rastazöpfe und hatte eine sehr anziehende Ausstrahlung.

„Jaden ist der Guide hier auf dieser Insel und für die Sicherheit aller zuständig", erklärte Matthew. „Solltest du ohne mich losziehen wollen, dann nimm ihn bitte immer mit. Es gibt einige gefährliche Tiere in dieser Gegend, und ich möchte nicht, dass dir etwas passiert", fügte er besorgt hinzu. Er hoffte sehr, dass sie sich daran halten würde. Nun nahm Matthew Angelique bei der Hand und führte sie über seine Insel. Sie nahm dabei sehr viele wunderbare Eindrücke wahr. Die Farben, Düfte und die Geräusche der Natur zogen sie in ihren Bann. Zuerst gingen sie an mehreren kleinen Häusern vorbei, die zerstreut in der Gegend standen. Matthew erklärte ihr, dass hier sein Personal wohnte. Dazu gehörten zwei Köche, drei Dienstmädchen und ein Ehepaar, das als Gärtner arbeitete. Jaden, den Guide, hatte sie bereits kennengelernt. Kurz darauf näherten sie sich seinem Haus, das sich auf einem Hügel befand. Dabei überquerten sie einen schmalen Fluss, der die Insel teilte. Die Brücke darüber war aus Holz und das Geländer dekorativ geschnitzt und glänzend. Angelique bewunderte das außergewöhnliche Muster und musste es unbedingt anfassen. Das Holz fühlte sich warm und sehr angenehm an. Diese Art der Brücke passt besonders gut zu dieser Insel, dachte Angelique in diesem Moment. Die gesamte Situation überforderte sie allerdings sehr. Am Haus angekommen, führte Matthew sie nun hinein. Der Eingangsbereich hatte eine kreisrunde Form und wirkte sehr einladend. An weißen Wänden hingen traumhaft schöne Bilder mit Motiven der karibischen Inseln. Der Boden war mit pastellfarbenen, hellblauen Fliesen ausgelegt. Rundum standen interessante Skulpturen, die von den Einheimischen der Karibik geschnitzt wurden. Dazwischen prächtige, exotische Pflanzen in dekorativen Kübeln. Angelique liebte solche Arrangements, daher war sie erneut in hohem Maße beeindruckt. Eine angenehme Kühle empfing sie, als sie weiter ins Wohnzimmer traten. Dort ließ sie sich in einen gemütlichen Sessel fallen und betrachtete die Einrichtung. Matthew holte inzwischen kalte Getränke. Und wieder staunte sie nicht schlecht. Bunte Gemälde schmückten die Wände, und die bequeme Couchlandschaft lud zum Verweilen ein. Eine breite Glastür führte hinaus zur Terrasse. Der Ausblick von dort aus raubte ihr den Atem. In der Ferne sah sie eine Bucht, in der das Wasser so blau war, dass sie die Farbe nicht hätte beschreiben können. Angelique hielt den Atem an. Sie wollte am liebsten sofort dorthin. „Matthew, das alles hier kommt mir wie in einem Traum vor. Kneif mich bitte, damit ich aufwache“, sagte sie überwältigt, als er wiederkam. Er musste schmunzeln, denn er war sich der Schönheit seines kleinen Paradieses bewusst.

„Soll ich es wirklich tun?“, fragte er belustigt und ging auf sie zu. Doch anstatt sie zu kneifen, küsste er sie heiß und begierig. Ihr Gesicht glühte vor Erregung, und sie erwiderte seinen Kuss mit voller Hingabe. Ihr Herz vollführte Freudensprünge.

„Das ist viel besser als kneifen“, antwortete sie verzückt. Nachdem sie dann endlich ihren Durst gestillt hatten, zeigte Matthew ihr die Räume im Obergeschoss. Von dort aus gab es einen großartigen Ausblick auf den Berg mit seinem Pflanzenreich. Angelique fühlte sich fantastisch und war glücklich darüber, dass er sie auf diese zauberhafte Insel gebracht hatte. Ihre Zweifel waren mit einem Mal wie weggewischt. Wenig später nahm Matthew sie erneut an die Hand und ging mit ihr hinaus, um ihr den Rest der Insel zu zeigen. Endlich erreichten sie die Bucht, die sie vom Haus aus gesehen hatte. Das Wasser lag ruhig, kleine, leise Wellen umspülten den Strand. Diese Bucht war nicht sehr groß. Auf der linken Seite konnte man die Vegetation der Mangroven sehen, und auf der rechten Seite erstreckte sich eine hohe Felswand, die allmählich zum Meer hin flacher wurde. Der Sand war weiß und fein wie Mehl. Im Wasser, weiter weg vom Strand, entdeckte Angelique ein paar dunkle Stellen.

„Was ist das da draußen im Wasser?“, fragte sie neugierig.

„Das sind kleine Korallenriffe. Darum nenne ich diese Bucht auch die Korallenbucht“, antwortete Matthew. „Wenn du möchtest, können wir später dorthin schnorcheln gehen.“

„Ist das denn nicht gefährlich?“ Sie hatte schon immer großen Respekt vor tiefem Wasser.

„Du brauchst keine Angst zu haben, ich werde bei dir sein“, versuchte er, sie zu beruhigen, und küsste sie erneut, denn er konnte nicht genug von ihr bekommen. „Wollen wir jetzt etwas essen?“, fragte er anschließend, denn es war inzwischen Nachmittag geworden, und er hatte Hunger.
„Oh ja. Sehr gerne. Ich könnte einen Bären fressen“, sagte Angelique scherzhaft, denn auch sie hatte mittlerweile Riesenhunger. Also führte er sie in den Speisesaal, der hier in der Bucht allen Inselbewohnern zur Verfügung stand. Die beiden Köche David und Alex erwarteten ihre hungrigen Gäste schon und empfingen sie mit einer herzlichen Umarmung. Als Angelique das Buffet erblickte, lief ihr das Wasser im Mund zusammen. Es fehlte praktisch an nichts. Frisches Obst, Salate, warme und kalte Speisen, die köstlich dufteten, luden zum Schlemmen ein. Nachdem sie ihre Teller gefüllt hatten, nahmen sie draußen Platz und genossen das wunderbare Essen. David brachte die Getränke und zog sich diskret zurück.
„Matthew, die Lage dieser Lounge ist perfekt gewählt“, sagte Angelique voller Anerkennung. „Hier kann man wunderbar speisen und die Aussicht genießen“, schwärmte sie weiter.
„Danke für dein Kompliment“, antwortete Matthew, lächelte zufrieden und küsste sie erneut, denn diese Küsse schmeckten ihm besser als jeder Nachtisch dieser Welt. Nachdem sie sich gestärkt hatten, ging es weiter zu einem anderen Strand. Hier standen aneinandergereiht mehrere bunte Bungalows. Er war breit und unendlich lang, mit Palmen, die Schatten spendeten, gesäumt.

Manche davon waren so gebogen, dass sie halb im Wasser lagen. Weißer Sand, soweit das Auge blicken konnte. Die Wellen schlugen hier geräuschvoll auf. Kleine weiße Schaumkronen bildeten feine Muster im Sand und verschwanden dann wieder. Angelique war von diesem Zauber dermaßen fasziniert, dass sie am liebsten für immer hier bleiben wollte.
„Matthew, diese Insel ist wirklich paradiesisch. Wer lebt denn sonst noch hier, außer deinem Personal?“, fragte sie neugierig, denn sie war ein wenig überrascht darüber, dass sie keine anderen Menschen zu sehen bekam.
„Noch niemand. Du bist die erste Besucherin, seit das alles hier fertiggestellt wurde.“ Matthew errötete, als er das sagte, denn er war sich nicht sicher, wie sie auf sein Angebot reagieren würde. Inständig hoffte er, dass sie wirklich blieb.
„Oh, welch eine Ehre für mich“, sagte sie entzückt und schaute ihn leicht verwundert an. Dann lächelte sie fröhlich und gab ihm einen Kuss. „Verrätst du mir jetzt vielleicht, was für ein Angebot du mir machen wolltest?“, fragte sie immer noch sehr neugierig, mit einem kessen Augenaufschlag. Sie zwinkerte ihm dabei zu und wartete gespannt auf seine Antwort.
„Komm bitte mit in mein Haus, dort können wir reden“, sagte er unsicher und führte sie zurück zu seinem Haus. Spätestens jetzt war er sich sicher, dass sie ihm absagen würde. Während sie zurückgingen, hörten sie in der Ferne Papageienschreie und andere faszinierende Klänge der Natur. Angelique war erstaunt darüber, wie intensiv man die Flora und Fauna wahrnehmen konnte,

wenn keine störenden Geräusche der zivilisierten Welt zu vernehmen waren. An den Hibiskus-Blüten, deren Büsche am Wegesrand wuchsen, sah sie kleine Kolibris flattern. Sie flogen die Blüten an, tranken den Nektar daraus und zogen dann weiter. Die Schnelligkeit des Flügelschlags der kleinen Wesen faszinierte sie besonders. Sie liebte die Natur, die sie immer wieder aufs Neue begeisterte. Im Haus angekommen, bot Matthew ihr an, sich frisch zu machen. Jaden hatte bereits ihre Sachen von der Yacht gebracht, und Angelique durfte sich eines der Gästezimmer in der oberen Etage aussuchen. Matthew trug dann ihre Tasche hoch und ließ sie erst einmal allein. Was hat er nur mit mir vor, überlegte sie fieberhaft. Ein Gefühl der Unsicherheit erfasste sie. Nun ja, bald werde ich es erfahren, dachte sie und ging dann duschen.

Nachdem sich beide frisch gemacht hatten, brühte Matthew Kaffee auf und sie nahmen auf der Terrasse Platz. Angelique hatte das Interesse an der traumhaften Aussicht jedoch verloren. Sie wollte jetzt endlich erfahren, was er vorhat. Also bat sie ihn, es ihr zu erzählen.
„Wo soll ich denn nur anfangen, um dich nicht gleich wieder zu verlieren?“, sagte er leise und schaute sie dabei verzweifelt an. „Es hat mit meinen Freunden und mir zu tun. Wir sind alle Singles, und gelegentlich genießen wir gerne die Gesellschaft hübscher Frauen.“ Matthew errötete ein wenig, als er das sagte. Ihr war es nicht entgangen, und ein eigenartiges Gefühl überkam sie.

„Wir möchten also einige Damen auf diese Insel einladen, die eine gewisse Zeit hier verbringen würden. Sie können dabei ihrem Hobby nachgehen, kreativ sein, machen und tun, wonach es ihnen ist. Die einzige Voraussetzung ist, dass sie sich auf eine besondere Weise auf uns Männer einlassen. Für diese Zeit werden sie natürlich entsprechend bezahlt. Sie können aber auch jederzeit den Aufenthalt hier abbrechen. Genauso könntest du hier deine Entwürfe zeichnen, sie schneidern und dabei eine sehr vergnügliche Zeit erleben. Ich würde dafür sorgen, dass dir alles, was du dazu benötigst, zur Verfügung steht. So, jetzt ist es raus. Ich hoffe, du bist nicht zu sehr entsetzt über das, was wir vorhaben?“, fragte er und schaute sie dann hoffnungsvoll an. Sie unterbrach ihn nicht, während er sprach, doch die Verwirrung war ihr anzusehen. Vor kurzem dachte sie noch, dass er vielleicht mehr für sie empfinden könnte. Dabei sollte sie nur eine seiner Gespielinnen werden. Ein Gefühl der Enttäuschung machte sich in ihr breit. Einerseits klang es sehr verlockend, in einer solchen Umgebung kreativ sein zu können. Andererseits wusste sie nicht, ob sie sich mit anderen Männern nach deren Lust und Laune einfach so vergnügen könne. Denn so hat sie jedenfalls sein Angebot verstanden. Sie wusste keinen Rat. Würde sie absagen, wäre die Möglichkeit, in seiner Nähe zu sein, verspielt. Es blieb ihr nichts anderes übrig, als sich zu entscheiden. Als sie nichts sagte, stand Matthew auf und ging ins Haus. Er wollte ihr etwas Zeit zum Nachdenken geben. Eine Weile später kam er mit zwei Gläsern Wein wieder und befürchtete das Schlimmste.

„Darf ich nach den Bedingungen fragen?“, sagte sie zaghaft und mit leichtem Unbehagen.
„Ich werde dir den Vertrag vorlegen, in dem alle Bedingungen stehen, die du kennen musst. Soll das heißen, dass du bleibst?“
Er lächelte sie strahlend an und ging schnell wieder ins Haus, um den Vertrag zu holen. Hoffnung keimte in ihm auf.
„Noch habe ich nicht zugesagt“, erwiderte sie und prostete ihm zu, als er wiederkam. Dann las sie den Vertrag. Die Bedingungen waren akzeptabel und die Bezahlung mehr als zufriedenstellend. Es war ein reizvolles Angebot, das sie nicht ausschlagen wollte. Wer weiß, was in dieser Zeit noch alles passieren wird, dachte sie dabei. Ohne ein Wort darüber zu verlieren, entschied sie sich dazu, ihn vorerst beiseitezulegen.

Langsam neigte sich die Sonne dem Horizont entgegen und tauchte den Himmel in ein bezauberndes Abendrot. Matthew stellte sich hinter Angelique und legte beide Hände auf ihre Schultern. Sie schaute zu ihm auf. In seinen Augen lag pure Begierde. Er beugte sich vor und küsste sie leidenschaftlich. Sie erwiderte seinen Kuss mit einer Hingabe, die ihn schmelzen ließ. Seine Sehnsucht nach ihr machte ihn wahnsinnig. Zärtlich schob er seine Hände in ihren Ausschnitt und spürte ihre samtige, weiche Haut. Ihre Brüste, straff und fest, lockten seine Finger. Er berührte sie mit einem Verlangen, welches er bisher bei keiner Frau verspürt hatte. Dann führte er sie zu einer Sonnenliege am Pool und setzte sich darauf. Zitternd vor Erregung stand sie nun vor ihm. Sein heißer Atem strich über ihren Bauch und sein Mund fing an, sie zu erkunden. Matthew war süchtig nach ihrem Körper. Gemächlich glitt ihr Kleid zu Boden und das Spiel der Liebe nahm seinen Anfang. Sie vergaßen alles um sich herum und wanderten von einer Ekstase zur anderen. Als sie vor Erschöpfung niedersanken, nahm Matthew Angelique in seine Arme, und sie schlief ein. Dabei betrachtete er sie ausgiebig. Die Röte in ihrem Gesicht wich langsam zurück, ihre zarte Haut schimmerte leicht im Abendlicht. In seinem Innern verspürte er ein seltsames Gefühl, das er nicht zuordnen konnte. Fühlt sich so das Verliebtsein an? Überlegte er fieberhaft. Er wollte es nicht fühlen, denn es würde alles verändern. Ich darf dieses Gefühl nicht zulassen, dachte er panisch.

Als Angelique wach wurde, hatte die Dunkelheit bereits Einzug gehalten. Sie waren durstig, also begaben sie sich in die Küche, um ihren Durst zu löschen.
„Möchtest du gleich noch einen Cocktail mit mir trinken gehen?“, fragte Matthew unsicher. Zu gern hätte er erfahren, ob sie bleiben würde. Doch er wollte sie nicht bedrängen.
„Mit Vergnügen. Ich möchte mich nur kurz frisch machen, ich bin gleich wieder da.“ Sie gab ihm einen Kuss und verschwand nach oben. Er zog sich in der Zwischenzeit um und wartete draußen auf sie. Als sie zu ihm kam, sah sie umwerfend aus. Sie hatte eine weiße, aus Spitze angefertigte Tunika an, die ihrer Figur besonders schmeichelte. Ihr Haar war noch leicht feucht und

wellig. An den Füßen trug sie weiße Flip-Flops. Sie sah so natürlich und trotzdem wahnsinnig sexy aus. Sein Herz fing an zu rasen und ihm fehlten die Worte. Ihr Anblick raubte ihm schon wieder den Atem.
„Bereit?“, brachte er nur mühsam hervor und führte sie aus dem Haus.

Draußen empfing sie die Dunkelheit. In regelmäßigen Abständen entlang des Weges befanden sich Laternen, die an Fackeln erinnerten und ein behagliches Licht spendeten. Angelique hakte sich bei Matthew ein und sie schlenderten gemütlich zur Korallenbucht. An der Bar saß Alex und freute sich über die Abwechslung, die sich ihm bot.
„Guten Abend. Was möchtet ihr denn trinken?“, fragte er lächelnd.
„Ich glaube, bevor ich etwas trinke, würde ich gerne eine Kleinigkeit essen. Sonst bin ich nach einem Cocktail sofort betrunken“, gab Angelique verlegen von sich.
„Gewiss, lass uns etwas essen“, entgegnete Matthew. Sie gingen in den Speisesaal und legten mehrere Häppchen auf ihre Teller. Dann kehrten sie zu der Lounge an der Bar zurück.
„Angelique, wie fühlst du dich hier auf dieser Insel?“, fragte Matthew vorsichtig, als sie mit dem Essen fertig waren.
„Oh Matthew, deine Insel ist wie ein kleines Paradies, und ich könnte mir vorstellen, für immer hier zu leben“, sagte sie voller Begeisterung und lächelte ihn dabei fröhlich an.

„Dann nimm mein Angebot an, bitte!“ Er flehte sie an, denn er wollte nicht, dass sie ging.
„Lass mich bitte eine Nacht darüber schlafen, ja?“, sagte sie leise. Sie benötigte noch ein wenig Zeit, um sich zu entscheiden.
„Alles, was du möchtest“, sagte er fast schon liebevoll und fragte dann, was sie gerne trinken wolle. Sie bestellten ihre Cocktails, und Alex fing an, diese zu mixen. Die Beleuchtung der Lounge war sehr dezent. Die chillige Musik im Hintergrund ließ ein angenehmes, karibisches Feeling aufkommen. Etwas näher am Wasser standen mehrere Liegen. Von dort aus konnte man im Dunkeln wunderbar den Sternenhimmel beobachten, und dorthin wollte Angelique jetzt mit ihrem Cocktail. Die Nacht war klar und angenehm warm. Sie nahmen auf einer Liege Platz. Matthew schlang seine Arme um sie und atmete dabei ihren Duft ein. Sie roch so unsagbar gut. Sein Herz schlug automatisch schneller. Die Ruhe der Nacht und das stetige, leise Aufschlagen der Wellen auf den Strand machten Angelique jedoch langsam müde. Der Alkohol tat seine Wirkung. Die Erlebnisse des Tages ebenfalls.
„Matthew, ich würde jetzt gerne schlafen gehen. Ist das für dich ok?“, fragte sie gähnend.
„Wenn du es möchtest, dann sehr gerne“, antwortete er und gab ihr einen Kuss. Sie tranken ihre Cocktails aus, dann kehrten sie ins Haus zurück.

„Es war ein sehr aufregender Tag für mich heute. Danke, dass du mich hierher gebracht hast“, sagte Angelique, als sie im Haus angekommen waren. Sie schaute ihn an, schlang ihre Arme um seinen Hals und gab ihm einen leidenschaftlichen Kuss. In ihrem Herzen wütete ein Sturm. „Schlaf gut. Gute Nacht“, sagte sie dann nur, löste sich von ihm und ging in ihr Zimmer. Matthew wünschte ihr ebenso eine gute Nacht und verschwand unverzüglich in seinem Schlafzimmer. Von Müdigkeit keine Spur, denn große Vorfreude machte sich in ihm breit. Voller Ungeduld betrat er seinen geheimen Raum. Der Zugang dazu war perfekt getarnt und nur er allein wusste, wie man hineingelangte. In sein geheimes Paradies. Angespannt startete er den Computer. Kurz darauf überprüfte er alle Systeme auf ihre Funktionalität. Anschließend startete er die Aufzeichnung, die auf der Terrasse seines Hauses gemacht worden war und schaute sich das an, was er mit Angelique dort erlebt hatte. Darauf hatte er so lange Zeit warten müssen. Dieses einzigartige Gefühl der vollkommenen geistigen Erfüllung, welches er auf solch eine Weise erleben durfte, war für ihn von unschätzbarem Wert, da er eine Vorliebe dafür hegte, Zeuge intimer Interaktionen anderer zu sein. Es war für ihn mit keinem anderen Gefühl vergleichbar. Das war seine Obsession, sein dunkles Geheimnis. Matthew war sich nun sicher, dass ihm in Zukunft noch zahlreiche dieser wunderbaren Erlebnisse bevorstünden. Gemütlich ließ er sich in seinem Sessel nieder und ergötzte sich an diesem visuellen Anblick.

Angelique konnte trotz ihrer Müdigkeit nicht einschlafen. Sie zog sich ein Top über, nahm eine Flasche kaltes Wasser aus der Bar und ging auf den Balkon. Das Licht ließ sie aus, denn der Vollmond erhellte die Nacht. Sie nahm Platz in einem der Sessel, trank das kühle Wasser, genoss die nächtlichen Klänge der Natur und dachte über ihre Situation nach. Der Berg hinter dem Haus sah in der Dunkelheit noch imposanter aus. Er ragte dunkel und mächtig in die Höhe und zeichnete sich am Horizont ab. Sie war überwältigt. Wie wunderschön diese Insel doch ist, dachte sie verträumt. Der Sternenhimmel zog ihre Blicke magisch an. So viele Sterne, die funkelnd das Firmament schmückten, hatte sie bisher noch nirgendwo gesehen. Sie glaubte, dass sie das alles nur träumte und bald aufwachen würde. Plötzlich sah sie eine Sternschnuppe über den Himmel huschen. Schnell schloss sie die Augen und wünschte sich etwas. Sie glaubte zwar nicht an Märchen, hoffte jedoch sehr, dass ihr Wunsch dennoch in Erfüllung gehen würde. Mit diesem angenehmen Gedanken kehrte sie in ihr Zimmer zurück und schlief dann ein.

 # 6 #

Am nächsten Morgen war Matthew schon sehr früh wach. Er bereitete wieder einmal aromatischen Kaffee zu, goss ihn in zwei große Becher und ging damit zu Angelique. Kurz lauschte er, da aber nichts zu hören war, klopfte er leise an. Völlig verschlafen öffnete Angelique die Tür, und als sie den Kaffeeduft in die Nase bekam, wurde sie hellwach.

„Oh, der Tag fängt ja gut an. Der Kaffee riecht deliziös. Ich könnte mich daran gewöhnen, ihn jeden Tag so serviert zu

bekommen“, sagte sie strahlend und nahm ihm dankbar einen der Becher aus der Hand.
„Komm mit, wir trinken ihn auf der Terrasse. Dort ist noch keine direkte Sonne“, sagte Matthew und schaute sie begehrlich an. Sie hatte nur einen Slip und ihr Schlafshirt an. Er empfand ihren Anblick als wahnsinnig erotisch. Das vom Schlaf zerzauste Haar, die Wangen leicht gerötet; ihre Erscheinung ließ sein Herz wieder einmal schneller schlagen. Was ist nur los mit mir, fragte er sich, als sich erneut dieses einzigartige Gefühl in seinem Herzen rührte.
„Muss ich mir nicht vorher etwas anderes anziehen? Schau, wie ich aussehe!“, sagte sie unsicher und wollte schon zurück in ihr Zimmer, um sich umzuziehen.
„Hier ist doch eh niemand, der sich an deinem Outfit stören würde. Und mir gefällst du auch so“, sagte er verführerisch, nahm sie bei der Hand und zog sie mit sich. Okay, warm genug ist es ja, dachte sie und folgte ihm. Sie setzten sich draußen hin und der Ausblick auf die Korallenbucht raubte ihr auch heute wieder den Atem. So früh am Morgen erstrahlte die Bucht in der schönsten türkisgrünen Farbe, die sie je gesehen hatte.
„Wollen wir heute schnorcheln gehen?“, schlug Matthew vor.
„Ist das denn wirklich nicht gefährlich?“, fragte Angelique ängstlich. Sie konnte mit dem Schnorchel nicht besonders gut umgehen und wollte es sich nicht anmerken lassen.
„Du wirst sehen, wie viel Spaß das machen kann. Komm, versuche es wenigstens einmal“, versuchte er sie zu überzeugen. Er

konnte es nicht begreifen, dass man Angst vor dem Schnorcheln haben konnte. Für ihn war die Wasserwelt schon immer faszinierend gewesen. Er hielt sich gerne dort auf.
„Okay, dann machen wir es“, sagte sie lächelnd und gab scherzhaft hinzu: „Mein Leben in deiner Hand.“
„Und ich werde es gut behüten“, versprach er. „Jetzt sollten wir aber mal zum Frühstücken gehen, meinst du nicht auch? Ich habe Bärenhunger.“
„In den Speisesaal, dort am Strand?“, fragte sie, da sie noch nicht über alles Bescheid wusste.
„Ja. Das ist das Reich von David und Alex, deren Aufgabe darin besteht, uns mit Nahrung zu versorgen. Es soll aber auch als Treffpunkt für alle, die hier wohnen, dienen“, erklärte Matthew.
„Wie findest du es?“, fragte er, weil er auf eine Bestätigung hoffte.
„Ausgezeichnet. Ich muss mich allerdings erst daran gewöhnen“, antwortete sie und ging nach oben.
„Bedeutet das, dass du bleibst?“, rief er ihr fragend nach.
„Ja“, hörte er sie oben antworten und war überglücklich.

Nachdem sie sich zurechtgemacht hatten, gingen sie frühstücken. An den Tischen sah Matthew seine drei Dienstmädchen sitzen. Auch David und Alex saßen draußen, denn es war zurzeit noch nicht viel los. Jaden kam gerade aus dem Speisesaal. Matthew begrüßte alle sehr herzlich. Angelique hatte den Eindruck, er begrüße nicht sein Personal, sondern seine Freunde. Dieses Verhalten machte ihn noch sympathischer.

„Angelique, das hier sind Mirana, Ella und Carida. Sie sind für Ordnung und Sauberkeit in unseren Wohnräumen zuständig“, sagte Matthew und stellte den jungen Frauen Angelique vor. Die drei umarmten sie sehr herzlich und hießen sie willkommen. Nun gingen sie hinein und holten ihr Frühstück.
„Solltest du einen besonderen Wunsch haben, dann sage bitte David oder Alex Bescheid.“ Matthew lud einige Köstlichkeiten auf seinen Teller.
„Bei dieser Auswahl glaube ich nicht, dass es nötig sein wird.“ Angelique bereitete sich eine kleine Schüssel Müsli mit Obst zu. Bei den Verlockungen des Buffets musste sie aufpassen, dass sie nicht zu viel aß. Hier konnte sie nicht so viel Sport treiben wie zu Hause, dabei war sie um ihr Äußeres sehr bemüht.
„Wollen wir uns zu den anderen setzen?“, fragte Matthew beim Hinausgehen.
„Sehr gerne. So kann ich alle etwas näher kennenlernen“, antwortete sie mit Begeisterung. Matthews Wunsch war es schon immer gewesen, eine ungezwungene Atmosphäre zwischen all den Menschen hier auf seiner Insel zu schaffen. Also setzten sie sich zu den anderen, frühstückten und plauderten dabei miteinander. Später führte er Angelique zu den bunten Bungalows.
„Da du dich für den Aufenthalt hier entschieden hast, was mich natürlich riesig freut, darfst du dir als Erste dein neues Zuhause auf Zeit aussuchen“, sagte er und sie gingen den wunderschönen Strand entlang. Die Bungalows hatten alle eine fast identische Bauform. Es gab ein Schlafzimmer, geräumigen Wohnraum mit

offener Kochzeile, ein Bad mit Dusche und vor jedem Häuschen eine großartige Terrasse, die zum Meer hin ausgerichtet war. In jedem Bungalow war zusätzlich noch ein leeres Zimmer vorhanden, das die Bewohner nach ihren Bedürfnissen gestalten konnten. Der Pool zwischen den Häusern war überwältigend. Angelique wollte am liebsten sofort hineinspringen, doch Matthew führte sie weiter. Sie kamen nun zu einem besonderen Haus mit der Aufschrift „Island-Store“ und er bat sie hinein. Angelique staunte nicht schlecht, als sie sich umsah. Das Gebäude hatte eine kreisrunde Form. Das Dach bestand aus einer Glaskuppel, dadurch waren alle Räume darin lichtdurchflutet. Es war in verschiedene abgetrennte Bereiche unterteilt. In einigen hing Kleidung an Ständern in Hülle und Fülle, und in anderen gab es Regale, die alles Mögliche enthielten. Shirts, Schuhe, Badesachen, Hüte und noch vieles mehr. Es fehlte praktisch an nichts. Angelique verschlug es die Sprache. Sie kam sich wie in einem Kaufhaus vor.

„Für wen sind denn all diese Sachen?“, fragte sie leicht irritiert.

„Für alle, die sich hier auf der Insel aufhalten. Alles hier steht jedem zur Verfügung. Findest du das übertrieben?“, fragte er ein wenig verunsichert.

„Nein. Sorry, dass ich gefragt habe“, antwortete sie und lächelte, denn diese Idee war wirklich nicht schlecht. Dann führte er sie in einen besonderen Bereich und sie errötete sofort, als sie ihn betraten. Dieser Raum war wirklich besonders, denn er enthielt ausschließlich Sexspielzeuge aller Art. Alles ordentlich sortiert

und original verpackt. Es gab Sachen dabei, die sie noch nie im Leben gesehen hatte. Angelique fing an zu kichern.
„Was hast du denn damit vor?“, fragte sie völlig verdattert und ihre Augen wurden immer größer. Sie konnte sich nicht vorstellen, dass man so viele Gegenstände zur sexuellen Befriedigung benutzen konnte. Und nun begriff sie, wohin sie dieses Abenteuer führen sollte. Bin ich überhaupt bereit dazu, fragte sie sich soeben in diesem Moment.
„Liebe Angelique, wenn du möchtest, können wir gerne einiges zusammen ausprobieren. Ich habe wahnsinnige Lust darauf, dir zu zeigen, wozu diese Dinge nützlich sein können.“ Er lächelte verschmitzt, als er es sagte und küsste sie dann begehrlich. Wildes Verlangen, sie zu besitzen und körperlich zu spüren, bahnte sich seinen Weg und ließ sein Herz schneller schlagen.
„Hey Matthew, ich bin bis jetzt ohne solche speziellen Hilfsmittel zurechtgekommen“, sagte sie wahrheitsgemäß, lachte dann herzhaft und heiterte damit die Stimmung auf. „Ich überlege es mir aber noch, vielleicht lerne ich einiges dazu“, fügte sie hinzu und schaute ihn dabei herausfordernd an. Dann nahm sie einen Vibrator in die Hand und wedelte damit vor seiner Nase. Dieses Verhalten brachte seine Lust zum Überlaufen. Jetzt bist du dran, dachte er erregt und griff nach ihrer Hand, in der sie das Spielzeug hielt. Er führte sie ganz langsam an ihrem Körper hinunter, bis zu ihrem Intimbereich. Die Luft schien für beide zu vibrieren. Als sie ihn anschaute, entdeckte sie wildes Begehren in seinem Blick, er atmete erregt. Angelique erstarrte und schnappte nach

Luft. Matthew schaltete das Spielzeug ein und drückte es an ihre Scham. Die Vibration erweckte eine bisher nicht gekannte Lust in ihr. Ihre Augen funkelten jetzt vor Erregung und sie stöhnte auf. Matthew beugte sie nun über einen Tisch, der in der Mitte des Raumes stand. Mit dem Gesicht zum Tisch liegend, sah sie nicht, was er vorhatte. Er bat sie, ihre Arme nach hinten durchzustrecken und band sie mit einem Tuch locker zusammen. Völlig erregt und ihm auf diese Weise ausgeliefert, schnappte sie nach Luft. Vergnüglich schob Matthew ihre Beine ein wenig auseinander. Sie erschauerte dabei. Dann spürte sie auch schon wieder die Vibration. Er berührte sie damit an ihrer vor Erregung aufgerichteten Lustknospe und drückte kräftig dagegen. Sie schrie völlig unkontrolliert und fing an zu zittern. Ein heftiger Orgasmus durchflutete ihren Körper. Matthew ließ sie jedoch nicht zur Ruhe kommen. Er bereitete ihr einen Höhepunkt nach dem anderen, indem er ihre beiden Körper miteinander verschmelzen ließ. Später hörte er sie schluchzen. Schlechtes Gewissen schlich sich bei ihm ein. Er befreite sie von den Fesseln und drehte sie zu sich um. Sie konnte kaum noch stehen, ihre Beine zitterten und Tränen liefen unaufhörlich über ihr Gesicht. Also setzte er sie auf den Tisch und nahm sie in seine Arme.
„Habe ich dir wehgetan?“, fragte er beunruhigt.
„Nein. Es war wunderbar, was du mit mir gemacht hast. Ich weine nur, weil ich noch nie so etwas Intensives erlebt habe.“ Angelique schaute voller Scheu zu ihm auf und küsste ihn. Der Kuss schmeckte salzig. Beruhigt, dass anscheinend alles in Ordnung

war, streichelte er zärtlich über ihren Rücken, vergrub sein Gesicht in ihrem Haar und ließ sie nun zur Ruhe kommen. Kurze Zeit später gingen sie dazu über, weshalb sie ursprünglich unterwegs waren. Matthew hoffte jedoch, diesen Raum mit all seinen Schätzen noch öfter mit ihr aufsuchen zu können. Ihre unschuldige Art hatte ihn besonders überrascht und weckte in ihm die Vorfreude, sie in Zukunft mit diversen erotischen Erlebnissen zu verführen.

Als sie erneut am Strand entlanggingen, wählte Angelique einen Bungalow aus, der in direkter Nähe zum Speisesaal stand. Er war in zarten pastellfarbenen Blautönen angestrichen. Gemütliche Rattan-Möbel zierten die Terrasse. Zwei imposante Palmen davor spendeten großzügigen Schatten. Für sie war es jetzt schon der perfekte Ort zum Wohlfühlen.
„Dieses Häuschen würde ich gerne beziehen“, äußerte sie begeistert.
„Die Farbe passt ausgezeichnet zu dir“, sagte Matthew und nahm sie in die Arme. „Es ist auch meine Lieblingsfarbe“, fügte er ergänzend hinzu und küsste sie abermals.
„Werden wir uns denn öfter sehen, wenn ich hier einziehe?“, fragte sie ein wenig traurig, denn der Gedanke, ihn mit anderen Frauen teilen zu müssen, machte ihr Angst. Zweifel an ihrer Entscheidung plagten sie plötzlich doch wieder.
„Hey Angelique, sicher werden wir uns immer mal sehen. Ich möchte noch einiges mit dir erleben. Ich hoffe, dir geht es

genauso?“ Er sah sie prüfend an.
„Ja, es geht mir genauso“, antwortete sie, doch um ihre Unsicherheit zu verbergen, schaute sie in diesem Augenblick aufs Meer hinaus.

Die Zeit verging wie im Flug. Es war mittlerweile Nachmittag geworden, als sie zurück zum Haus kehrten. Dort war in der Zwischenzeit alles aufgeräumt worden, ohne dass sie eines der Dienstmädchen zu Gesicht bekommen hatten.
„Möchtest du dich ausruhen oder lieber mit mir schnorcheln gehen?“, fragte Matthew.
„Gehen wir schnorcheln. Ich möchte es wagen“, sagte Angelique fest entschlossen, ihre Furcht zu überwinden. Als sie sich umgezogen hatten, gingen sie zur Korallenbucht. Dort wartete Jaden bereits auf sie. Sie legten Schwimmflossen, Schnorchel und Tauchmasken ins Boot, dann schoben sie es ins Wasser und stiegen ein. Sie ruderten ein Stück hinaus, bis zu der Stelle, an der man die Korallenbänke von oben sehen konnte. An dieser Stelle war das Wasser nicht sehr tief, und Angelique staunte darüber, wie farbenfroh die zahlreichen Fische waren. Nun machten sie sich zum Schnorcheln bereit.
„Ich möchte erst ein wenig üben. Ich habe seit Jahren nicht mehr geschnorchelt“, sagte Angelique und lächelte verlegen.
„Kein Problem. Nimm dir Zeit, und wenn du Hilfe benötigst, dann sag Bescheid“, sagte Matthew. Jaden behielt sie im Auge und half ihr vom Boot ins Wasser. Matthew war schon dort und

nahm sie in Empfang. Nach einem innigen Kuss fingen beide an zu schnorcheln. Zuerst unsicher, doch dann immer mutiger bewunderte Angelique die faszinierende Unterwasserwelt. Minutenlang dümpelte sie einfach nur dahin, ohne auch nur einmal den Kopf aus dem Wasser zu heben. Die Farbpalette, die sich ihr dort unten bot, war unbeschreiblich. Sie hatte schon mehrmals im Mittelmeer geschnorchelt, doch so prächtige Farben wie hier in der Karibik hatte sie vorher noch nirgendwo gesehen. Als sie über eine Felsspalte schwamm, kam plötzlich eine riesengroße Muräne daraus gekrochen und schwamm auf sie zu. Angelique fuhr vor Schreck zusammen und verschluckte sich heftig dabei. Panisch schlug sie um sich und drohte unterzugehen. Jaden half ihr sofort, wieder ins Boot zu kommen. Als Matthew sah, dass nichts Schlimmes passiert war und es ihr gut ging, schnorchelte er weiter, denn er liebte es, die Unterwasserwelt zu erkunden. Angelique blieb vorerst auf dem Boot. Sie hatte genug vom Schnorcheln. Das leichte Schaukeln des Bootes, die Sonne und die erfrischende Meeresbrise waren ihr viel lieber. Und so beobachtete sie Matthew dabei, wie er kurz tauchte und ihr dann eine wunderschöne Muschel überreichte. Ihr fiel auf, dass Jaden sie sehr intensiv betrachtete. Es war ihr unangenehm, doch sie versuchte, es zu ignorieren und lächelte etwas verlegen. Nachdem einige kleine Haie am Riff aufgetaucht waren, zog Matthew sich zurück ins Boot. Vorsicht war zwar geboten, doch er hatte keine Angst vor ihnen. Angelique reagierte jedoch sehr bestürzt, denn sie hatte noch nie einen Hai aus der Nähe gesehen. Und diese Gefahr war ihr bisher nicht bewusst gewesen. In diesem Moment schwor sie sich, niemals mehr so ungezwungen im Meer zu schwimmen.

„Ich gehe nie wieder tiefer als bis zu den Knien ins Wasser“, sagte sie aufgebracht zu Matthew, als dieser aus dem Wasser kam. Er sah Panik in ihren Augen.

„Warum das denn?“, fragte er belustigt. „Ist es wegen der Haie? Sie sind klein und nicht wirklich gefährlich“, versuchte er, sie zu beruhigen.

„Egal! Hai ist Hai“, antwortete sie patzig. Damit war das Gespräch für sie beendet. Jaden schmunzelte. Typisch Frau, dachte er amüsiert, sprach es aber nicht aus. Sie ruderten zum Strand zurück. Es war an der Zeit, sich zu stärken. Nachdem sie das Salzwasser abgeduscht und sich umgezogen hatten, gingen alle drei zum Essen. Es gab wunderbare leckere spanische Gerichte wie Tapas, Paella und Tomatensuppe, denn David war Spanier und bereitete diese gerne zu. Alles duftete einfach köstlich, sodass Angelique nicht widerstehen konnte und herzhaft zulangte. Sie nahmen sich sehr viel Zeit, um die Leckereien zu genießen. Die Sonne stand schon tief am Himmel, als sie nach Hause gingen. Matthew ließ noch einige Köstlichkeiten ins Haus liefern, denn er wollte den Abend mit Angelique dort verbringen.

„Darf ich noch einige Runden im Pool drehen?“, fragte Angelique, als sie am Haus angekommen waren. „Ich möchte die Kalorien verbrennen, die ich gerade zu mir genommen habe“, rechtfertigte sie ihre Frage. Matthew war so vollgegessen, dass er gar

keine Lust zum Schwimmen hatte.
„Sicher. Mach doch. Ich werde dir sehr gerne dabei zuschauen. Du hast wohl nichts dagegen, oder?“, fragte er lachend und schon lag er gemütlich auf der Liege. Sie hatte ihm den Rücken zugewandt und zog besonders provokant ihre Sachen aus. Bei ihrem Anblick schlug Matthews Herz sofort schneller. Ihre Figur war umwerfend. Als sie ihr Kleid runter streifte, beugte sie sich vor, um auch noch ihren Slip auszuziehen. Dabei streckte sie ihm ihr Hinterteil entgegen, und er sah ihre wohlgeformten Pobacken. Sie hörte, wie er laut nach Luft schnappte und grinste schelmisch. Ihm lief das Wasser im Mund zusammen, bei der Vorstellung, was er jetzt mit ihr anstellen würde. Matthew fiel auf, dass sie mit jeder Minute, die sie hier auf dieser Insel verbrachte, lockerer und frecher wurde, was ihm wiederum besonders gut gefiel, denn das bedeutete, dass sie seinen Absichten nicht abgeneigt war.

Splitterfasernackt stieg Angelique nun die Treppe zum Pool hinunter und versank im Wasser. Er schaute ihr verträumt zu, während sie ihre Bahnen zog. Dann stand er auf und ging ins Haus, um für sie ein Handtuch zu holen. Kurz darauf kam sie auf ihn zu und bat ihn, sie abzutrocknen. Sie wusste genau, was sie damit anrichten würde, und ihr Herz schlug ihr dabei bis zum Hals vor Erregung. Sie begehrte ihn, wollte ihn. Liebend gerne übernahm Matthew diese Aufgabe und legte das Handtuch um ihren nackten Körper. Während er sie zärtlich abrubbelte, liebkoste er mit seinem Mund ihren Nacken. Seine Lust war nun geweckt. Er musste sie heute unbedingt noch einmal besitzen, also führte er sie ins Bad, um mit ihr gemeinsam zu duschen. So leicht würde sie ihm nicht davonkommen, schwor er sich, denn sie hatte nun das Feuer der Begierde in ihm entfacht. Und es wollte gelöscht werden. Matthew stellte das Wasser an und sie seiften einander ein. Angelique entging nicht, wie erregt er war. Jetzt spielte sie mit ihm und trieb ihn auf einen herrlichen Höhepunkt zu. Doch seine Gier nach ihr war inzwischen nicht mehr zu bändigen. Nachdem sie sich abgetrocknet hatten, führte er sie in die Küche. Angelique sah ihn verdutzt an. Pures Verlangen loderte in seinen Augen auf.

„Wollen wir uns nicht anziehen?“, fragte sie verlegen, da sie nicht ahnen konnte, was ihr jetzt blühen würde.

„Nein. Leg dich auf den Tisch!“, befahl er in einem sinnlichen Ton. Seine Stimme vibrierte. Sie tat, wie er es verlangte und legte sich hin. Matthew verband ihr die Augen. Jetzt lag sie blind vor ihm und konzentrierte sich ausschließlich auf die akustischen Eindrücke um sie herum. Eine unbeschreibliche Spannung ergriff sie. Sie vernahm, wie er den Kühlschrank öffnete und wieder schloss. Matthew holte eine Schale mit geschnittenem Obst heraus. Der Tisch war kühl und sie bekam Gänsehaut, doch sie traute sich nicht, es ihm zu sagen, um nicht den aufregenden Moment zu zerstören. Und so blieb sie reglos liegen. Ihre Neugier wuchs, und die Spannung ließ sie den Atem anhalten. Was mag er wohl mit mir anstellen, überlegte sie aufgeregt. Matthew verbot es ihr derweil, sich zu bewegen. Vergnügt verteilte er mehrere Fruchtstücke auf ihrem Körper; deren Kälte ließ sie erschauern, sie atmete erregt. Dann spürte sie, wie er etwas über ihren Körper goss. Sie fühlte jeden einzelnen Tropfen auf ihre Haut fallen. Erneut konnte sie kaum noch atmen, so quälend war die Anspannung. Matthew fing nun an, von ihr zu naschen. Er nahm mit seinem Mund einzelne Fruchtstücke auf und küsste sie dann. Das Gefühl, ihn auf diese Weise zu schmecken, machte sie wahnsinnig. Berauschende Lust breitete sich in ihrem Unterleib aus. Plötzlich spürte sie, wie seine Zunge über ihren Körper glitt. Genüsslich leckte er die Flüssigkeit von ihr ab und ließ sie auch diese schmecken. Es war Honig, süß und klebrig. Angelique wollte ihn anfassen, doch er verbot es ihr abermals, sich zu bewegen. Also krallte sie sich an der Tischkante fest. Ein unbeschreibliches Gefühl der Machtlosigkeit erfasste sie und sie schmolz dahin vor Verlangen. Seine Hände massierten sie sinnlich, sie spürte seine Lust. Und dann trieb er sie beide zu einem Höhepunkt, der ihre Sinne wie der Honig, den sie schmeckten, ummantelte. Eine wohlige Zufriedenheit ergriff sie beide. Noch nie zuvor hatte Angelique ein solches sinnliches Abenteuer erlebt. Dieser Mann raubte ihr den Verstand; er machte sie glücklich. Und ihr Herz füllte sich mit Liebe.

Später saßen sie zusammen auf der Terrasse, schauten sich den Sonnenuntergang an und tranken einen kühlen Martini.
„Du hast wirklich nicht zu viel versprochen, indem du mir vom

Strand und den wunderschönen Sonnenuntergängen erzählt hast", sagte Angelique verträumt. Sie gab ihm einen Kuss und schaute ihn lange an. In ihrem Herzen tobte ein Sturm, denn sie hatte sich Hals über Kopf in ihn verliebt.

„Du wirst deine Entscheidung bestimmt nicht bereuen." Matthew ahnte nichts von ihren Gefühlen und hoffte, dass es so kommen würde. „In zwei Tagen müssen wir allerdings erst einmal wieder zurück nach Miami Beach. Ich habe wichtige Termine, die ich wahrnehmen muss, und du kannst schon mal deine Sachen, die du hierhin mitbringen möchtest, vorbereiten. Morgen würde ich gerne mit dir besprechen, was du für deine Arbeit hier noch benötigst und wie du das leere Zimmer gestalten möchtest. Ist das für dich in Ordnung?", fragte er gähnend, denn er wurde langsam müde und wollte sich zurückziehen.

„Ja, Matthew, das klingt gut, und ich kann es nicht mehr abwarten, wieder hierhin zurückzukommen", antwortete sie und gähnte ebenfalls. Die Erlebnisse des Tages hatten auch sie müde gemacht. Sie wollte nur noch ins Bett und schlafen.

„Wollen wir nicht langsam ins Bett?", fragte sie dann und musste wieder gähnen.

„Zu mir oder zu dir?", scherzte Matthew trotz seiner Müdigkeit.

„Oh nein, mein Lieber. Für heute reicht es wohl. Ich kann nicht mehr und möchte nur noch schlafen", war ihre Antwort. Angelique stand auf, bedankte sich für den wunderschönen Tag, gab ihm einen langen, innigen Kuss und ging in ihr Zimmer. Sie fiel ins Bett und war sofort eingeschlafen. Matthew war zwar auch hundemüde, doch er konnte der Versuchung nicht widerstehen, seiner Obsession nachzugeben. Also ging er in seinen geheimen Raum, startete den Rechner und versank in eine Welt der geistigen Empfindungen, die er trotz der heutigen Erlebnisse körperlich nicht erreichen konnte.

7

Als Matthew am nächsten Morgen wach wurde und aus dem Fenster schaute, glaubte er seinen Augen nicht. Angelique schwamm wie eine Meerjungfrau im Pool. Ihre nackte Haut schimmerte in der Sonne, und ihre Bewegungen waren so anmutig, dass ihm ihr Anblick wieder mal den Atem raubte. Er ging kurz hinaus und setzte sich am Pool, um ihr weiterhin zuzuschauen. Als sie ihn sah, drehte sie sich provozierend auf den Rücken und verharrte einige Zeit in dieser Position. Ihre Beine trieben leicht auseinander. Matthew konnte seinen Blick nicht von ihr abwenden. Diese Frau bringt mich um den Verstand, dachte er erregt. Doch heute wollte er seinen starken Willen testen und ihr ausnahmsweise widerstehen. Also stand er auf und ging in die Küche, um seinen geliebten Kaffee zu brühen. Kurze Zeit später, nur mit einem Badetuch bekleidet, kam Angelique herein und sah ihm dabei zu, wie er sein Lieblingsgetränk zubereitete. „Guten Morgen. Hast du gut geschlafen?“, fragte sie verführerisch, denn auch sie konnte mittlerweile nicht genug von ihm bekommen. Sie setzte sich auf einen hohen Stuhl, der an der Küchentheke stand. Dabei rutschte das Badetuch zur Seite und

entblößte ihren Körper.
„Danke. Ja, hervorragend. Und du?“ Er schaute sie an und hätte fast den Kaffee verschüttet, so sehr reizte sie ihn. Sie wusste es genau und blieb seelenruhig vor ihm sitzen.
„Kaffee?“, fragte er unschuldig, obwohl es vor Lust in ihm brodelte und er sie am liebsten sofort wieder flachlegen würde. Er verschlang sie mit seinem Blick. Dabei bemerkte sie, dass sich bei ihm etwas sehr stark regte.
„Ja, sehr gerne“, flüsterte sie sinnlich. „Ich mag ihn heiß und stark“, meinte sie zweideutig. Jetzt lachten beide.
„Du bist unmöglich“, sagte Matthew scherzhaft und reichte ihr einen der Becher. Sie nippte daran und leckte mit der Zunge über den Rand, um ihn zu provozieren.
„Oh, der ist wirklich heiß und stark. Und sehr lecker.“ Ihre Wangen erröteten, denn sie sehnte sich nach seiner Berührung.
„Heute werden wir die Finger voneinander lassen“, gab er sehr bestimmt von sich und grinste dabei. Er glaubte zwar nicht wirklich an das, was er sagte, doch er wollte seinen Willen testen.
„Wirklich? Soll ich dir das glauben?“ Sie legte dabei den Kopf leicht schief und provozierte ihn weiterhin mit einem sexy Lächeln. „Das werden wir ja sehen“, sagte sie keck, nahm ihren Kaffee und ging nach oben. Sie duschte, machte ihr Haar schön und zog sexy Hotpants und ein weißes Bustier an. Danach sprühte sie noch ein wenig Parfüm auf ihren Hals und die Handgelenke und ging dann zu ihm. Matthew saß auf der Terrasse. In der Hand hielt er immer noch den leeren Kaffeebecher. Als er sie kommen

hörte, sprang er auf, weil er einfach die Zeit vergessen hatte, was ihm peinlich war.
„Du siehst umwerfend aus“, sagte er, von ihrer Erscheinung wieder einmal überwältigt. Sein Blick wanderte an ihr herunter. Er vernahm einen süßen Duft, der seine Sinne aufs Äußerste reizte. Wie gerne würde ich dir die Kleidung vom Leib reißen und dich im Stehen nehmen, dachte er in diesem Augenblick und bedauerte sofort sein Versprechen. Angelique sah das Verlangen in seinen Augen aufblitzen, grinste schelmisch und fragte dann amüsiert: „Können wir jetzt frühstücken gehen, bitte? Mein Magen knurrt.“
„Oh ja, sicher. Sorry, ich habe gerade ein wenig die Zeit vergessen“, entschuldigte er sich und ging hinein, um sich schnell fertigzumachen. Angelique bewunderte währenddessen den Ausblick auf die Korallenbucht. Was für eine traumhafte Aussicht, daran könnte ich mich gewöhnen, dachte sie. Als Matthew kurz darauf zu ihr kam, nahm er sie in die Arme, gab ihr einen sehnsüchtigen Kuss und dann gingen sie los. Unterwegs begegneten sie einem Paar, das ihnen entgegenkam. Matthew begrüßte beide mit einer herzlichen Umarmung und sagte: „Angelique, das sind Benita und Rodolfo, unsere Gärtner.“ Dann stellte er ihnen Angelique vor.
„Ich freue mich sehr, Sie beide kennenzulernen“, sagte sie. Sie sah zwei Menschen vor sich, die etwa 40 Jahre alt waren. Ihre Haut war braun gebrannt. Wahrscheinlich vom vielen Arbeiten im Freien, dachte sie. Beide strahlten eine Herzlichkeit aus, die

sie sehr beeindruckte.
„Hey, Angelique, wollen wir bei Vornamen bleiben?“, fragte Benita und lächelte sie an.
„Ja, sehr gerne. Entschuldigung“, antwortete Angelique und lächelte verlegen zurück.
„Wir müssen jetzt leider weiter, die Zeit rennt. Komm doch später, wenn du möchtest, zur Plantage. Wir sind dort heute am Arbeiten“, sagte Rodolfo an Angelique gewandt. Dann verabschiedeten sie sich und gingen auseinander.
„Eine Plantage?“, fragte Angelique überrascht, als sie weitergingen.
„Ja, es gibt eine kleine Plantage hinter dem Berg. Wenn du möchtest, kann ich sie dir nachher zeigen“, antwortete Matthew.
„Das ist sicherlich sehr interessant. Ich habe noch nie eine karibische Plantage in Wirklichkeit gesehen. Natürlich möchte ich wahnsinnig gerne dorthin“, sagte sie mit Begeisterung.
„Dann machen wir es später“, versprach er, und sie gingen frühstücken.

Nach dem Frühstück hatte Matthew alles, was Angelique zusätzlich zum Arbeiten benötigte, notiert und bestellt.
„Wie kommen diese Sachen denn hierhin?“, fragte sie neugierig.
„Ich beauftrage einen Lieferservice. Dieser liefert mir alles per Boot hierhin. Es funktioniert einwandfrei. Du wirst sehen, wenn du wieder zurückkommst, ist dein Zimmer ausgestattet, und du kannst dann sofort loslegen.“

„Und meine Sachen aus der Wohnung? Ich benötige einiges mehr, um weiterarbeiten zu können. Manchmal auch Stoffe und Zubehör.“ Sie war sich nicht sicher, ob das alles so ohne Weiteres funktionieren würde, denn sie befand sich ja schließlich auf einer Insel.

„Das Wichtigste packst du gleich nach unserer Ankunft in Miami zusammen, dann lassen wir es liefern. Und ansonsten fährst du gelegentlich zum Festland und besorgst dir alles, was noch fehlen sollte. Es gibt keinen Grund zur Sorge.“ Matthew versuchte sie zu beruhigen.

„Na, wenn das so ist, dann bin ich beruhigt. Wer fährt mich denn dorthin? Du?“, fragte sie lächelnd. Sie hakte sich bei ihm ein und wartete auf seine Antwort, während sie zurück zum Haus gingen.

„Ich denke schon. Ich muss dort ohnehin gelegentlich nach dem Rechten schauen. Kein Problem“, antwortete er. Damit war für ihn das Thema erledigt. „Möchtest du jetzt zu unserer Plantage?“, fragte er und blieb kurz stehen, um sie zu küssen. Er nahm sie zärtlich in seine Arme, strich eine Haarsträhne aus ihrem Gesicht, schaute sie lange an und legte dann seine Lippen auf ihren Mund. Das brauchte er jetzt einfach. Dieser Kuss schmeckte nach mehr, doch er blieb eisern.

„Du musst dich allerdings erst noch umziehen. Es ist besser, du ziehst feste Schuhe an, denn es ist dort zu gefährlich, um in Sandalen hinzugehen. Die Plantage liegt am Hang, dabei ist der Boden nicht immer eben. Etwas Sonnenschutz wäre auch angebracht“, erläuterte er weiter, denn er sorgte sich um sie.

„Ich habe aber gar keine festen Schuhe mitgebracht“, stellte sie entsetzt fest.
„Dafür habe ich eine Lösung parat. Komm mit“, sagte er und führte sie zu seinem Island-Store am Strand. Dort konnte sie passendes Schuhwerk für sich aussuchen, dazu einen großen Hut, der sie vor der Sonne schützen sollte. Matthew setzte sich auch einen Hut auf, denn die Sonne war nicht zu unterschätzen und zog genauso wie Angelique festes Schuhwerk an. So gerüstet gingen sie los in Richtung Plantage.
„Wie ich sehe, ist das Warenhaus schon sehr nützlich. Wirklich eine tolle Idee“, stellte sie begeistert fest.
„Das ist auch genauso beabsichtigt.“ Matthew lächelte, weil er sich bestätigt fühlte. „Und die übrigen Dinge kommen garantiert auch noch zum Einsatz.“ Jetzt lachte er verschmitzt, denn in seinem Kopf entstand ein frivoles Bild.
„Na, darauf bin ich schon sehr gespannt“, antwortete Angelique. Sie konnte sich nicht vorstellen, welche Erfahrungen noch auf sie warteten.

 # 8 #

Der Weg zur Plantage führte sie an den Wohnhäusern seiner Angestellten vorbei. Bereits aus der Ferne konnte Angelique schon mehrere kleine Felder erkennen. Im Hintergrund wuchsen Stauden und Palmen. Die Plantage erstreckte sich bis auf den halben Berg. Zuerst zeigte Matthew ihr die kleinen Ackerflächen. Dort gediehen verschiedene Gemüsesorten wie Süßkartoffeln,

Maniok, Bohnen und vieles mehr. Sie war fasziniert davon, wie üppig grün diese Insel doch war. Ein Stück oberhalb hörten sie schon schlagende Geräusche und folgten ihnen. Am Hang wuchsen Bananenstauden. Rodolfo war dort mit einer Machete zugange und säuberte sie. Er entfernte die trockenen Blätter, damit die Stauden besser gedeihen konnten. Keine leichte Arbeit, die er hier ausführte. Benita war nicht zu sehen.

„Hallo Rodolfo. Ich habe Besuch mitgebracht, vielleicht kannst du Hilfe gebrauchen?“, scherzte Matthew.

„Hallo Rodolfo, wo ist denn Benita?“ Angelique schaute sich neugierig um.

„Sie ist ein Stückchen weiter oben bei den Kakaobäumen“, erwiderte Rodolfo.

„Wow, ich möchte so gerne sehen, wie der Kakao wächst“, rief Angelique voller Begeisterung und folgte Matthew, der sie zu Benita führte. Diese freute sich sehr über den Besuch. Sie hatte gerade eine Kakaofrucht vom Baum geschlagen. Angelique staunte nicht schlecht darüber, wie groß diese Frucht war. Auch ihre Form war faszinierend. Für Angelique sah sie wie ein Rugbyball aus, denn sie hatte eine leicht bräunliche Farbe. Benita schlug sie dann auf und ließ Angelique die frischen, saftigen Kakaobohnen probieren. Sie schmeckten süß und fruchtig, das hatte sie nicht erwartet.

„Sie schmecken einfach köstlich“, rief sie begeistert, während sie sich eine Bohne nach der anderen in den Mund stopfte. Dann gab sie Matthew einen Kuss und legte ihm eine der Bohnen in den

Mund. Ein Lächeln huschte über Benitas Lippen, da sie diese Geste herzerwärmend fand. Inzwischen stieg die Tagestemperatur immer mehr an und alle schwitzten stark. Rodolfo erschien mit einer Kanne Wasser und sie konnten nun ihren Durst stillen. Es schmeckte wunderbar erfrischend bei dieser Hitze; auch die kurze Unterbrechung kam den Gärtnern sehr gelegen. Sie setzten sich unter eine Bananenstaude, die Schatten spendete, und plauderten ein wenig. Angelique stellte viele Fragen, auf die beide geduldig antworteten. Später pflückte Rodolfo mehrere Bananen und ließ sie probieren. Diese leckere Zwischenmahlzeit war für alle wohltuend und zudem gesund. Nach einer Weile jedoch gingen die Gärtner wieder ihrer Arbeit nach, und Matthew führte Angelique in Richtung der Bergspitze.

„Wohin führst du mich denn jetzt?“, fragte sie leicht außer Atem. Ihr war warm, denn der Weg war anstrengend und sie schwitzte erneut.

„Lass dich überraschen, wir sind gleich da“, sagte er und zog sie vergnügt hinter sich her. In weiter Ferne vernahm sie ein Plätschern. Es hörte sich mit jedem Schritt, mit dem sie näher kamen, lauter an. Und plötzlich standen sie auf einer Lichtung, die schöner nicht hätte sein können. Angelique traute ihren Augen nicht. Vor ihr lag ein kleiner See mit tiefgrünem Wasser, der von einem Wasserfall gespeist wurde. Faszinierende Regenbögen bildeten sich in der Feuchtigkeit, die um den Wasserfall herum entstanden war. Rund um den See gab es eine Vegetation, die sie völlig beeindruckte. Lianen durchzogen die Felswände und an

manchen davon hingen wunderschöne gelbe Glockenblumen. Das Plätschern des Wassers war das schönste Geräusch, das sie seit Langem gehört hatte.
„Matthew, ich möchte mich in dem See abkühlen. Mir ist so warm. Ich kann nicht mehr“, sagte sie und fing sofort an, sich ihrer Anziehsachen zu entledigen.
„Ich komme mit rein.“ Mit dem größten Vergnügen fing auch Matthew an, sich zu entkleiden. Dabei bemerkten sie nicht, dass sie beobachtet wurden. Angelique war jetzt splitterfasernackt und sprang als Erste hinein. Matthew folgte ihr sofort. Das kühle Nass war eine richtige Wohltat. Sie schwammen bis zum Wasserfall und ließen das herabstürzende Wasser auf ihre Körper prasseln. Angelique fühlte sich wie im Paradies. Sie schwamm dann wieder einige Runden und tauchte mehrmals unter. Matthew folgte ihr erneut und fing sie ab. Er hielt sie mit seinen Beinen umschlungen und küsste sie begierig. Dabei knetete er ihren Po und streichelte ihren Rücken. Als er sie dann wieder losließ, legte sie sich aufs Wasser, breitete ihre Arme und Beine aus und trieb reglos auf der Wasseroberfläche. Matthew machte es ihr nach. Ein wunderbares Gefühl der Schwerelosigkeit erfasste die beiden. Die kleinen Wellen, die sie erzeugten, glitzerten in der Sonne. Märchenhaft, dachte Angelique entzückt, denn anders konnte sie diesen Ort nicht beschreiben. Nach einer Weile setzten sie sich dann auf die Steine, die den See säumten, um trocken zu werden. Angelique machte dabei ihre Augen zu und ließ die Sonne auf ihre Haut scheinen. Matthew schaute sie dabei an

und konnte sich an ihrem Körper nicht sattsehen. Er betrachtete ihr wunderschönes Gesicht, die schmalen Schultern, die wohlgeformten Brüste und den Übergang zu ihrer Scham. Sie hatte die Beine leicht gespreizt, um sie abzustützen. Für ihn sah sie wie eine Göttin aus. Er begehrte sie schon wieder. Dabei wollte er heute eisern bleiben. Die Wärme der Sonne und Angeliques Anblick weckten seine Lust. Da stand er auf und ging zu ihr. Sie betrachtete ihn eine Weile, leckte lustvoll über ihre Lippen und stellte sich dann hinter ihn. Ihre Hände wanderten über seinen Körper. Ihr Mund liebkoste seinen Rücken. Zärtlich berührte sie ihn mit den Fingern. Er schaute ihrem Treiben erregt zu und atmete nur noch stoßweise. Als dann die Lust auch ihren Körper knechtete, bedeutete sie ihm, sich auf einen der Steine zu setzen. Er nahm darauf Platz, und Angelique bekam endlich das, wovon sie schon den ganzen Tag geträumt hatte. Keiner der beiden hatte dabei den stillen Beobachter bemerkt, der sich an dieser Szene ergötzte.

9

Nachdem sie zurückgekehrt waren, machten sie sich frisch und gingen zum Essen. Es war später Nachmittag geworden. Über der Insel braute sich eine Regenfront zusammen. Dicke Wolken zogen langsam auf und verdunkelten den Himmel. Der Regen war jedoch sehr willkommen. Als die ersten Regentropfen fielen, gelangten Matthew und Angelique gerade noch rechtzeitig in den Speisesaal. Heute hatte Alex hier Stellung bezogen. Sie bedienten

sich zuerst am Salatbuffet, später gab es frischen Fisch vom Grill mit frittierter Maniokwurzel. Als sie auch noch den Nachtisch verputzt hatten, war keiner mehr in der Lage, sich zu bewegen. Anschließend servierte Alex ihnen einen köstlichen Espresso, den sie genossen, während sie das Wetter beobachteten. Draußen kam der Regenschauer heftig herunter. Es donnerte auch mächtig. Alles war jedoch von kurzer Dauer, denn gleich darauf schien die Sonne wieder. Rundherum duftete alles sehr intensiv und frisch. Das Wasser in der Bucht glitzerte verspielt. Kleine Dampfschwaden stiegen über der Vegetation auf. Jaden kam völlig durchnässt herein, ihn hatte der Regenschauer voll erwischt.
„Hey Jaden, nicht mehr rechtzeitig ins Trockene geschafft?" Matthew witzelte ein wenig.
„Tja, kann schon mal vorkommen", antwortete Jaden und schaute dabei Angelique besonders intensiv an. Verlegenheit ließ sie erröten. Matthew entging Jadens Blick nicht. Muss ich mir etwa Gedanken darüber machen, überlegte er. Jetzt nicht, dachte er nur und entführte Angelique nach draußen.
„Was möchtest du denn jetzt gerne unternehmen?", fragte er sie.
„Am liebsten würde ich einfach nur faul in der Sonne liegen", antwortete sie und gab ihm einen leidenschaftlichen Kuss. „Und was möchtest du tun?", fragte sie neugierig.
„Ich möchte einige Sachen in meinem Arbeitszimmer erledigen. Mach es dir am Strand gemütlich, ich komme später dazu." Nach einem ausgiebigen Kuss verließ er die Bucht.

Angelique nahm ein Handtuch aus dem Regal an der Beach-Bar, dazu Sonnencreme und ging zu einer der Liegen. Sie zog sich aus, blieb nur im Bikini-Slip bekleidet vor der Liege stehen und cremte sich ein. Sie bemerkte nicht, wie sie erneut sehr intensiv beobachtet wurde. Jaden labte sich an ihrem fast nackten Körper. Matthew ging währenddessen zum Haus zurück. Sein direkter Weg führte ihn in sein geheimes Reich. Jetzt war er allein und musste nicht befürchten, entdeckt zu werden. Er überprüfte alle Systeme und sah sich die Aufnahmen am Wasserfall an. Die Kameras funktionierten einwandfrei. Er war sehr zufrieden mit der Technik, die er installieren ließ. Sie war so unauffällig angebracht worden, dass niemand etwas bemerken würde. Später führte er noch einige Telefonate, überzeugte sich davon, dass die Damen, die er buchen wollte, auch tatsächlich zu den vereinbarten Terminen erscheinen würden, und ging dann zurück zum Strand. Angelique schlief, also ließ er sich im Sand neben ihr nieder und betrachtete sie eine Weile. Ihr Atem ging ruhig, ihr Gesicht war friedlich und entspannt. Sie hatte wunderschöne, lange Wimpern. Wie gerne würde ich dich jetzt küssen, dachte er verträumt. Sein Herz schlug bei ihrem Anblick sofort schneller. Schlagartig unterdrückte er den Gedanken an Liebe. Um sie nicht zu wecken, stand er leise auf und ging ins Meer, um sich ein wenig abzukühlen.

Als Angelique aufwachte, schaute sie aufs Meer hinaus und sah jemanden im Wasser, weit entfernt vom Strand. Als ihr bewusst wurde, dass es Matthew war, bekam sie Angst um ihn. Er war so weit draußen und dazu noch ganz allein. Sie rief laut nach ihm, und er kehrte zurück. Er sah schon wieder diese Panik in ihren Augen, wie gestern auf dem Boot.

„Angelique, du musst dir keine Sorgen um mich machen, ich schwimme gerne weit raus. Hier kann mir doch nichts passieren“, sagte er beruhigend, zog sie ins Wasser und versuchte, mit zärtlichen Küssen ihr die Angst zu nehmen. Doch es wollte ihm nicht so recht gelingen. Ihr Atem ging schnell und sie schaute sich ständig um.

„Aber was passiert, wenn die Haie wiederkommen?“, fragte sie angsterfüllt.

„Das ist doch nicht weiter schlimm, sie sind wirklich harmlos. Ich bin schon oft mit ihnen geschwommen. Eines Tages werde ich es dir beweisen, und auch du wirst Spaß daran haben, glaube mir. Komm jetzt bitte mit mir schwimmen“, sagte er sanft und schaute sie dermaßen flehend an, dass sie doch ein wenig mutiger wurde und mit ihm ging. Sie schwammen in Richtung der Felswand auf der rechten Seite der Bucht. Diese flachte zum Wasser hin leicht ab. Angelique entdeckte Seeigel auf dem porösen Grund. Viele kleine Fische tummelten sich rund um die Felsen. Für einen Moment vergaß sie ihre Angst und beobachtete fasziniert die bunte und wundersame Wasserwelt.

„Matthew, ich bin so glücklich darüber, hier sein zu können“, sagte sie nach einer Weile. Sie strahlte vor Freude und ihre

Augen funkelten vor Glück. „Danke dafür“, sagte sie und küsste ihn immer wieder.

Der Tag ist leider viel zu schnell vergangen, dachte Angelique, als sie zurück zum Haus gingen. Zum Abendessen sollte es einen Grillabend am Strand geben, also machten sie sich frisch und kurz darauf waren beide bereit, diesen Abend zu genießen. Matthew hatte beige Shorts und ein hellblaues Hemd angezogen, dazu die passenden Stoffschuhe. Er sah fantastisch aus. So braun gebrannt, wie er war, standen ihm die Farben ausgezeichnet. Angelique wählte ein Kleid aus. Es war blau-weiß gemustert und ging ihr bis zu den Knöcheln. Es schmeichelte ihrer Figur, denn sie sah darin besonders sexy aus. Ihr Haar hatte sie hochgesteckt und nur die Augen mit ein wenig Schminke betont. Lange Ohrringe ergänzten ihr Äußeres. Als sie auf ihn zuging, wehte ein betörender Duft zu ihm herüber. Matthew fehlten bei ihrem Anblick wieder einmal die Worte und sein Herz schlug viel zu schnell.
„Können wir los?“, brachte er mühsam hervor, als er seine Fassung wiedergewann.
„Aber sicher doch, mein Herr“, antwortete sie scherzhaft, hakte sich bei ihm ein und sie zogen los in Richtung der Korallenbucht.

Die Sonne stand tief am Himmel, als sie am Strand angekommen waren. Dort hatten Alex und David einen Holzkohlegrill aufgestellt. Die anderen Bewohner hatten sich auch schon alle eingefunden und saßen gemütlich beieinander. Alex mixte leckere

Cocktails und es herrschte eine lebhafte Stimmung. Als Matthew und Angelique ankamen, schauten alle in ihre Richtung. Sie wurden freudig empfangen. Jaden schaute Angelique einen Moment zu lange an und trieb Matthew damit in den Wahnsinn. Warum stört es mich eigentlich, dachte er. Es ist doch nichts dabei, dachte er weiter. War es etwa Eifersucht, die in ihm aufkeimte? Derlei Entwicklung seiner Gefühle fing an, ihn zu beunruhigen, denn Liebe war in seinem Plan nicht vorgesehen.

Als dann alle ihre Cocktails vor sich hatten, stießen sie damit an und der Abend begann, richtig schön zu werden. Aus dem Radio erklang karibische Musik. In einigen Kübeln brannte Holz. Das Feuer verbreitete eine herrlich romantische Stimmung. David stellte sich nun an den Grill und sorgte dafür, dass heute keiner von ihnen hungrig schlafen ging. Angelique sah sich um. Diese angenehme Atmosphäre gefiel ihr und sie war sich inzwischen sicher, dass ihre Entscheidung, hier zu bleiben, richtig war. Kurz dachte sie an ihre Freundin Louise und es wurde ihr schwer ums Herz. Sie hätte sie sehr gerne dabeigehabt. Morgen würde sie Louise sehen. Sie freute sich schon darauf, ihr alles erzählen zu können. Als der Abend endete, setzten sich Matthew und Angelique noch auf die Terrasse am Haus, um den Tag in Ruhe ausklingen zu lassen.
„Morgen früh müssen wir uns auf den Weg zum Festland machen“, sagte Matthew leicht bedauernd. Er genoss die Zeit mit ihr hier gerade besonders, doch sie verging viel zu schnell.

„Ja, und ich freue mich schon sehr, Louise wiederzusehen.“ Angelique klang bedrückt. „Sie wird mir hier schrecklich fehlen“, fügte sie traurig hinzu.
„Dann frag sie doch, ob sie auch herkommen möchte“, bot Matthew ihr an, und sie glaubte in diesem Moment, sich verhört zu haben.
„Meinst du das wirklich ernst?“, fragte sie mit einem ungläubigen Blick.
„Es gibt genügend Platz, auch für sie“, antwortete er und schmunzelte dabei. „Die Frage ist nur, ob sie es möchte?“ Louise gefiel ihm nämlich gut und wäre eine Bereicherung für die Auswahl seiner Kandidatinnen.
„Oh Matthew, ich werde sie direkt morgen fragen. Ich wäre überglücklich, wenn sie mitkommen würde!“ Angelique hatte Freudentränen in den Augen, als sie es sagte. Als es dann spät geworden war, zogen sie sich in ihre Zimmer zurück, denn am nächsten Morgen ging es zurück nach Miami Beach.

10

Nach dem Frühstück machten sich Matthew und Angelique auf den Weg zum Festland. Mirana und Carida hatten am Abend zuvor angefragt, ob sie mit ihnen kommen könnten. Sie wollten sich etwas Abwechslung verschaffen und shoppen gehen. Da zurzeit nicht viel zu tun war, blieb nur Ella auf der Insel, und die beiden fuhren mit. Matthew nahm nun Kurs auf das Festland. Die drei jungen Frauen machten es sich auf dem Oberdeck gemütlich und er hörte sie kichern. Gelegentlich kam Angelique vorbei, um nach ihm zu sehen. Sie umarmte ihn, gab ihm einige heiße Küsse und verschwand dann wieder. Die Fahrt verlief ruhig, und als sie in der Biscayne Bay angelegt hatten, erwartete Martha sie bereits. Dieses Mal kündigte Matthew ihre Ankunft rechtzeitig an. Sie begrüßte alle sehr herzlich und kümmerte sich darum, dass Mirana und Carida eigene Zimmer zur Übernachtung bekamen. Nachdem Matthew Angelique nach Hause gebracht hatte, eilte er zurück, um seine Termine wahrzunehmen. Zuerst aber war sein geliebter Kater Benny dran. Er setzte sich mit ihm auf die Terrasse und kraulte ihn ausgiebig. Nach einer Weile klingelte es an der Tür und vor ihm stand Anna, eine der Frauen, die er für sein Inselvergnügen buchen wollte. Matthew kannte sie schon. Anna kam wegen ihrer großen Liebe aus Deutschland nach Miami. Nachdem diese Beziehung in die Brüche gegangen war, blieb sie trotzdem in Amerika. Sie fühlte sich wohl hier, hatte Arbeit gefunden und Freundschaften geschlossen. Nur sich neu verlieben, das wollte sie auf keinen Fall. Matthew bat sie herein, dann unterhielten sie sich ein wenig. Sie las den Vertrag durch, unterschrieb ihn und nachdem sie einen Termin zur Abreise festgelegt hatten, ging sie wieder. Kurze Zeit später kam die nächste Dame vorbei. Sie war neu in der Agentur. Matthews Neugier wuchs. Ihr Name war Paisley, sie war mittelgroß und hatte eine tolle Figur mit auffallend großem Busen. Über der Oberlippe rechts hatte sie ein Muttermal, das ihr Gesicht interessant und sexy machte. Sie trug eine Kurzhaarfrisur

und strahlte ein beneidenswertes Selbstbewusstsein aus.
Matthew war begeistert, als er sie erblickte, denn sie sah in Wirklichkeit noch viel hübscher aus als auf dem Foto in der Kartei. Matthews Fantasie blühte auf und eine riesige Vorfreude auf die kommende Zeit machte sich in ihm breit. Nachdem auch die beiden sich wieder mal ein wenig unterhalten hatten, unterschrieb Paisley den Vertrag und ging. Nun wartete er auf die dritte Verabredung. Als das Telefon klingelte, erfuhr er, dass diese leider nicht stattfinden würde. Also nutzte er die freie Zeit und telefonierte mit seinen Freunden.

Angelique begrüßte ihre Freundin mit einer langen und herzlichen Umarmung.
„Ich habe dich so vermisst, Louise. Die Insel ist ein Traum. Ich muss dir so viel erzählen“, sagte sie völlig überdreht. Sie setzten sich in Angeliques Zimmer und sie sprudelte nur so vor Begeisterung bei ihrer Erzählung. Louise beneidete sie ein wenig um ihre Erlebnisse und wollte es eigentlich gar nicht so genau wissen. Nachdem Angelique mit dem Erzählen fast fertig war, sagte sie zu Louise: „Matthew meint, wenn du möchtest, kannst du mit auf die Insel kommen. Hast du Lust auf ein Abenteuer? Ich hätte dich so gerne in meiner Nähe. Was sagst du dazu?“ Angelique wünschte es sich so sehr, dass ihre beste Freundin mitkommen würde und ließ sie ihren Vertrag lesen. Im ersten Moment war Louise völlig entsetzt. Wie kann Angelique sich nur darauf einlassen, überlegte sie irritiert. Später jedoch, nachdem sie über

alles nachgedacht hatte, sagte sie zu. Zurückkommen kann ich jederzeit, dachte sie. Und warum sollte ich ein so reizvolles Angebot ausschlagen? Vielleicht werde ich auch beruflich vorankommen, überlegte sie weiter. Und sofort rief Angelique Matthew an und erzählte ihm aufgeregt und voller Freude, dass Louise mitkommen würde. Das ist doch mal eine gute Nachricht, dachte Matthew schmunzelnd, wo doch sein dritter Vertrag nicht zustande kam. Und außerdem hatte er dadurch weniger Sorge, dass Angelique ihren Aufenthalt frühzeitig abbrechen könnte. Es entwickelte sich alles zu seiner Zufriedenheit. Nachdem nun alles geregelt war, sprang er in den Pool und drehte in Ruhe seine Runden. Angelique und Louise fingen an zu packen. Sie verstauten einige ihrer Sachen in Boxen und stellten sie zum Abholen bereit. Beide konnten immer noch nicht glauben, was sie da eigentlich taten. Später setzten sie sich in eine Strandbar und ließen den Tag Revue passieren. Sie bestellten den besten Wein, den die Bar hergab und prosteten sich zu.

Gegen Abend kamen Mirana und Carida von ihrer Shoppingtour zurück. Sie waren eine längere Zeit nicht mehr auf dem Festland gewesen. Dementsprechend fielen auch ihre Einkäufe aus. Als das Taxi vor der Haustür hielt, nahm das Tütenschleppen kein Ende. Wozu benötigt man so viele Klamotten, fragte sich Matthew in Gedanken. Für die beiden jungen Damen war es jedoch ein großartiges Erlebnis, und so hielt er sich mit seinem Kommentar zurück. Er lächelte nur und half ihnen, alles ins

Haus zu bringen. Später lud Martha zum Abendessen ein. Sie machten es sich wie fast immer auf der Terrasse bequem und genossen das wunderbare Essen, das Martha zubereitet hatte. Die jungen Frauen bedankten sich bei Matthew dafür, dass er sie bei sich beherbergt und ihnen diese Shoppingtour ermöglicht hatte, verabschiedeten sich kurz darauf und gingen schlafen. Ihnen fielen im Sitzen die Augen zu. Sie stellten überrascht fest, dass auch Shoppen anstrengend sein konnte. Martha und Matthew saßen noch ein Weilchen zusammen und besprachen den Ablauf der kommenden Tage, denn es gab für sie noch einiges zu tun.

 # 11 #

Am nächsten Morgen verabredete sich Matthew mit Angelique und Louise zum Joggen. Er liebte es, zu laufen. Die Bewegung würde ihnen allen guttun, dachte er. Also holte er sie ab, und sie liefen los. Auch an diesem Tag bemerkte niemand den Beobachter, der sie seit geraumer Zeit im Blick behielt und ihnen auch jetzt in einem sicheren Abstand folgte. Die Mädels sahen in ihren Outfits umwerfend sexy aus. Die Shorts waren eng anliegend und bei den Bustiers zeichneten sich die Konturen ihrer Brustwarzen ab. Dazu wippten ihre Brüste im Lauftempo auf und ab. Oh Mann, wie soll man sich hierbei aufs Laufen konzentrieren, dachte Matthew völlig abgelenkt. Es fiel ihm sehr schwer, nicht darauf zu schauen. Mehrmals mussten die jungen Frauen ihre Geschwindigkeit drosseln, da Matthew nicht hinterherkam. Sie sahen sich amüsiert an und lachten.

„Na, wird der Herr langsam alt?“, zogen sie ihn scherzhaft auf. Diesen Spruch wollte er nicht auf sich sitzen lassen und lief dann schneller. Seine Kondition jedoch war leider nicht die beste und er musste sich geschlagen geben.
„Ihr seid so gemein. Etwas mehr Respekt hatte ich schon erwartet“, sagte Matthew scherzhaft. Er machte eine böse Miene und prustete dann los. Das ist vielleicht ein anstrengender Morgen, dachte er, als ihre Laufrunde vorbei war, und bedauerte schon fast, die beiden gefragt zu haben. Danach ging er noch kurz in ihre Wohnung, um sich ein Bild davon zu machen, was es denn alles zu transportieren gab. Das Volumen hielt sich jedoch in Grenzen. Er rief die Spedition an und vereinbarte einen Termin zur Abholung der Boxen. Vorsichtshalber fragte er vorher bei Louise nach, ob sie sich wirklich sicher sei mit ihrer Entscheidung. Sie hatte es bejaht und er war zufrieden. Anschließend bat er beide, am Abend zu ihm zu kommen. Er beabsichtigte, sie mit seinen Freunden bekannt zu machen. Dieses Treffen sollte allerdings für beide Seiten zu einer Überraschung werden. Nun fuhr er nach Hause, um Vorbereitungen für diesen Abend zu treffen. Seine Dienstmädchen waren erneut unterwegs. Er gewährte ihnen diese Auszeit, denn wenn sie erst einmal zurück zur Insel fuhren, wartete eine Menge Arbeit auf sie. Da sie ihn allerdings noch nie enttäuscht hatten und ihre Aufgaben mit großer Sorgfalt ausführten, ermöglichte er ihnen diese Abwechslung sehr gerne. Kurz besprach er mit Martha den Ablauf des Abends. Sie machte sich dann sofort auf den Weg, um die Einkäufe zu

erledigen und freute sich über diese Aufgabe. Es war sonst überwiegend ruhig im Haus, daher war ihr diese Abwechslung sehr willkommen. Matthew stellte in der Zwischenzeit die Getränke kalt, bereitete die Terrasse für seinen Besuch vor und ging dann in sein Arbeitszimmer, um ein wenig zu arbeiten. Später schwamm er noch mehrere Runden im Pool und machte sich zurecht, um seine Gäste zu empfangen. Eine eigenartige Unruhe erfasste ihn, denn er war schon sehr gespannt darauf, wie die Reaktion seiner Freunde auf seine neue weibliche Errungenschaft ausfallen würde. Er stellte leise Musik an, platzierte Schalen mit Chips und Nüssen auf den Tisch und setzte sich danach mit einem kalten Bier hin. Kurz darauf klingelte es auch schon an der Tür. Seine beiden Dienstmädchen waren zurückgekommen. Dieses Mal hatten sie nicht so viele Tüten dabei.
„Habt ihr heute noch etwas vor?", fragte Matthew, denn Martha konnte Hilfe gebrauchen.
„Nein", antwortete Carida.
„Sollen wir hier im Haus behilflich sein?", fragte Mirana eifrig.
„Ich bekomme gleich Besuch. Ihr könntet Martha ein wenig zur Hand gehen und wenn ihr fertig seid, dann setzt ihr euch bitte zu uns", bat er die beiden jungen Frauen. Sie gingen sofort los, machten sich frisch und kurze Zeit später waren sie bei Martha in der Küche und halfen ihr bei den Vorbereitungen.

Erneut klingelte es an der Tür. Matthew ging hin, um zu öffnen, und da standen sie: Angelique und Louise. Beide hatten traumhaft schöne Sommerkleider an. Mit einer herzlichen Umarmung begrüßte er sie, dabei überreichte Angelique ihm eine Flasche guten Wein.

„Kommt doch herein, bitte“, sagte er und führte sie auf die Terrasse. „Möchtet ihr etwas trinken? Was darf ich euch denn anbieten?“, fragte er und küsste Angelique sehnsuchtsvoll. Er wollte sie unbedingt wieder einmal schmecken, denn sie zu spüren weckte ungewöhnliches Verlangen in ihm.

„Ich nehme gerne eine Weinschorle“, sagte Louise.

„Für mich bitte ein Glas Weißwein“, sagte Angelique. Matthew ging nun hinein und holte ihre Getränke. Währenddessen sah Louise sich auf seinem Anwesen staunend um.

„Matthew muss sehr vermögend sein, wenn er sich eine solche Immobilie leisten kann“, flüsterte Louise leise.

„Das ist er tatsächlich, warte erst mal ab, wenn du die Insel siehst. Sie gehört ihm auch.“ Angelique flüsterte ebenfalls. Matthew erschien inzwischen mit den Getränken und sie prosteten sich zu.

Als die Sonne unterging, entführte Angelique ihn zum Strand, um mit ihm die Abendstimmung zu genießen. Sie vermisste seine Nähe und ahnte nichts von seinem weiteren Besuch. Louise folgte ihnen und bestaunte dabei die Größe des Grundstücks. Als sie auch noch seine Yacht am Steg entdeckte, verschlug es ihr die Sprache. Ein wenig neidisch beobachtete sie die beiden, während sie sich andauernd küssten. Sie kam sich fehl am Platz vor, denn sie hatte das Gefühl, zu stören. Doch nur wenige Minuten später erblickte Matthew Besucher auf seiner Terrasse und führte beide Frauen zurück zum Haus. Jetzt war es für ihn an der Zeit, sie alle miteinander bekannt zu machen. Aiden und Mateo warteten schon ungeduldig auf ihn. Mit den weiblichen Gästen hatten sie nicht gerechnet und waren angenehm überrascht, ihn in so einer netten Gesellschaft vorzufinden.

„Matthew, schön, dich zu sehen", sagte Aiden und umarmte ihn herzlich. „Möchtest du uns nicht vorstellen?", fragte Mateo, nachdem auch er Matthew umarmt hatte.

„Das sind Angelique und Louise." „Angelique, Louise, das sind meine Freunde: Aiden und Mateo. Eigentlich sollte noch Christopher mitkommen, doch ich glaube, er wird wie immer später auftauchen." Matthew lachte, als er das sagte, denn Christopher war selten pünktlich.

„Nett, euch kennenzulernen", sagten die jungen Frauen fast gleichzeitig und alle beobachteten einander. Nachdem Matthew alle gebeten hatte, Platz zu nehmen, servierte er seinen Freunden ihre Getränke. Ungewöhnliche Stille breitete sich aus.

„Was macht ihr beide denn beruflich?", fragte Aiden, um die Konversation anzutreiben.

„Ich bin Designerin und entwerfe Mode", antwortete Angelique stolz.

„Ich bin auch Designerin. Ich versuche mich allerdings in der Kindermode, denn auch Kiddies möchten sicherlich cool aussehen, denke ich", erwiderte Louise selbstbewusst und verzauberte alle mit ihrem Lächeln. Mateo schaute sie sich indessen genauer an. Louise war groß. Er schätzte sie auf 180 cm und sehr schlank. Ihre braunen Augen strahlten Begeisterung aus. Das zu Bob geschnittene Haar ließ ihr Gesicht besonders attraktiv erscheinen. Sie gefiel ihm gut. Aiden beobachtete Louise ebenso interessiert. Er selbst war 190 cm groß, gut gebaut, hatte dunkle, kurze Haare und war braun gebrannt. Seine Vorliebe galt großen, schlanken Frauen und somit passte Louise genau in sein Beuteschema. Mal schauen, wohin uns der Abend noch führen wird, dachte er amüsiert und fragte Louise nach allem Möglichen aus. Auch Angelique war für beide nicht uninteressant. Mateo fand im Gespräch heraus, dass sie sehr gerne Yoga als Sport machte. Und hierbei war er in seinem Element.

„Wir müssen unbedingt mal zusammen Yoga machen. Ich kann euch Kurse geben, falls ihr Interesse habt“, bot er ihnen an. Dafür war er jederzeit zu haben.

„Mateo ist ausgebildeter Yogalehrer, er kann euch sicherlich einiges bieten“, erklärte Matthew und schmunzelte dabei, denn er hatte es zweideutig gemeint.

„Das müssen wir tatsächlich mal machen. Ich freue mich jetzt schon darauf“, entgegnete Angelique begeistert und lächelte dabei Matthew an. In diesem Moment klingelte es an der Tür. Christopher war gekommen und damit war Matthews Besuch für heute komplett. Er stellte ihm beide Frauen vor und bat dann Martha, das Essen zu servieren. Während alle miteinander plauderten, stellte sie einige Köstlichkeiten auf den Tisch. Als sie damit fertig war, wünschte Matthew allen guten Appetit, dann fingen sie an zu schlemmen. Und wie ihr Arbeitgeber es gefordert hatte, gesellten sich auch seine Dienstmädchen und Martha zu ihnen, was Louise besonders erstaunte. Für sie gehörte es sich nicht, dass das Personal mit am Tisch saß; sie wollte ihre Freundin später unbedingt darauf ansprechen.

Das Essen war, wie jedes Mal, wenn Martha kochte, einfach nur köstlich. Angelique hatte bereits das Vergnügen, Marthas Kochkünste kennenzulernen und freute sich besonders darauf, diese genießen zu dürfen.
„Wenn ich nur halb so gut kochen könnte wie Sie, Martha, dann wäre ich der glücklichste Mensch auf dieser Erde“, äußerte Angelique anerkennend. „Eines Tages müssen Sie es mir unbedingt beibringen, versprochen?“, bettelte sie förmlich darum.
„Das werde ich sehr gerne tun, Angelique. Versprochen!“, antwortete Martha und lächelte verlegen, weil jetzt alle Augen auf ihr ruhten. Aiden und Mateo bestätigten ihre Gabe und freuten sich auch jedes Mal aufs Neue, diese Gaumenfreuden erleben zu dürfen. Christopher war nun nicht mehr zu bremsen. So viele Leckereien ließen ihn alle guten Manieren vergessen. Da sein Alltag oft sehr stressig war und er überwiegend nur Fast Food zu sich nahm, stopfte er jetzt, ohne nachzudenken, alles in sich hinein. Es duftete so verlockend, dass er nicht widerstehen konnte. Nachdem Matthew ihn eine Weile beobachtet hatte, prustete er los, denn er fand es amüsant. Christopher hingegen nicht, da ihm

plötzlich klar wurde, sich daneben benommen zu haben, was ihm äußerst unangenehm war.

„Sorry Leute, aber ich kann nicht anders. Alles Marthas Schuld. Warum muss sie auch immer so lecker kochen?“, sagte Christopher entschuldigend.

„Hey, Kumpel, alles gut. Hau rein. Lass dich nicht aufhalten“, beschwichtigte Matthew die Situation, um ihn aufzumuntern, doch Christopher errötete trotzdem.

„Du musst dich nicht entschuldigen, das ist doch das beste Kompliment, das du an Martha richten kannst“, meinten die anderen.

„Lass es dir schmecken, es ist noch genug Nachschub da“, sagte Martha. Ihr gefiel es besonders gut, wenn die Jungs ihr Essen vertilgten. Als dann alle satt waren, bildeten sich auf der Terrasse einzelne Grüppchen. Mateo und Aiden nahmen Louise in Beschlag. Christopher setzte sich zu Mirana und Carida. Er kannte beide bereits und plauderte mit ihnen über die Insel. Martha begab sich in die Küche, um ein wenig aufzuräumen. Matthew nutzte die Gelegenheit und entführte Angelique zum Strand, denn er vermisste es, sie zu berühren. Dort nahm er sie in die Arme und legte seine Lippen auf ihren Mund. Er wollte sie schmecken, sie fühlen, in ihr sein. Diese Sehnsucht nach ihr konnte er sich nicht erklären.

„Ich möchte dich so gerne verwöhnen. Bleibst du heute Nacht bei mir?“, fragte er sehnsüchtig und schaute sie fast schon verliebt an. Doch sie zögerte mit ihrer Antwort, obwohl ihr Herz wie wild pochte. Sie drehte ihm den Rücken zu und schmiegte sich in

seine Arme, dabei liebkoste er zärtlich ihren Nacken. Mit geschlossenen Augen genoss sie seine Berührungen. Er knabberte an ihrem Ohr, flüsterte ihren Namen, während seine Hände gierig und verlangend ihren Körper erkundeten. Sie spürte sein Verlangen, auch ihr Körper stand unter Spannung.
„Matthew, wir müssen zu den anderen zurück. Was werden sie über uns denken?“, flüsterte sie, nicht weniger erregt.
„Darf ich mitmachen?“, hörten sie plötzlich jemanden sagen. Aiden kam auf sie zu und lächelte verschmitzt. Angelique errötete.
„Sie gehört mir!“, sagte Matthew besitzergreifend. Er ließ sich jedoch nicht davon abhalten, sie weiterhin zu liebkosen.
„Ich dachte, wir teilen?“, stellte Aiden verwundert fest. Er wollte es testen, wie weit alle gehen würden, doch Angelique war zu so einem Schritt noch überhaupt nicht bereit. Sie versteifte sich bei diesem Satz, und Matthew spürte es sofort.
„Vielleicht ein anderes Mal?“, antwortete sie scherzhaft, doch es fiel ihr nicht leicht, diesen Satz über die Lippen zu bringen. Enttäuscht drehte Aiden sich um und ging zurück zu den anderen. Er fand Louise und Mateo am Pool vor. Louise schaute ihn an, und er bildete sich ein, dass sie mit ihm flirtete. Sie hörte zwar Mateo zu, doch ihr Blick wanderte immer wieder zu ihm herüber. Also setzte er sich so hin, dass Mateo ihn nicht sehen konnte. Er empfand dieses Spielchen als besonders amüsant und zwinkerte Louise ständig zu. Manchmal leckte er sich verführerisch über die Lippen, wenn sie wieder mal zu ihm schaute. Sie konnte sich gar nicht mehr auf das Gespräch mit Mateo konzentrieren. Nach

einer Weile fing sie an zu grinsen, weil sie es lustig fand. Mateo bemerkte es, drehte sich um und sah den Grund dafür. Resigniert stand er auf, ging auf Aiden zu und sagte nur: „Danke! Das habe ich mir schon gedacht“, und sie wechselten die Plätze. Aiden ging nun zu Louise und setzte sich direkt neben sie.
„Hast du Lust, mit mir die heutige Nacht zu verbringen?“, fragte er völlig ungeniert. Louise fiel dabei die Kinnlade herunter. So eine Frage hatte ihr bis jetzt noch niemand nach so kurzer Zeit des Kennenlernens gestellt. Sie war dermaßen überrumpelt, dass sie sich erst einmal sammeln musste. „Ich habe jedenfalls sehr große Lust darauf, diese Nacht mit dir zu verbringen“, sagte er weiter und schaute ihr herausfordernd in die Augen. Ein seltsames Gefühl überkam sie, als sie seine begierigen Blicke über sich wandern sah. Es war Neugier und Lust in einem. Es gefiel ihr, wie er sie ansah, und seine direkte Art machte sie an. Sein Äußeres war auch nicht zu verachten. Sie stellte es sich vor, wie er sie küsste und errötete dabei, denn er beobachtete sie weiterhin ganz genau. Aiden sah die Lust in ihren Augen aufblitzen. Ein gutes Zeichen, dachte er begeistert.
„Kommst du nun mit zu mir?“, fragte er mit Nachdruck. Sein Vorhaben, sich mit ihr heute zu amüsieren, stand für ihn fest und er würde nicht mehr locker lassen. Und als Louise kaum merklich nickte, gab er sich endlich zufrieden. Mateo gab inzwischen den Versuch, Louise für sich zu gewinnen, auf. Schade, dachte er resigniert, denn gegen Aiden kam er nie an und gesellte sich zu Christopher. Matthew und Angelique waren in der Zwischenzeit

zurückgekehrt. Zur späten Stunde gingen Mateo und Christopher heim. Die beiden Dienstmädchen zogen sich zurück in ihre Zimmer. Nur noch Aiden und Matthew saßen mit ihren Eroberungen am Pool und tranken Wein. Kurz darauf gingen dann beide Paare auseinander.

 # 12 #

Der Abend ging in eine warme Nacht über, als Aiden sein Auto in der Tiefgarage geparkt hatte. Er geleitete Louise zum Aufzug, der sie in seine Penthouse-Wohnung brachte. Die Wohnung lag im obersten Stockwerk eines Hochhauses mit einer atemberaubenden Aussicht. Louise stockte der Atem, als er sie auf die Dachterrasse geführt hatte. Von hier aus hatte man einen bezaubernden Ausblick, sowohl auf den Ozean, als auch auf die Biscayne Bay und das Festland dahinter. Der Kontrast zwischen der beleuchteten Stadt und dem dunklen Ozean davor war überwältigend. In der Ferne sah sie ein Passagierschiff vorbeifahren. Das Licht des Mondes spiegelte sich in dem ruhigen Wasser des Ozeans und zauberte kleine Funken darin. Hier, in dieser Höhe, waren die Geräusche der Stadt kaum noch zu hören. Eine leichte Brise wehte über den Dächern, und sie war ihr sehr willkommen. Louise ließ den Blick schweifen und konnte kaum atmen, so beeindruckt war sie.

„Möchtest du etwas trinken?“, fragte Aiden nach einer Weile.

„Oh ja, gerne. Ein Glas Weinschorle bitte“, antwortete sie und schaute sich dann auf der Terrasse um. Sie erblickte eine riesengroße Lounge mit einem Sonnensegel darüber. Überall standen Kübel mit prachtvollen Pflanzen darin, die Beleuchtung war sehr dezent und erzeugte eine heimelige Atmosphäre. In einer Ecke entdeckte sie einen Pool. Er sah nach einem Jacuzzi aus. Oh Mann, was für ein Luxus, dachte sie nur. Sie kam aus dem Staunen nicht mehr heraus. Aiden kehrte zurück und brachte ihr eine Weinschorle mit. Er selbst trank ein Glas Wein. Sie stießen an und er blieb nah bei ihr stehen.

„Was für eine wunderschöne Aussicht von hier oben“, sagte sie, um die Stille, die entstand, zu unterbrechen. Aiden stand nämlich nur regungslos da und schaute sie an. Die Aussicht, die sie meinte, war für ihn nicht interessant genug. Es gab eine bessere, und diese stand genau vor ihm. Louise schaute zu ihm auf und sah wildes Verlangen in seinem Blick. Er machte einen Schritt nach vorne. Jetzt stand er direkt vor ihr.

„Ich möchte dich küssen, Louise“, hauchte er verführerisch in ihr Ohr. Sein Atem streifte dabei ihr Gesicht. Ein erregender Schauer durchlief ihren Körper. Er schaute in ihre Augen und legte seine Lippen auf ihren Mund. Der Kuss war zunächst zögerlich. Sie schmeckte den Wein, den er gerade getrunken hatte. Dann spürte sie seine Zunge, wie sie zärtlich die ihre suchte. Nun erwiderte sie seinen Kuss, der in ihr das Verlangen nach einem erotischen Abenteuer entfachte. Kurz darauf führte er sie zu der Lounge, die so einladend wirkte. Sie stellten ihre Gläser ab und setzten sich hin. Erneut küsste er sie und streichelte dabei zärtlich ihren Rücken. Louise erschauerte am ganzen Körper. Seine

Berührung erweckte in ihr eine Sehnsucht, die sie seit langer Zeit nicht verspürt hatte. Er bat sie nun aufzustehen, dann zog er ihr Kleid aus.

Nur mit einem Tanga bekleidet, stand sie jetzt vor ihm. Mit seinen Fingern glitt er sanft an ihrem Körper entlang. Sie legte ihre Hände auf seine Schultern und genoss diese Zärtlichkeit. Er sah sie dabei ununterbrochen an und ergötzte sich an ihrer Erregung. Sein Mund berührte ihren Bauch. Sie spürte seinen heißen Atem. Ihre Lust stieg um ein Vielfaches an. Heißes Verlangen, ihn zu spüren, durchlief sie, also schloss sie die Augen und ließ sich verwöhnen. Ihr Atem ging stoßweise, als er sie bat, sich hinzulegen. Louise wurde es schwindelig vor Lust. Wie ein Komponist mit Noten spielte Aiden mit ihrem Körper. Er trieb sie in ungeahnte Höhen und verweilte dort mit ihr. Louise war bisher noch niemandem begegnet, der solche Kunstfertigkeit im Frauenverwöhnen besaß. Ihre früheren Bekanntschaften waren in dieser Hinsicht eher durchschnittlich und längst nicht so aufregend, umso mehr genoss sie jetzt diese Augenblicke. Als sich dann die vollkommene Zufriedenheit bei beiden breitmachte und sie endlich zur Ruhe kamen, schaute Louise ihn prüfend an.

„Was war das denn gerade?“, flüsterte sie völlig erstaunt.

„Ich hoffe, dir hat es Spaß gemacht?“ Zärtlich knabberte er an ihrem Ohr, und sie stöhnte leise dabei. „Kommst du mit in den Jacuzzi, um ein wenig zu entspannen?“, fragte er, während er ihr dabei half, von der Couch hochzukommen. Sie war körperlich erschöpft und wollte eigentlich nur noch schlafen, doch der

Gedanke an eine derart wunderbare Entspannung war sehr verlockend, also stiegen sie in den Jacuzzi. Das Wasser darin war wohltemperiert und die Beleuchtung wechselte immer wieder die Farben. Aiden zog Louise zu sich heran. Sie nahm vor ihm Platz. Die Luftbläschen massierten ihre Körper. Fast schon liebevoll schlang er seine Arme um sie, dabei stützte sie ihren Kopf an seine Brust. Ihr fielen die Augen zu. Kurz schlief sie ein. Aiden achtete darauf, dass sie dabei nicht unterging. Als sie wieder wach wurde, spürte sie, dass er erneut ihren Körper berührte. Sie fühlte seinen Mund in ihrem Nacken und sein Atem ging schneller. Nun würde sie ihm beweisen, dass auch Frauen die Kunst des Verführens beherrschten. Es bereitete ihr ein Riesenvergnügen, dieses Mal die führende Rolle zu übernehmen, und abermals erklommen beide den Gipfel der Lust. Jetzt war sie allerdings vollkommen erschöpft. Nachdem sie geduscht hatten, führte Aiden sie in sein Schlafzimmer. Sofort fiel Louise in einen tiefen Schlaf. Zufrieden betrachtete er sie noch eine Weile, kuschelte sich an sie und schlief dann ein.

13

In derselben Nacht, allerdings bei Matthew im Haus, standen die Dinge ähnlich. Nachdem Aiden und Louise weggegangen waren, wollte Matthew nichts anderes, als Angelique in sein Schlafzimmer zu locken. Seine Sehnsucht, sie körperlich zu besitzen, quälte ihn schon den ganzen Abend. Sie hatte jedoch eine andere Vorstellung von dieser Nacht.

„Matthew, hole bitte eine Flasche Wein und folge mir“, flüsterte sie verführerisch und blieb auf der Terrasse sitzen. Als er mit dem Wein vor ihr stand, nahm sie ihn an die Hand und führte ihn durch den Garten zum Steg. Matthew war höchst gespannt, was denn nun folgen würde. Angelique geleitete ihn nun zu seiner Yacht, die jetzt dunkel in der Bucht lag. Nur der Mondschein erhellte sie ein wenig. Der Gedanke, ihn darauf zu verführen, versetzte sie in eine süße Erregung. Sie gingen an Bord. In dieser Sekunde bewegte sich eine Gestalt dort und versteckte sich lautlos in einer der Kabinen. Durch einen schmalen Spalt beobachtete der Eindringling das Geschehen an Bord. Nichtsahnend befahl Angelique Matthew, sich ans Steuer der Yacht zu stellen. „Leg deine Hände ans Steuerrad!“, befahl sie weiter und stellte sich dann hinter ihn. Langsam knöpfte sie sein Hemd auf, dabei hörte und spürte sie seinen erregten Atem. Sie schmunzelte zufrieden und kratzte mit ihren Fingernägeln über seine nackte Brust. Leichter Schmerz durchfuhr ihn und er konnte sich kaum noch beherrschen. Er wollte seine Hände an sie legen, doch sie verbot es ihm. Irgendwoher kam ihm dieses Spielchen bekannt vor. Umso fester umfasste er das Steuerrad. Angelique setzte ihr Spiel fort und trieb ihn mit ihrer süßen Folter in den Wahnsinn. Matthew keuchte gequält auf. Sein Verlangen, sie zu nehmen, überwältigte ihn und er konnte und wollte sich nicht mehr beherrschen. Fast wäre er über seine Shorts gestolpert, während er sich umdrehte und nach ihr griff. Er musste sie sofort besitzen. Doch sie konnte ihm entkommen und flüchtete laut lachend auf

das Oberdeck. Oben angekommen musste sie erst recht herzhaft lachen, als sie ihn so völlig nackt laufen sah.
„Schhhh....“, flüsterte er leise, als er sie endlich erreichte. „Du weckst noch alle auf.“ Doch dann lachte er mit ihr. Sie lagen nun auf dem Deck, und als sie sich wieder beruhigt hatten, sah Matthew sie lange an und küsste sie sanft. Langsam, aber sehr begehrlich, entkleidete er sie. Seine Männlichkeit duldete keine Verzögerung mehr. Er setzte sich auf den Boden und nahm Angelique auf seinen Schoß. Sie umschloss ihn mit ihren langen Beinen, dabei verschloss er ihren Mund mit zärtlichen Küssen. „Oh Angelique, du raubst mir den Verstand!“, flüsterte er, als sie sich genüsslich auf und ab bewegte. Sie legte den Kopf in den Nacken und ließ seine Liebkosung ihre Sinne benebeln. Dem Eindringling wurde dabei eine nette Show geboten, die ihn die Gefahr, entdeckt zu werden, vergessen ließ. Später öffnete Matthew die Flasche Wein. Lange Zeit saßen sie nebeneinander, tranken das kostbare Nass und schauten empor in den Himmel. Immer wieder küssten sie sich, und als die Müdigkeit sie übermannte, gingen sie zurück zum Haus. Es war für beide die erste Nacht, die sie zusammen verbrachten. Jetzt erst nutzte der Eindringling die Zeit, um sein Vorhaben in die Tat umzusetzen. Er musste keine weitere Störung mehr befürchten.

Es war schon später Vormittag, als die beiden am nächsten Tag erwachten. Matthew hielt Angelique noch lange in seinen Armen und wollte sie überhaupt nicht loslassen. Es fühlt sich so gut an, mit ihr am Morgen aufzuwachen, dachte er verträumt. Er verspürte wieder dieses eigenartige Gefühl in seinem Herzen, doch sein Verstand wehrte es ab. Das darf nicht passieren, ermahnte er sich immer wieder. Und doch wollte er sie nicht loslassen und genoss diese Zweisamkeit.

„Bekomme ich einen Kaffee?“, fragte Angelique noch völlig verschlafen.

„Ich schaue mal nach, bin gleich wieder da.“ Matthew zog sich einen Bademantel über und ging in die Küche. Martha war nicht zugegen, also stellte er die Kaffeemaschine an und kehrte dann mit zwei Bechern herrlich duftenden Kaffees zurück ins Schlafzimmer.

„So kannst du mir jeden Morgen den Kaffee servieren, Liebster“, sprach Angelique vergnügt und zwinkerte ihm zu. Sie setzte sich auf, überkreuzte die Beine und nahm dankbar den Becher entgegen. Sie war noch ein wenig müde nach der turbulenten Nacht.

„Wie spät ist es überhaupt?“, fragte sie, als sie den ersten Schluck des köstlichen Getränks genommen hatte.

„Schon nach elf“, meinte Matthew. Angelique sprang erschrocken auf.

„Unsere Sachen sollen doch gleich abgeholt werden!“, rief sie entsetzt. „Ich schaffe es nicht mehr rechtzeitig nach Hause.“ Sie war panisch geworden. „Ich muss telefonieren.“ Sie suchte ihr Handy, doch es lag nirgendwo. „Mein Handy? Wo ist es? Es muss wohl auf der Terrasse liegen geblieben sein“, sagte sie verzweifelt. Matthew holte es und sie rief bei Louise an.

„Guten Morgen, Louise, bist du schon zu Hause?“, fragte Angelique total aufgeregt.
„Ja. Warum klingst du so panisch? Was ist passiert?“ Louise war die Ruhe selbst.
„Es sollen doch gleich unsere Sachen abgeholt werden. Gott sei Dank bist du da. Du kümmerst dich darum, ja?“ Angelique wurde nun ein wenig ruhiger.
„Aber sicher doch. Mach dir keine Sorgen. Wir sehen uns später“, sagte Louise nur und legte auf. Sie ist an diesem Morgen sehr früh aufgewacht und hatte sich leise aus Aidens Schlafzimmer geschlichen. Nachdem sie sich angezogen hatte, bestellte sie ein Taxi und fuhr nach Hause. Sie hatte diesen Termin nicht vergessen. Also hatte sie geduscht, gefrühstückt und pünktlich um 12.00 Uhr wurden die fertig gepackten Boxen abgeholt. Jetzt wartete sie auf Angeliques Rückkehr.

Nachdem sie trotz der späten Stunde gefrühstückt hatten, brachte Matthew Angelique nach Hause. Später fuhr er zum Büro des Lieferservices, um alle Einzelheiten der Lieferung zu besprechen, da die gesamten Einkäufe seiner Dienstmädchen auch noch mitgenommen werden sollten. Seine Yacht würde sonst mit Gepäck überlaufen. In zwei Tagen würde er mit Angelique und Louise zur Insel fahren.

14

Kaum betrat Angelique die Wohnung, fing Louise sie schon im Flur ab und legte sofort los.
„Hey Angelique. Was war das denn gestern? Ich dachte, wir gehen nur zum Essen hin“, sagte Louise völlig überdreht. Sie hatte das Geschehene noch nicht verarbeitet. „Dabei habe ich den heißesten Sex aller Zeiten erlebt.“ Sie konnte sich nicht beruhigen. „Geht es dir genauso?“, fragte sie vollkommen aufgeregt.
„Hey Louise, es freut mich, dass du Spaß hattest. Wie ist Aiden denn so?“, fragte Angelique, denn sie war ein wenig neugierig geworden.
„Oh Gott! Es war unbeschreiblich! Ich wusste bis zur letzten Nacht nicht, dass man als Frau so viele Höhepunkte erleben kann. Er ist der Wahnsinn. Und seine Wohnung erst recht. Eine Penthouse-Wohnung. Oberstes Stockwerk mit Terrasse auf dem Dach, Jacuzzi und was weiß ich noch was!“ Louise war nicht zu bremsen. Angelique schmunzelte nur.
„Und? Möchte er dich wiedersehen?“, fragte sie, als Louise Luft geholt hatte.
„Ich weiß nicht, denn während er noch schlief, bin ich nach Hause gefahren. Ich wollte den Termin heute Mittag nicht platzen lassen, da ich nicht wusste, ob du hier sein würdest?“, sagte sie leicht bedauernd.
„Na ja, spätestens in ein paar Tagen sehen wir uns alle auf der Insel wieder. Dort kannst du dann weiterhin deinen Spaß haben.

Und denke daran, es gibt bestimmt noch einiges mehr zu erleben", sagte Angelique ein wenig unsicher. Bei diesem Gedanken fühlte sie sich nämlich überhaupt nicht wohl, denn sie wollte Matthew nur noch für sich allein haben. „Wollen wir noch ausgehen?", fragte sie anschließend, um sich von diesem Kummer abzulenken.
„Ja, sehr gerne", antwortete Louise. Also zogen sie sich um und gingen an den Strand in die Beach Bar, in der Angelique Matthew zum ersten Mal begegnet war. Es waren seitdem erst wenige Tage vergangen, doch ihr kam es schon wie eine Ewigkeit vor, und sie hatte quälende Sehnsucht nach ihm.

Während sie an dem Nachmittag faulenzend in der Sonne lagen, klingelte Angeliques Handy. Matthew rief an und fragte, ob sie am nächsten Tag schon etwas vorhätten. Mateo wollte sie beide sehen und lud sie zu einer Yogastunde ein. Da jetzt ans Arbeiten nicht zu denken war, weil die meisten ihrer Sachen auf dem Weg zur Insel waren, hatten sie freudig zugesagt. Matthew teilte ihnen die Adresse und die Uhrzeit mit und verabschiedete sich. Später besorgten sie noch einige Kleinigkeiten, die sie benötigten, und verbrachten den Abend zu Hause. Sie freuten sich schon sehr auf den nächsten Tag, denn Yoga machte ihnen besonders viel Spaß.

15

Mateo hatte gerade seinen Yogakurs beendet, als Angelique und Louise in sein Studio kamen. Er verabschiedete seine Teilnehmer und begrüßte die jungen Frauen mit einer herzlichen Umarmung. Seine Freude war groß, als er Louise erblickte. Er wollte sie unbedingt wiedersehen und war froh, dass sie gekommen war. Nachdem sich beide Frauen umgezogen hatten, setzten sie sich zu ihren Übungen auf die Matten. Mateo konnte seine Augen nicht von Louise abwenden. Ihr war es nicht entgangen, auf welche Weise er sie betrachtete. Es irritierte sie sogar, denn sie hatte noch die Nacht mit Aiden vor Augen und war nicht bereit, sich sofort wieder auf jemand anderen einzulassen. Sie wunderte sich allerdings, warum Aiden sich nicht bei ihr meldete. Mateo fing nun an, sie in die Übungen anzuleiten, und sie folgten seinen Bewegungen. Die Musik im Hintergrund war angenehm und entspannend. Louise fand Mateos Stimme wahnsinnig erotisch und ertappte sich dabei, dass sie sich gar nicht richtig konzentrieren konnte. Als dann die Stunde vorbei war, lud Mateo sie beide in sein Haus ein, um den Nachmittag mit ihnen dort zu verbringen. Eine gewisse Neugier erfasste die Freundinnen, und sie sagten zu. Mateos Haus befand sich etwas weiter südlich in Miami Beach. Es war sehr modern eingerichtet und lag am Strand des Atlantiks, in einer noblen Gegend. Wie kann ein Yoga-Lehrer sich so etwas leisten, überlegte Louise fieberhaft, während Mateo sie hineinbat. Sie schauten sich neugierig im Haus um. Moderne Bilder hingen an den Wänden zwischen den Fenstern, die vom Boden bis zur Decke reichten, und elegante Designermöbel luden zum Verweilen ein. Draußen gab es eine riesige Terrasse mit freiem Ausblick auf den Ozean und einem großen Pool. Louise

staunte nicht schlecht. Wie lange wird es wohl dauern, bis ich mir so etwas leisten kann, überlegte sie.
„Was möchtet ihr denn trinken?“, fragte Mateo und lächelte charmant Louise an.
„Ich nehme gerne ein Zitronenwasser“, sagte Louise, denn nach der Yogastunde hatte sie mächtigen Durst.
„Für mich ein Mineralwasser und einen starken Kaffee bitte“, sagte Angelique. Sie liebte Kaffee zu fast jeder Tageszeit. Mateo ging nun ins Haus, um die Getränke zu holen. Die Freundinnen machten es sich währenddessen auf der Terrasse gemütlich und genossen die Aussicht. Der Himmel war leicht bewölkt und die Temperatur sehr angenehm. Draußen auf dem Wasser konnten sie Windsurfer beobachten, die waghalsige Sprünge vollführten. Mateo brachte die Getränke und setzte sich zu ihnen.
„Kannst du surfen?“, fragte Louise ihn und schaute weiterhin gebannt den Surfern zu.
„Nein. Leider nicht. Matthew ist derjenige von uns, der das ausgezeichnet kann“, antwortete Mateo und blickte den flotten Windsurfern neidisch nach. Ihre bunten Segel glänzten in der Sonne, sobald sie sich blicken ließ. Es war ein traumhafter Anblick.
„Eines Tages würde ich es gerne lernen“, sagte Louise und seufzte sehnsuchtsvoll.
„Das kannst du sicherlich bald auf der Insel tun. Matthew wird es dir garantiert mit großem Vergnügen beibringen. Vielleicht komme ich dazu und lerne es mit dir.“ Mateo grinste sie

verschmitzt an. Sein Verhalten machte Louise verlegen, denn sie konnte es nicht genau deuten.
„Mich bekommen keine zehn Pferde da raus, denn da draußen gibt es Haie“, sagte Angelique völlig entsetzt, doch Mateo hatte jetzt nur noch Augen für Louise und beachtete Angelique kaum. Plötzlich klingelte es an der Tür und Mateo ging hin, um zu öffnen. Mit Matthew im Schlepptau kehrte er zurück.
„Habe ich es mir doch gedacht, dass ich euch hier finde“, sagte Matthew lachend.
„Matthew, schön, dich zu sehen!“ Angelique strahlte bei seinem Anblick. Ihr Herz vollführte Sprünge.
„Ich freue mich auch, euch zu sehen. Ich möchte nämlich mit euch etwas besprechen, darum bin ich hier.“ Er gab Angelique einen Kuss und umarmte Louise, während Mateo ein kaltes Bier für seinen Freund holte.
„Matthew, bringst du mir das Surfen bei, wenn wir auf der Insel sind?“, fragte Louise, zwinkerte ihm zu und schaute ihn fast schon bettelnd an.
„Ich kann es versuchen. Aber nur, weil du mich so nett bittest“, antwortete Matthew und zwinkerte zurück. Angelique wurde eifersüchtig, und auch Mateo gefiel die Art nicht, wie die beiden sich ansahen. Louise stand auf und gab Matthew einen Schmatzer auf die Wange.
„Ich möchte gerne mitmachen, bringst du es mir auch bei? Bitte.“ Mateo zwinkerte ihm bei dieser Frage genauso zu wie Louise vorhin und alle fingen an zu lachen.

„Tja, vielleicht mache ich eine Surfschule auf und verlange Gebühren dafür", antwortete Matthew und lachte umso herzhafter bei der Vorstellung von einer Surfschule.
„Du hast es doch gar nicht nötig, so vermögend wie du bist", scherzte Mateo weiter.
„Was wolltest du denn mit uns besprechen?", fragte Angelique plötzlich, weil sie der ganzen Situation nichts Lustiges mehr abgewinnen konnte. Eifersucht plagte sie schon jetzt.
„Ich werde euch morgen schon mit auf die Insel nehmen", sagte Matthew an Angelique und Louise gerichtet. „Seid ihr dazu bereit?" Er konnte es kaum noch abwarten.
„Von mir aus sehr gerne", antwortete Angelique eifrig, denn sie freute sich schon sehr darauf, dorthin zurückzukehren, in dieses traumhafte Paradies.
„Und du, Louise? Bist du auch bereit?", fragte Matthew und sah sie erwartungsvoll an. Mateo war jedoch über die plötzliche Abreise der beiden überhaupt nicht erfreut. Er hatte gehofft, mehr Zeit mit Louise verbringen zu können, um ihr Herz zu erobern, denn sie gefiel ihm unglaublich gut. Doch nun machte Matthew sein Vorhaben zunichte.
„Ja, Matthew, bin ich. Ich kann es nicht mehr abwarten, deine Insel zu sehen", antwortete Louise und strahlte. In ihrer Phantasie war sie bereits dort, sie war schon sehr gespannt.
„Und wo bleibe ich?", fragte Mateo mit einer traurigen Miene, schmunzelte kurz darauf und lachte dann, damit es wie ein Scherz klang. In Wirklichkeit war er aber tatsächlich traurig.

Wenn die Mädels erst einmal auf der Insel sind, wird es nicht mehr so leicht werden, Louise zu erobern, dachte er enttäuscht. Die Zeit wird es zeigen. Er gab die Hoffnung nicht auf.
„Angelique, darf ich dich zum Essen entführen?“, fragte Matthew, ohne auf Mateos Frage zu antworten.
„Oh ja! Sehr gerne“, antwortete sie überglücklich. „Ich muss mich aber erst umziehen. Können wir kurz zu mir? Bitte.“ Angelique versuchte jede Gelegenheit, die sich ihr bot, zu nutzen, um mit ihm zusammen sein zu können, und so kam ihr seine Einladung sehr gelegen.
„Bleibst du denn heute noch bei mir?“, fragte Mateo Louise in der Hoffnung, dass sie bliebe. “Ich würde mich wirklich riesig darüber freuen.“
„Gerne. Lassen wir doch die zwei Turteltäubchen ziehen“, scherzte Louise. Mateo witterte seine Chance. Jetzt nur keine Zeit verlieren, dachte er hoch motiviert.

Nachdem Matthew und Angelique gegangen waren, bestellte Mateo eine Kleinigkeit zum Mittagessen. Es gab Hummer auf gedünstetem Gemüse und als Nachtisch eine Obstplatte mit exotischen Früchten. Das Essen sah köstlich aus und genauso schmeckte es auch. Später führte Mateo Louise zu einer Lounge neben dem Pool und bot ihr Wein an.
„Louise, wie steht es denn um deine Entwürfe? Hast du denn schon jemanden, der sie vermarktet?“, fragte er interessiert, während sie den Wein tranken. Mateo wollte unbedingt mehr

über sie erfahren.
„Nein, bis jetzt leider noch nicht." Louise klang enttäuscht. „Ich bin noch nicht lange genug in Miami Beach und es hat sich noch nichts Bestimmtes ergeben. Vielleicht kann Matthew mich jemandem empfehlen. Ich hoffe es sehr, denn ich möchte so bald wie möglich mein eigenes Geld verdienen." Während sie sprach, betrachtete sie Mateo ein wenig genauer. Er war fast genauso groß wie sie, hatte ein etwas kantiges Gesicht, graublaue Augen und kurzes dunkelbraunes Haar. Vereinzelt schimmerten graue Strähnen dazwischen. Sie fand ihn plötzlich sehr interessant. Ihr gefiel die Art, wie er lächelte. Seine Stimme hatte einen herrlich verführerischen Klang. Eigentlich voll mein Typ, dachte sie, und dieses Empfinden verblüffte sie augenblicklich.
„Wovon lebst du denn zurzeit?" Mateo war neugierig geworden.
„Meine Eltern unterstützen mich. Sie besitzen ein Weingut in Frankreich und sind finanziell gut aufgestellt, sodass sie mir meinen Traum, in Amerika Fuß zu fassen, ermöglichen können. Ich bin ihnen sehr dankbar dafür." Louise erzählte mit Stolz von ihren Eltern. „Ich möchte hier so gerne mit meiner eigenen Kollektion für Kids durchstarten. Davon träume ich schon lange." Mateo überlegte, wie er ihr helfen könnte. Dann kam ihm die Idee. „Ich könnte dich vielleicht jemandem vorstellen", sagte er. „Ich gebe einer Dame, die eine Boutique-Kette betreibt, private Yogastunden." Er sah Freude in ihren Augen aufblitzen.
„Oh, Mateo, das wäre fantastisch." Louise klang hoffnungsvoll und dankbar zugleich.

„Ich werde ihr von dir erzählen. Sollte sie interessiert sein, dann werden wir weitersehen, okay?“ Mateo sprach es mit einer riesigen Begeisterung aus, die sich auf Louise übertrug. Er wusste genau, wie schwer es war, beruflich Fuß zu fassen, dazu noch in einer Gegend wie Miami Beach. Entweder man hatte Glück oder blieb auf der Strecke. Und er wollte seine Möglichkeiten nutzen, um ihr zu helfen, das schwor er sich.

„Danke“, sagte sie schlicht, beugte sich vor und gab ihm einen Kuss auf die Wange. Er errötete ein wenig, denn im Frauenverführen war er nicht sehr geübt. Sie sah ihm seine Verlegenheit an und diese überraschte sie sehr.

„Darf ich dich etwas Persönliches fragen?“, gab er leise von sich. Louise schaute ihn an und nickte. „Könntest du dir vorstellen, mehr Zeit mit mir zu verbringen? Ich finde dich sehr attraktiv und würde dich sehr gerne näher kennenlernen“, sagte er ein wenig schüchtern. So, jetzt ist es raus, dachte er und wartete angespannt auf ihre Antwort.

„Ja, das kann ich mir sehr gut vorstellen. Dafür musst du allerdings auf die Insel kommen. Du hast es ja gehört, morgen geht es für mich dorthin.“ Sie lächelte ihn verführerisch an, als sie es sagte. Meine Chancen stehen wohl doch nicht so schlecht, dachte Mateo überglücklich. Jetzt musste er nur dafür sorgen, dass er sich Zeit für den Aufenthalt auf der Insel nahm.

„Darf ich dich küssen?“, fragte er nun etwas mutiger und sah sie sehnsüchtig an. Louise rückte nun näher an ihn heran. Seine Schüchternheit überraschte sie, denn sie hatte ihn völlig anders eingeschätzt. Also fasste sie seine Hände, schaute in seine graublauen Augen und ließ ihn gewähren. Leichtes Kribbeln durchlief ihren Körper. Sein Kuss war nicht fordernd, eher zärtlich und zögernd. Hier musste sie wohl die Initiative ergreifen. Sie küsste ihn intensiver, während sie seine Hände an ihren Körper führte. Er schob sie behutsam unter ihr Top. Sein Atem ging plötzlich schneller, denn es erregte ihn, sie zu berühren. Es gab so vieles an ihr zu entdecken. Als er merkte, dass Louise dieser Intimität nicht abgeneigt war, wagte er es, seiner Fantasie freien Lauf zu lassen. Zentimeter für Zentimeter erkundete er ihren Körper, bis sie nach Atem ringend reglos liegen blieben. Ihre erhitzten Gesichter näherten sich einander. Mateo küsste sie zärtlich und sanft. In diesem besonderen Moment spürte Louise, wie sehr er sie begehrte und hoffte, dass sie ihn bald wiedersehen würde. Am Abend brachte Mateo Louise nach Hause. Er küsste sie endlos lange zum Abschied und versprach, sehr bald auf die Insel zu kommen.

 # 16 #

Früh am nächsten Morgen holte Matthew die beiden Freundinnen ab. Nachdem Mirana und Carida mit auf die Yacht gekommen waren, fuhren sie los in Richtung seiner Insel. Martha winkte ihnen zum Abschied. Während Angelique sich danach sehnte, in ihr neues Zuhause einzuziehen, war Louise sehr gespannt darauf, was sie wohl erwarten würde. Die vier Frauen machten es sich auf dem Deck gemütlich und genossen die Fahrt.

Wie Angelique vor ein paar Tagen saß auch Louise einfach nur da, schaute aufs Meer hinaus und beobachtete die Umgebung. Es waren einige Yachten und Motorboote unterwegs. Dass eine Yacht ihnen folgte, ist niemandem aufgefallen. Louise beteiligte sich zwar gelegentlich an Gesprächen mit den anderen, doch in Gedanken stellte sie sich die Insel vor. Hoffentlich war es kein Fehler, diese Entscheidung getroffen zu haben, überlegte sie. Andererseits ist in den letzten Tagen so viel passiert, dass ihr das bisherige Leben dagegen sehr langweilig erschien. Angelique schaute sie an und lächelte.

„Ich bin wirklich sehr froh darüber, dass du mitgekommen bist", sagte sie zu Louise. „Du wirst es bestimmt nicht bereuen", fügte sie hinzu, als hätte sie ihre Gedanken erraten.

„Hey Angelique, eigentlich muss ich dir dankbar sein." Louise grinste, als sie es sagte.

„Wofür denn?", fragte Angelique ein wenig überrascht.

„Für die aufregende Abwechslung, die du in mein Leben gebracht hast. Ohne dich wären wir jetzt nicht hier", sagte Louise, lachte und ihre Zweifel waren wie weggewischt. Das Abenteuer konnte beginnen. Sie war bereit.

Bei ihrer Ankunft erwartete Jaden sie bereits am Steg. Nachdem er Mirana und Carida begrüßt hatte, begaben sie sich sofort in ihr Zuhause. Dann stellte Matthew ihm Louise vor. Jaden beäugte sie von Kopf bis Fuß, fand sie reizend, umarmte auch sie herzlich zur Begrüßung und danach Angelique und Matthew.

Louise staunte erneut darüber, dass Matthew sein Personal so kumpelhaft behandelte. Für sie war es immer noch eine sehr ungewohnte Situation, denn ihrer Meinung nach sollte man zu seinen Angestellten eine gewisse Distanz wahren. Dieses Verhalten war ihr neu und sie musste lernen, damit umzugehen. Nun gingen sie zu dritt zu Matthews Haus. Louise war abermals sprachlos, denn sie konnte es nicht begreifen, wie man sich das alles leisten konnte. Im Gegensatz zu Angelique war Louise sehr materiell orientiert. Ihr größter Wunsch war es, eines Tages selbst vermögend zu sein. Jeder hat mal klein angefangen, dachte sie und hoffte, durch die Bekanntschaften, die sie jetzt machte, in die richtigen Kreise zu gelangen. Und spaßig wird das Ganze hier auch noch, überlegte sie weiter, während sie sich alles genauer anschaute. Im Haus angekommen, erfrischten sich alle mit kühlen Getränken. Matthew führte Louise durch sein Domizil. Währenddessen nahm Angelique auf der Terrasse Platz und genoss die faszinierende Aussicht immer wieder aufs Neue. Später gingen sie zum Essen, wo sie eine leckere Auswahl an Speisen erwartete. Louise war überwältigt. Sie lernte Alex und David kennen, und erneut folgten herzliche Umarmungen. Sie selbst wurde nun auch ein wenig lockerer, denn nach und nach fand sie Gefallen an diesem ungezwungenen Umgang miteinander.

„Louise, jetzt ist es an der Zeit, dass auch du dir ein neues Zuhause aussuchst“, sagte Matthew, als sie fertig gegessen hatten. Er war schon sehr gespannt, welchen Bungalow sie für sich beanspruchen würde. Vor allem aber, wie sie auf seinen Island-

Store und seinen Lieblingsraum darin reagieren würde.
„Das hellblaue Häuschen direkt vorn gehört mir." Angelique strahlte bis über beide Ohren, als sie es sagte. Noch ahnte sie nicht, dass die gesamte Situation sie sehr bald überfordern würde.
„Na, dann wollen wir mal. Ich bin schon sehr gespannt, was du zu bieten hast", sagte Louise keck. Matthew ging mit Angelique Hand in Hand und zu dritt schlenderten sie zu den Bungalows. Als Louise den weitläufigen Strand erblickte, lief sie verzückt los, zog dabei ihre Sandalen aus und war sofort mit den Füßen im Wasser. Sie breitete ihre Arme aus, drehte sich mehrmals im Kreis und wäre dabei fast hingefallen. Sie war sehr glücklich darüber, hier sein zu dürfen.
„Hier fühlt man sich wie im Paradies!", rief sie begeistert. Sie konnte es nicht fassen, dass sie es gerade erlebte. „Und hier darf ich arbeiten? Das ist traumhaft. Danke, Matthew." Louise war außer sich vor Freude. Sie war sich sicher, dass ihr hier die besten Ideen einfallen würden und träumte von ihrem Erfolg.
„Nun komm, schaue dir jetzt die Häuser an. Jaden möchte nämlich eure Sachen abladen", sagte Matthew. Er musste schmunzeln, als er ihre Freude sah, denn sie ahnte nicht, dass seine um einiges größer war.

Nachdem Louise alle Bungalows besichtigt hatte, suchte sie sich eines aus, das in direkter Nähe zum Pool stand. Es war sonnengelb angestrichen und kleine Geckos dekorierten die Wände.

Eigentlich passte diese Art von Haus gar nicht zu ihr, da sie eher auf Design und Eleganz stand. Doch hier auf dieser Insel gefiel es ihr gut und sie gab sich damit zufrieden. Nachdem Jaden ihre Sachen gebracht hatte, fingen beide Freundinnen mit dem Auspacken an. Matthew verabschiedete sich und ging heim. Er musste unbedingt alle Systeme überprüfen. Und so saß er in seinem geheimen Raum und schaute zu, wie Angelique ihre Sachen sortierte und ordnete. Louise jedoch verweilte auf der Terrasse vor ihrem Bungalow. Sie genoss sichtlich die Aussicht. Anscheinend hatte sie zum Auspacken gar keine Lust. Wie unterschiedlich doch die beiden Freundinnen sind, ging es ihm durch den Kopf. Während er Louise weiterhin beobachtete, ging diese ins Haus und zog sich um. Matthew zoomte sie dabei näher heran. Er bewunderte ihren smarten, nackten Körper. Sie zog einen Badeanzug an und ging hinaus. Ihr Weg führte sie zum Pool. In diesem Moment kam Jaden bei Angelique vorbei.
„Benötigst du vielleicht Hilfe beim Aufbau der Regale?“, fragte er hilfsbereit. Angelique fühlte sich unsicher in seiner Anwesenheit, da er sie bereits sehr oft mit seinem Blick verschlungen hatte. Doch sie konnte Hilfe gut gebrauchen und so nahm sie sein Angebot dankend an. Sie fingen an, alles zusammenzubauen.
„Lebst du schon lange hier auf dieser Insel?“, fragte Angelique neugierig.
„Seit einigen Monaten“, antwortete er und schaute sie wieder einmal sehr begierig an.
„Wie bist du denn zu diesem Job gekommen?“, erkundigte sie

sich weiter. Sie wollte mit dieser Frage von sich ablenken, gleichzeitig jedoch mehr über ihn erfahren.
„Matthew suchte nach einem Guide und hier bin ich." Er lächelte verschmitzt. „Wie du siehst, gehöre ich zu den Einheimischen. Ich kenne mich sehr gut in der Natur aus und es macht mir wahnsinnig viel Spaß, für Matthew zu arbeiten. Ich kann mir keinen anderen Job mehr vorstellen, außerdem ist Matthew der beste Arbeitgeber der Welt. Falls du etwas benötigst oder etwas unternehmen möchtest, dann wende dich an mich. Ich kann dir vieles zeigen." Er musste an etwas Aufregendes gedacht haben, als er es sagte, denn sie sah Lust in seinen Augen aufblitzen. Oh Mann, wo soll das noch hinführen, dachte sie verwirrt und fand plötzlich den Gedanken, etwas Neues auszuprobieren, gar nicht so abwegig. Sie schaute ihn jetzt genauer an. Er war gut gebaut und muskulös, sein Shirt zerschlissen und die Shorts hingen ihm auf der halben Hüfte. An den Füßen trug er Flip-Flops, die schon bessere Zeiten gesehen hatten. Diese Eigenschaften ließen ihn sexy, aber auch verwegen erscheinen. Sein Lächeln war ehrlich und sie stellte sich vor, wie er sie mit seinem weichen Mund küsste. Jaden beobachtete sie aus dem Augenwinkel, während er an einem Tisch schraubte und schmunzelte. Angelique bemerkte es und wollte nur noch weg, denn sie schämte sich sofort wieder für ihre lustvollen Gedanken. Was soll Matthew über mich denken, überlegte sie verschämt.
„Möchtest du denn etwas trinken?", fragte sie verlegen. Ich muss raus aus dieser Situation, und das unverzüglich, bevor er auf

dumme Gedanken kommt, dachte sie panisch.
„Hast du kaltes Bier da?“, fragte er, denn er trank gerne Bier. Angelique schaute nach, doch im Kühlschrank befand sich nur Mineralwasser. Sie nahm es sich vor, ihre Vorräte an Getränken zu erweitern, auch wenn es um die Ecke alles gab, was das Herz begehrte.
„Nein, sorry. Aber ich hole dir sofort welches. Ich bin gleich wieder da.“ Und schon war sie verschwunden. Jaden lächelte belustigt. Eines Tages kriege ich dich, dachte er verschmitzt. Als er so weiter schraubte, hörte er plötzlich Geräusche und sah sich um. In der Tür stand Louise und beobachtete ihn neugierig. Sie sah umwerfend aus. Was für Beine, dachte er und musterte sie genüsslich von unten bis oben. Sie lehnte lässig am Türrahmen und musterte ihn genauso, wie er sie.
„Wo ist Angelique?“, fragte sie neugierig und schaute sich um. Das Zimmer sah halbfertig aus, einige Boxen standen noch an der Wand.
„Sie ging Bier holen, kommt sicherlich gleich zurück“, antwortete er und schraubte weiter. Louise ging wieder. Sie schaute sich jetzt im Bungalow ihrer Freundin um. In diesem Moment kam Angelique zurück. Sie brachte so viele Getränke mit, wie sie nur tragen konnte. Louise freute sich auf ein Gläschen Wein. Jaden bekam sein Bier, dann ließen sie ihn allein und machten es sich auf der Terrasse gemütlich.
„Angelique, alles ist so traumhaft hier. Ich hätte es mir nicht träumen lassen, dass mir so etwas einmal passiert“, sagte Louise

mit ehrlicher Begeisterung in ihrer Stimme.
„Ja, das stimmt, es ist wirklich traumhaft“, bestätigte sie. „Eines macht mir jedoch Kopfzerbrechen. Ich weiß nicht, ob ich es schaffe, dem Vertrag gerecht zu werden.“ Angelique klang völlig unsicher und niedergeschlagen, als sie es aussprach.
„Was meinst du damit? Es ist doch nichts Besonderes dabei. Wir werden sehr viel Spaß haben, glaub mir.“ Louise gefiel die Vorstellung von den kommenden Wochen und sie versuchte, Angelique aufzumuntern.
„Ich glaube, ich habe mich in Matthew verliebt. Wie soll ich denn herausfinden, was er für mich empfindet, wenn es hier mal drunter und drüber geht?“ Angelique war verzweifelt. „Ich sterbe vor Eifersucht.“ Sie konnte keinen klaren Gedanken mehr fassen. „Hey Angelique, betrachte es doch als eine gute Gelegenheit, hier in Ruhe zu arbeiten und dabei einige äußerst interessante Erfahrungen zu sammeln. Sollte Matthew dasselbe für dich empfinden, wird er es dich sicherlich wissen lassen.“ Ihre Worte klangen äußerst überzeugend. Louise zwinkerte ihr dabei aufmunternd zu. Sie freute sich nämlich auf die bevorstehenden Erlebnisse und war gespannt darauf, wohin sie das Ganze führen würde. Angelique dachte darüber nach, was ihre Freundin gesagt hatte, doch ihre Unsicherheit blieb. Beide ahnten in diesem Moment nicht, dass sie beobachtet wurden.

Da bereits alles geschraubt war, gesellte sich Jaden zu ihnen und machte es sich gemütlich.

„Darf ich dich auch um Hilfe bitten, wenn meine Möbel ankommen?“, fragte Louise und schenkte ihm ihr schönstes Lächeln.
„Aber sicher doch. Immer zu Diensten. Und solltest du Lust auf Erlebnisse jeglicher Art verspüren, dann wende dich an mich“, antwortete Jaden, schaute sie anzüglich an und freute sich über die Abwechslung, die ihm jetzt geboten wurde. Endlich kam mehr Leben auf die Insel und er würde alles tun, um die Damen zu unterhalten. Dabei hoffte er auf einige vergnügliche Erlebnisse, denn er war solchem Spaß nicht abgeneigt. Während sie so plauderten, kam Matthew vorbei und lockte alle zum Abendessen.
„Ich habe mir gedacht, dass wir uns beim Abendessen den Sonnenuntergang anschauen könnten. Was haltet ihr davon?“, fragte Matthew. Alle waren sofort einverstanden. Als sie im Speisesaal ankamen, saßen dort auch schon die übrigen Inselbewohner. Louise staunte nicht schlecht, als sie einige neue Gesichter entdeckte. Sie kannte das Gärtner-Ehepaar noch nicht, und auch Ella war ihr unbekannt. Nachdem sie allen vorgestellt worden war, setzten sie sich zum Essen hin. Die Sonne senkte sich und verwandelte die Insel in ein warmes, farbenfrohes Paradies. Während sie am Horizont unterging, färbte sie den Ozean purpurrot und dessen leise Wellen glitzerten eindrucksvoll in ihren letzten Strahlen. Die leise Musik im Hintergrund schuf eine angenehme Stimmung. Alex mixte Cocktails und alle genossen das Zusammensein.

Mit dem Einbruch der Dämmerung wurden Feuer in Kübeln angezündet und die Musik lauter gestellt. Die Männer forderten die Frauen zum Tanzen auf. Mirana, Carida und Ella sprangen sofort auf. Sie waren einheimische Mädchen und liebten es, zu karibischen Klängen zu tanzen. Das Rhythmusgefühl wurde ihnen wohl schon in die Wiege gelegt, denn sie tanzten einfach darauf los. Louise und Angelique waren unfähig, ihre Augen von den Dreien abzuwenden. Sie bewunderten den Hüftschwung, den die Mädels drauf hatten, trauten sich aber nicht, selbst hinzugehen. Jaden kam nun auf sie zu, nahm beide an die Hand und führte sie auf die freie Fläche. Auch er beherrschte das Tanzen perfekt. Matthew klatschte in die Hände und feuerte alle an, ging selbst aber nicht hin. Das Tanzen war ihm ein Grauen. Benita und Rodolfo blieben sitzen. Sie waren zu müde, um sich auf diese Weise zu amüsieren, schauten dem Geschehen jedoch vergnügt zu. Jaden nahm nun Angelique in den Arm und fing an, ihr den lässigen Hüftschwung beizubringen. Sie errötete bei dieser Berührung und schaute verstohlen zu Matthew herüber. Dieser schmunzelte nur und ermunterte sie, weiterzumachen. Jaden packte sie inzwischen an der Taille, drückte sie eng an seinen Körper und ließ sie den Rhythmus spüren. Zuerst versteifte sie sich, denn ihre Bewegungen waren sehr unbeholfen.
„Lass dich fallen“, hauchte er ihr leise und verführerisch ins Ohr. Also schloss sie die Augen und ließ sich von ihm führen. Ihre Hüften schwangen nun fast gleich mit seinen. Er schaute sie dabei an und drückte sie noch enger an sich. Leichte Erregung ging

durch ihre Körper. Sie spürte, dass sich bei ihm etwas regte und machte ihre Augen auf. Sie sah ihn an, und sein verlangender Blick haute sie um. Es loderte ein Feuer darin, welches sie bei keinem Mann bisher gesehen hatte. Bildete sie sich das nur ein, oder wollte er sie? Ihr Körper reagierte schnell. Ein Verlangen durchlief sie und sie schmiegte sich enger an ihn. Der Tanz versetzte sie in einen tranceähnlichen Zustand. Sie vergaß alles um sich herum. Die Lust bahnte sich ihren Weg. Jaden spürte ihre Erregung.

„Ich möchte Sex mit dir“, flüsterte er ihr leise zu. Sie stockte kurz und wurde rot. Wieder schaute sie zu Matthew herüber. Dieser ahnte nichts von Jadens Angebot und lächelte weiter fröhlich vor sich hin. Jaden ließ nicht locker, denn er hatte immer noch ihren nackten Körper vor Augen und wollte sie unbedingt. Er sehnte sich seit dem Tag, an dem er sie beide am Wasserfall beobachtet hatte, nach ihr. Sie hatte ihn mit ihrer Schönheit verzaubert.

„Heute Nacht bei dir?“, fragte er mit erregter Stimme und schaute sie hoffnungsvoll an.

„Ich kann nicht. Was, wenn Matthew es mitbekommt?“, flüsterte sie ängstlich. Sie traute sich nicht, diesen Schritt zu machen.

„Du gehörst ihm nicht und kannst wohl machen, was du möchtest, oder etwa nicht?“ Er forderte sie regelrecht heraus. „Möchtest du es mit mir erleben? Du wirst es bestimmt nicht bereuen“, lockte er sie weiter. Er tanzte weiterhin mit ihr und wartete ungeduldig auf ihre Antwort. Ihr gingen tausende Gedanken durch den Kopf. In ihrer Fantasie spürte sie seine Küsse und ließ sich beim Tanzen noch mehr fallen. Der Tanz dauerte für sie beinahe ewig. Später löste sie sich von ihm und ging zum Tisch, um etwas zu trinken. Sie war durstig geworden. Matthew sah ihr erhitztes Gesicht und wurde ernst.

„Du tanzt gut“, sagte er bewundernd, doch er konnte das Gefühl der Eifersucht nicht loswerden. Seine Gefühle waren aufgewühlt. Warum bin ich eifersüchtig, fragte er sich.

„Möchtest du auch einen Tanz mit mir wagen?“, fragte sie provozierend. Matthew lehnte jedoch ab und blieb sitzen.

„Ich tanze nicht gerne, es tut mir leid“, antwortete er und lächelte dann doch wieder. Währenddessen tanzte Jaden mit Ella, und Angelique setzte sich hin. Sie schaute ihn jedoch immerzu an. Der Gedanke, sich ihm hinzugeben, ging ihr nicht aus dem Kopf. Matthew fing an, sie zu küssen, und während sie seinen Kuss erwiderte, stellte sie sich Jadens Lippen vor. Wie verwegen bin ich denn? Schoss es ihr durch den Kopf und im selben Moment schämte sie sich erneut dafür und errötete umso mehr.

Louise tanzte mit Alex. Er war Argentinier und ein heißer Typ. Die Musik war wie geschaffen für sie beide und Alex führte Louise in diesem heißen Rhythmus. Sie gab sich ganz dem Tanz hin. Immer wieder ließ er sie kurz los, um sie dann wieder eng an sich zu ziehen. Ihre Hüften schienen dabei zu einer zu verschmelzen. Angelique wusste gar nicht, dass Louise so gut tanzen konnte. Es machte ihr Spaß, ihnen allen zuzuschauen. Der Abend wurde zur Nacht. Nachdem alle leicht angetrunken von den vielen Cocktails müde wurden, gingen sie nacheinander nach Hause. Benita und Rodolfo brachen zuerst auf, da sie jeden Morgen sehr früh zur Plantage aufbrachen. Später folgten Mirana, Carida und Ella. Louise und Angelique verabschiedeten sich kurz vor Mitternacht. Matthew und Jaden blieben noch eine Weile sitzen. Alex und David räumten auf, und als alles fertig war, gingen auch sie schlafen.

Jaden jedoch kehrte zurück. Er klopfte leise an Angeliques Fenster. Einen Augenblick später kam sie heraus und schaute ihn ungläubig an. Sie hatte nur ein Top an, das dürftig ihren Po bedeckte. Er verschlang sie mit seinem Blick und wollte sie am liebsten sofort vernaschen.
„Hast du nun Lust auf heißen Sex mit mir?“, fragte er selbstbewusst, ohne zu zögern.
„Jaden, wie stellst du dir das vor? Ich kann nicht!“, antwortete sie, obwohl sie seinem Vorhaben nicht gänzlich abgeneigt war. Ihr Herz schlug rasend vor Aufregung, doch bevor sie reagieren konnte, nahm er sie bei der Hand und führte sie zum Strand. Sie folgte ihm unsicher und mit leichtem Widerwillen. Die Nacht war hell. Der Ozean lag ruhig vor ihnen und glitzerte im Mondlicht. Das Boot, das in weiterer Entfernung am Strand anlandete, bemerkte keiner der beiden. Zwei Gestalten schoben es auf den Strand und näherten sich unauffällig. Seelenruhig beobachteten sie das Geschehen. Jaden führte Angelique zu einer Palme, deren gebogener Stamm halb im Wasser lag. Angelique stand vor ihm

und schaute ihn immer noch ungläubig an. Dann küsste er sie. Seine Lippen waren so weich, wie sie sie noch nie gespürt hatte. Die sanften Wellen des Ozeans umspülten dabei zart ihre Füße. Sein Atem beschleunigte sich, denn sein Verlangen, sich mit ihr zu vergnügen, steigerte sich von Minute zu Minute. Er sah sie an. Sie erwiderte seinen Blick standhaft. Er sah pure Erregung in ihren Augen, gleichzeitig aber auch eine gewisse Scheu. Dabei hielt sie den Atem an. Dann bog sie ihm ihren Körper entgegen, denn seine Berührung war sehr zärtlich und reizte ihre Sinne aufs Äußerste. Langsam zog sie ihr Top aus. Seine weichen Lippen strichen über ihre erregten Brustwarzen. Gierig biss er in sie hinein. Sie konnte sich kaum beherrschen, um nicht zu schreien, so stark erregte sie seine Begierde. Jaden setzte sich nun in die Kuhle der Palme und nahm Angelique auf seinen Schoß. Seine Lippen verschlossen ihren Mund. Er atmete sie ein. Seine Art, sie zu liebkosen, war so anders, so aufregend. Oder war es etwa die Umgebung, die sie so empfinden ließ? Unermüdlich trieb er sie an, bis sich ein lustvoller Schrei aus ihrer Kehle löste. Das Echo ihrer leidenschaftlichen Ekstase hallte über die Insel. Es vermischte sich mit den nächtlichen Geräuschen der Natur. Fast hätten die stillen Beobachter Beifall gespendet, doch sie durften ihr Vorhaben nicht gefährden. Und so standen sie im dunklen Schatten der weiter entfernten Palme und warteten auf den passenden Augenblick.

Zufriedengestellt nahm Jaden es sich vor, sie in der Zukunft des Öfteren zu verführen. Und was er sich bisher vorgenommen hatte, das führte er dann meistens auch aus. Eine Weile später brachte er sie zurück zu ihrem Haus. Ohne ein Wort zu sagen, küsste Jaden sie zum Abschied und schlenderte dann gelassen heim. Angelique, noch völlig aufgewühlt von diesem Ereignis, setzte sich auf die Terrasse und hörte dem leisen Rauschen der Wellen und den nächtlichen Geräuschen der Insel zu. Ihre Gedanken kreisten um das Erlebte. Dieses Abenteuer mit Jaden war zwar aufregend und sie war körperlich angenehm befriedigt, doch es fühlte sich für sie nicht richtig an. Sie war völlig durcheinander und versuchte ihre Gedanken zu ordnen. Zu spät bemerkte sie die zwei Männer, die nun auf ihre Terrasse traten.

Als Matthew in dieser Nacht nach Hause kam, wollte er kurz nachschauen, was auf der Insel denn so spät noch los war und ob die jungen Frauen schon schliefen. Was er da allerdings sah, machte ihn sprachlos. Angelique hatte sich doch tatsächlich mit Jaden vergnügt. Einerseits fand er diesen Anblick erregend, denn er stillte seinen imaginären Hunger. Andererseits fühlte er etwas Enttäuschendes in seinem Inneren. Angelique in den Armen eines anderen Mannes zu sehen, tat ihm plötzlich weh. Eigentlich sollte es ihm nichts ausmachen, denn genau zu diesem Zweck hatte er die jungen Frauen angeworben und auf seine Insel gebracht. Doch irgendwie verletzte es ihn jetzt. Was ist nur los mit mir, fragte er sich. Du wolltest es doch so, also finde dich damit ab, wies er sich zurecht. Es wollte ihm jedoch nicht gelingen, so gleichgültig darüber zu denken. Jetzt sah er sie an, wie sie dort saß und sein Herz schlug schneller. Wie gerne wäre ich jetzt bei dir, dachte er voller Sehnsucht. Nein! Du wirst dich nicht verlieben, verbot er es sich im selben Moment und war schon fast dabei, den Rechner herunterzufahren, als er plötzlich zwei Gestalten erblickte, die auf Angeliques Terrasse traten. Sein Herz setzte aus, Schrecken fuhr ihm in die Glieder. Sie war in Gefahr. Matthew sprintete los.

„Pierre, was machst du denn hier? Wie hast du mich gefunden?“, fragte Angelique einen der beiden Männer, als sie ihn erkannte. Ihr Herz schlug rasend und sie schaute sich panisch um, denn sie war tatsächlich in Gefahr. Vor ihr stand ihr Ex-Freund, den sie vor einiger Zeit verlassen hatte. Ihre Beziehung war zur reinsten Hölle mutiert. Sexuelle Gewalt und Eifersucht machten es ihr unmöglich, sie fortzuführen. Sie war für ihn das Spielzeug, das er benötigt hatte, um seine kranke Fantasie auszuleben. Als sie Frankreich verließ, war sie sich sicher, ihn nie wiedersehen zu müssen. Jetzt war sie des Besseren belehrt worden. Schockiert starrte sie ihn an.
„Hallo Angelique, meine Liebe. Es war tatsächlich nicht einfach, dich aufzuspüren. Deine Eltern halten dicht, doch es gibt tausend andere Wege und jetzt bin ich hier“, antwortete Pierre und lachte höhnisch. Er setzte sich ihr gegenüber und beobachtete sie eine Weile. Sein Ziel war es, sie zurückzuholen, denn er war von ihr

besessen. Siegessicher lächelte er sie an.
„Du kommst jetzt mit uns, ich werde dich zurück nach Frankreich mitnehmen. Du gehörst mir, hörst du?!“, sagte er ein wenig erregt. In seinen Augen funkelte es bedrohlich. „Hole bitte deine Sachen und deinen Pass. Ich warte! Und versuche ja nicht zu schreien, denn das wird böse für dich enden“, drohte er. Angelique zitterte am ganzen Körper und war nicht in der Lage, sich zu bewegen. Langsam zwang sie sich, aufzustehen. Was mache ich nur, dachte sie panisch und sah sich um. Keiner da, der ihr zur Hilfe kommen konnte. Sie wollte Louise nicht in Gefahr bringen, also blieb sie leise. Pierre lächelte, denn er konnte ihre Gedanken erraten.
„Mach voran, ich habe nicht ewig Zeit!“, zischte er und half ihr hoch. Dann ging er mit ihr ins Haus, während sein Gehilfe draußen die Stellung hielt. Alles war ruhig und so nahm er entspannt im Sessel Platz. Plötzlich spürte er einen Stich im Oberarm und bevor er sich versah, verlor er das Bewusstsein. Leise trat Matthew an ihn heran und überprüfte seinen Puls. Alles okay, den habe ich erst einmal außer Gefecht gesetzt. Mit pochendem Herzen näherte er sich dem Bungalow. Er hörte Angelique ängstlich wimmern. Leise schob er die Tür auf und erblickte den zweiten Typ. Kurz zielte er und schoss erneut. Auch der zweite Kerl war jetzt außer Gefecht. Das gefällt mir, lobte er sich innerlich, obwohl sein Puls raste. Wer sind die beiden? Und was wollen sie ausgerechnet von Angelique? Fragte er sich immer wieder. Er holte Kabelbinder aus seiner Hosentasche und fixierte damit die

beiden Männer, ohne eine Sekunde zu zögern. Erst dann nahm er Angelique, die völlig aufgelöst dem ganzen Geschehen zugesehen hatte, in die Arme. Sie zitterte wie ein Espenlaub und schluchzte laut.

„Wir müssen ihnen den Mund stopfen, sie dürfen nicht schreien. Hast du vielleicht irgendwelche Tücher da?“ Matthew handelte geistesgegenwärtig. Angelique eilte zurück in ihr Zimmer und holte Tücher. Matthew knebelte die Eindringlinge und legte sie nebeneinander. Erst jetzt setzte Angelique sich in einen der Sessel und umfasste immer noch zitternd ihre Knie. Sie starrte ungläubig die beiden Gestalten, die dort am Boden lagen, an.

„Wer sind die beiden?“, fragte Matthew völlig außer Atem.

„Woher wusstest du, dass sie hier sind?“, fragte Angelique unsicher, gleichzeitig aber dankbar, dass er ihr zur Hilfe kam. Denn noch einmal diesem Irren ausgeliefert zu sein, das würde sie nicht überleben. Ihr wurde plötzlich klar, in welcher Gefahr sie sich gerade befunden hatte.

„Wer sind die beiden?!“ Matthew schrie fast.

„Es ist mein Ex-Freund Pierre. Den anderen kenne ich nicht.“ Angelique fing an zu weinen.

„Und was wollen die hier?“ Matthew konnte nicht glauben, was hier vor sich ging.

„Er wollte mich zurück nach Frankreich holen“, schluchzte sie bei der Vorstellung, was alles hätte passieren können. Nun ging Matthew auf sie zu und nahm sie erneut in die Arme.

„Du wirst mir alles erzählen, aber zuerst muss ich mir überlegen, was ich mit den beiden mache“, sagte er und stützte seinen Kopf in die Hände. So etwas Verrücktes ist ihm noch nie untergekommen. Dass es gefährlich werden konnte auf seiner Insel, das wusste er, und aus diesem Grund hatte er Selbstverteidigungskurse besucht. Dass aber ein irrer Ex mal auftaucht, denn dieser hier war definitiv irre, das hätte er sich im Traum nicht ausmalen können. Er zog sein Handy aus der Tasche und rief Jaden an. Was er vorhin beobachtet hatte, musste er verdrängen, denn sonst würde er ihn auch am liebsten lahmlegen. Jetzt brauchte er dringend seine Hilfe.

„Hallo“, sagte Jaden verschlafen, denn er war im tiefsten Schlaf, als sein Handy klingelte.

„Komm sofort zu Angeliques Bungalow. Es ist verdammt dringend“, sprach Matthew und legte auf. Jaden sprang auf und zog im Eiltempo seine Sachen an. Was will der denn jetzt von mir? Hat er uns etwa beobachtet? Fragte er sich und bekam ein wenig Angst, denn er wusste nicht, was Matthew vorhatte. Trotzdem lief er so schnell, wie er konnte, hin. Außer Atem betrat er die Terrasse und sah den Schlamassel.

„Was ist passiert?“, fragte er verdutzt, denn es war bisher noch nie etwas Derartiges vorgekommen.

„Sie wollten Angelique entführen. Irgendwo muss ihr Boot liegen. Was meinst du, sollen wir mit ihnen machen? Ich würde sie am liebsten im Meer versenken!“ Matthew war außer sich.

„Sollen wir nicht die Polizei rufen?“, fragte Jaden unsicher, denn so kannte er Matthew gar nicht.

„Damit diese sie wieder laufen lässt und sie irgendwann zurückkommen? Wir suchen ihr Boot und treiben sie hinaus auf den Ozean. Von mir aus sollen sie dort verrecken. Ich verabscheue gewalttätige Menschen und diese beiden hier haben nichts anderes verdient.“ Matthew drückte Angelique die Pistole, mit der er die beiden betäubt hatte, in die Hand und wies sie an, sollten sie sich rühren, erneut auf sie abzufeuern. Mit tränenverschmiertem Gesicht und schluchzend nickte sie und nahm die beiden bewusstlosen Männer ins Visier. Matthew und Jaden zogen nun los, um das Boot zu suchen. Nicht weit entfernt fanden sie es an einer Palme festgemacht. Es war ein kleines Ruderboot.
„Sie müssen doch sicherlich mit einer Yacht gekommen sein, zum Rudern wäre es viel zu weit“, überlegte Jaden laut.
„Das ist mir völlig egal. Wir setzen sie in dieses Boot und du ziehst sie mit deinem Boot weit hinaus. Sollen sie von mir aus dort verrecken. Selber schuld.“ Matthew ließ sich nicht erweichen. Er hasste Gewalt, war jedoch der Meinung, dass diese fiesen Kerle nichts anderes verdient hatten. Und so schleppten sie sie in das Boot und brachten sie gefesselt und noch teilweise bewusstlos hinaus aufs Meer. Danach kehrte Matthew zu Angelique zurück und sie erzählte ihm ihre traurige Geschichte. Es war für ihn unbegreiflich, dass es Männer wie Pierre gab. Nachdem er sie beruhigt hatte und sie eingeschlafen war, ging er heim. Lange noch grübelte er über alles nach.

17

Am nächsten Morgen saß Louise allein beim Frühstück. Es wunderte Matthew nicht, dass Angelique noch nicht aufgetaucht war. Nach dem nächtlichen Erlebnis musste sie sicherlich ausschlafen. Nur wie sollte er es Louise erklären, was in dieser Nacht passiert war? Er wusste nicht, ob Angelique es ihr überhaupt erzählen wollte, also hielt er sich damit zurück. Stattdessen fing er Smalltalk an.

„Guten Morgen, Louise, wie war deine Nacht?“, fragte er, um herauszufinden, ob sie eventuell etwas mitbekommen hatte.

„Danke der Nachfrage. Ich habe geschlafen wie ein Stein. Der Abend gestern war einfach herrlich. Ich habe seit langem nicht mehr so viel getanzt. Es hat wirklich Spaß gemacht. Matthew, ich möchte dir dafür danken, dass ich hier sein darf.“ Sie fühlte sich jetzt schon wohl und wollte es Matthew wissen lassen. Seine Gefühlswelt geriet allerdings ins Wanken. Kein gutes Zeichen, dachte er. Um sich abzulenken, musste er sich beschäftigen und es gab noch einiges zu tun.

„Louise, wenn du gleich mit dem Frühstück fertig bist, würde ich gerne mit dir deine Bestellung für dein Arbeitszimmer durchgehen. Hast du schon eine Vorstellung davon, was du dort benötigst? Und vielleicht hast du noch andere Wünsche, dann möchte ich sie gerne erfahren.“ Matthew war sehr daran gelegen, dass sie sich wohlfühlte.

„Okay. Das können wir gerne tun. Ich habe da einige Ideen auf

Lager.“ Louise strahlte ihn an. „Und wie sieht es mit dem Surfen lernen aus? Weißt du noch, was du mir versprochen hast?“, fragte sie keck. Sie wollte es unbedingt und nutzte sofort die Gelegenheit, es einzufordern. „Hast du Surfbretter hier? Oder sollen wir diese mit auf die Liste setzen?“ Sie ließ nicht locker, denn es war schon immer ihr Traum gewesen, schwerelos über dem Wasser gleiten zu können. Jetzt packte sie die Gelegenheit beim Schopf und lächelte Matthew besonders verschmitzt an. Er musste schmunzeln, denn es gefiel ihm, wie hartnäckig sie dranblieb. Die Vorstellung, ihr das Surfen beizubringen, gefiel ihm gut. Er selbst liebte es, zu surfen und konnte nachvollziehen, dass sie es auch lernen wollte. Da auf dieser Insel nur ein Surfbrett vorhanden war, musste er tatsächlich noch mehrere kommen lassen. Doch das war kein Problem.

Nach dem Frühstück gingen sie also los, um die Liste für die Bestellung zu erstellen. Als sie am Island-Store vorbeigingen, blieb Louise plötzlich stehen und fragte, was das denn für ein Haus sei, da sie gestern nicht dazu gekommen war, hineinzuschauen. Matthew grinste schelmisch und führte sie hinein. Er war auf ihre Reaktion sehr gespannt. Zwei Frauen, zwei Meinungen, dachte er belustigt. Louise schaute sich jeden Raum genauer an und fand es superpraktisch, solch eine Auswahl an verschiedenen Sachen vorzufinden. Sie befanden sich schließlich auf einer Insel, auf der man nicht mal eben shoppen gehen konnte. Dann betraten sie Matthews Lieblingsraum. Louise blieb in der Mitte stehen, drehte sich langsam im Kreis und traute ihren Augen nicht. Matthew beobachtete sie dabei ganz genau. Sie brachte kein Wort heraus. Neugierig und staunend ging sie dann von Regal zu Regal und betrachtete die Ware genauer. Plötzlich fing sie an zu lachen. Matthew schaute ihr dabei seelenruhig zu.

„Ist das etwa das Equipment, das uns zum Bespaßen dienen soll?“, fragte sie leicht erregt, nachdem sie die Kollektion der Vibratoren in jeglicher Form und Größe begutachtet hatte.

„Du hast es erraten. Wir können gerne einiges ausprobieren. Sag nur, worauf du Lust hast“, bot er ihr an.

„Na ja, es ist ja nicht so, dass ich es nicht kenne, aber diese Kollektion hier haut mich echt um.“ Louise staunte immer noch über diese riesige Auswahl. Neben einem Regal war an der Decke ein Haken angebracht worden. Eine Liebesschaukel hing daran. Louise ging darauf zu und bekam große Augen, denn sie hatte so etwas noch nie in Wirklichkeit gesehen, geschweige denn erlebt. Sie stellte sich davor, fasste sie an und setzte sich hinein. Matthew schien auf diesen Moment gewartet zu haben, denn in seinen Lenden regte sich etwas gewaltig. Er ging auf sie zu. Sie sah ihn frech an und grinste. Nun stand er vor ihr, nahm ihre Hand und führte sie an seinen Schritt. Sofort spürte sie, was sie in ihm ausgelöst hatte. Sie selbst bekam jetzt große Lust auf ein Spielchen mit ihm.

„Zieh dich aus!“, befahl er zischend und schaute ihr dabei zu, wie sie aus ihrer Kleidung schlüpfte. Gott hat diese Frau lange Beine, dachte er völlig erregt. „Steig jetzt wieder da hinein!“, sagte er, als sie nackt vor ihm stand. Er konnte sich kaum noch beherrschen, so scharf machte ihn dieser Augenblick. Louise setzte sich wieder in die Schaukel. Das Gefühl, darin zu sitzen und das Leder auf der nackten Haut zu spüren, erregte sie aufs Äußerste. Er half ihr in die Schlingen. Zuerst steckte sie die Hände hinein. Dann hob er ihre Beine an, spreizte sie und machte sie fest. Sie kam sich in dieser Position besonders wehrlos vor, doch das Verlangen, von ihm genommen zu werden, nahm die Überhand. Und so fing ihr Liebesspiel an. Die Bewegung der Schaukel gab den Rhythmus vor; dabei schauten sie sich in die Augen. Die vergnügliche Lust des anderen darin zu sehen, erweckte ihren Hunger nach Befriedigung. Das Spiel ging nun weiter, bis ein Gefühl der totalen Erfüllung ihre Körper durchdrang. Matthew labte sich an ihrem smarten Körper. Ein lustvolles Lächeln umspielte seinen Mund. Er war zufrieden und fand es herrlich, dass sie ihm so hörig war.

„Mach mich bitte los!“ Louise wollte befreit werden, doch Matthew dachte nicht im Traum daran. Sie war ihm ausgeliefert und er liebte es, Frauen auf diese Weise verwöhnen zu können. Als er keine Anstalten dazu machte, ihrer Bitte zu folgen, sah sie ihn überrascht an. Doch er lächelte erneut und machte einfach weiter. Seine ausgefallenen Praktiken brachten Louise an den Rand des Bewusstseins. Sie konnte ihren Höhepunkt nur noch laut hinausschreien. Genau in diesem Moment ging die Tür einen Spalt auf. Keiner der beiden hatte es bemerkt. Angelique hatte Geräusche gehört und wurde neugierig. Sie stand nun da und beobachtete das Treiben. Ihr wurde leicht übel, doch sie konnte sich nicht rühren. Sie war einerseits schockiert, andererseits wiederum fasziniert und fand es erregend, ihnen dabei zuzuschauen. Matthew vergnügte sich mit ihrer besten Freundin, das war dann schmerzlich genug, und als beide den letzten Höhepunkt anstrebten, nahm ihr Entsetzen die Überhand. Angelique entfernte sich geräuschlos. Das Herz schlug ihr bis zum Hals und sie suchte das Weite.

Als Matthew Louise aus den Fesseln befreit hatte, setzte sie sich zuerst auf den Boden. Matthew rutschte neben sie und schaute sie entzückt an. Beide lächelten, doch keiner brachte einen Ton heraus. Louise legte ihren Kopf an seine Schulter und spürte trotz Erschöpfung eine große innere Zufriedenheit. In ihren Gedanken herrschte jedoch das pure Chaos. Noch nie hatte sie so viele intime Momente in so kurzer Zeit erfahren. Wie kann das sein und wohin wird es mich führen, dachte sie ununterbrochen nach. Sie grübelte weiterhin, als Matthew sich erhob, ihr die Hand reichte und sie hochzog. Er hauchte ihr einen Kuss auf die Wange, reichte ihr ihre Anziehsachen und wartete draußen auf sie. Ein wenig verlegen gingen dann beide in Louises Bungalow und machten sich ran an die Bestellung. Keiner verlor mehr ein Wort darüber, was gerade passiert war.

18

Nachdem Angelique aus dem Store gerannt war, lief sie am Strand entlang, um sich zu beruhigen. Ihre Augen brannten und Tränen kullerten über ihr Gesicht. Sie entfernte sich immer weiter von den Wohnhäusern und fand am Ende des Strandes einen Holzstamm im Sand, auf dem sie Platz nehmen konnte. Jetzt war sie ganz allein und versuchte, ihre Gedanken zu ordnen. In ihrem Kopf herrschte ein großes Durcheinander. Ihr war bewusst geworden, dass es keine einfache Situation war, in der sie steckte. Wie konnte sie nur so naiv sein und denken, dass sie es meistern würde? Was musste sie tun, um diese Zeit zu überstehen und Matthews Herz zu gewinnen? Konnte sie noch unbefangen mit Louise reden? Und wie sollte sie das, was sie gerade gesehen hatte, verarbeiten? Dazu kam die Angst von Pierre noch einmal aufgesucht zu werden. Was ist, wenn er wiederkommt? Sie war verzweifelt. Während sie so gedankenverloren dasaß, hörte sie Stimmen, die nach ihr riefen. Dann sah sie auch schon Matthew und Louise auf sich zukommen.

„Angelique, was ist los? Du warst nirgendwo zu finden. Wir haben uns große Sorgen gemacht“, sagte Matthew, als er näher kam. Er stand jetzt direkt vor ihr und merkte, dass etwas nicht stimmte. Sie sah traurig aus.

„Ich wollte den Strand erkunden und habe dabei wohl die Zeit vergessen, sorry“, entschuldigte sie sich, um von ihrem tatsächlichen Problem abzulenken. Doch Matthew ließ sich nicht so leicht täuschen. Louise kam nun auch auf sie zu und nahm sie in den Arm. Angelique schluckte schwer, höchst bemüht, nicht sofort loszuheulen. Es war ihr in diesem Moment nicht gerade nach Nähe zumute, doch sie musste sich zusammenreißen. Louise, froh darüber, Angelique wohlbehalten gefunden zu haben, schaute sich unbekümmert am Strand um.

„Matthew, ich glaube, die Zeit hier auf der Insel wird mir sehr viel Kreativität einbringen. Ich weiß gar nicht, wie ich dir dafür danken soll.“ Louise strahlte ihn an und gab ihm einen Kuss auf die Wange. „Ich würde jetzt gerne zurückgehen und anfangen zu arbeiten. Können wir los, oder soll ich euch allein lassen?“, fragte sie ungeduldig.

„Ich möchte gerne noch ein Weilchen hierbleiben“, sagte Angelique und schaute dabei aufs Meer hinaus.

„Und ich möchte dir gerne Gesellschaft leisten, falls du nichts dagegen hast?“ Matthew wollte unbedingt mit ihr reden. „Du musst wohl ohne uns zurück“, sagte er dann an Louise gewandt und wartete, bis sie sich entfernt hatte.

„Na dann, viel Spaß euch beiden.“ Louise verabschiedete sich und ging am Strand entlang, zurück zu ihrem Haus. Angelique nahm indessen erneut auf dem Baumstamm Platz und schaute weiterhin traurig aufs Meer hinaus. Matthew setzte sich nun zu ihr, legte seinen Arm um sie und zog sie zu sich heran. Angelique versuchte, ihre Tränen zurückzuhalten, doch es gelang ihr nicht, und so ließ sie ihnen freien Lauf. Matthew schob sie ein Stückchen von sich und schaute sie besorgt an.

„Was ist es denn, das dich zum Weinen bringt? Ist es das, was in der Nacht passiert ist?“, fragte er, mit Sorge erfüllt. Sie schluchzte immer noch.
„Ich kann nicht darüber sprechen. Es tut mir leid“, sagte sie ganz leise. Langsam versiegten ihre Tränen wieder und sie wurde ruhiger. Matthew umarmte sie weiterhin und streichelte beruhigend über ihren Rücken.
„Du kannst über alles mit mir reden, wenn es dir danach ist. Das solltest du wissen“, sagte er nach einer Weile. Ihre Traurigkeit überraschte ihn, denn er war sich sicher, dass sie sich hier wohlfühlte. Das hatte er jedenfalls bisher gedacht, doch anscheinend war es nicht der Fall. Kann es mit dem nächtlichen Überfall zu tun haben? Würde sie es ihm erzählen? Er war ein wenig beunruhigt, denn er konnte nicht entziffern, was gerade in ihr vorging.
„Heute nicht“, sagte sie nur, erhob sich, nahm seine Hand und sie kehrten zurück. Die Sonne stand schon tief am Himmel, als sie sich ihrem Haus näherten. Louise saß auf der Terrasse ihres Hauses und war fleißig am Zeichnen. Als sie die beiden erblickte, winkte sie ihnen fröhlich zu und war sofort wieder in ihre Arbeit vertieft. Angelique bewunderte es, wie schnell Louise in den Alltag wechseln konnte, während sie selbst noch ihre Gedanken sortieren musste.
„Magst du noch einen Kaffee mit mir trinken?“, fragte sie Matthew, um ihn nicht gleich wieder gehen zu lassen.
„Sehr gerne“, antwortete er, zog sie zu sich heran und gab ihr

einen Kuss. Zuerst versteifte sie sich dabei und er schaute sie überrascht an. Doch dann legte sie ihre Arme um seine Taille und küsste ihn mit voller Hingabe.
„Ich vermisse dich“, hauchte sie ihm ins Ohr und ging hinein, um Kaffee zu kochen. Irgendetwas ist anders, dachte Matthew. Er ging ins Haus und gesellte sich zu ihr, während sie die Kaffeemaschine bediente.
„Angelique, was ist denn los mit dir?“, fragte er noch einmal, denn sie war sehr still. „Dich bedrückt doch etwas, das sehe ich dir doch an.“ Matthew ließ nicht locker. Sie ging auf ihn zu, sah ihm lange in die Augen und küsste ihn erneut. Sie wollte ihn einfach nur spüren, denn die Sehnsucht nach ihm verbrannte sie innerlich. Der Kaffee war nun fertig und sie setzten sich draußen hin.
„Hast du noch Wünsche, was deine Einrichtung angeht?“, fragte er, als sie nichts weiter sagte. „Ich habe nämlich einiges zu bestellen und so könnte alles auf einmal geliefert werden. Louise hatte sich heute viel Mühe gegeben, um die Liste zu füllen“, fügte er dann scherzhaft hinzu, um die Stimmung aufzulockern. Ja, das habe ich gesehen, dachte Angelique verbittert.
„Ich glaube, es ist alles da, was ich zurzeit benötige. Es ist höchste Zeit, dass ich wieder zu arbeiten anfange. Ich bewundere Louise, dass sie mit so viel Ehrgeiz sofort losgelegt hat“, sagte Angelique, lächelte ihn an und er spürte, dass sie ein wenig entspannter wurde. „Wann kommen denn deine Freunde hierhin?“, fragte sie anschließend. Sie wollte es unbedingt erfahren, denn ihre

Hoffnung lag darin, dass Louise dann die Finger von Matthew lassen würde. Sie wusste nicht, dass Matthew derjenige war, der Louise zu dieser Handlung vorhin verleitet hatte.

„Wann die Jungs eintreffen werden, das weiß ich noch nicht genau. Ich werde in den kommenden Tagen noch zwei weitere Frauen auf die Insel bringen. Warum fragst du? Langweilst du dich etwa schon?“, fragte Matthew belustigt, zwinkerte ihr zu und lachte dann ein wenig zu laut. Empfindet er vielleicht doch das Gleiche für mich, wie ich für ihn? Machte ihn deshalb meine Frage unsicher, überlegte sie fieberhaft.

„Nein, warum sollte ich mich langweilen? Ab morgen werde auch ich mich in meine Arbeit stürzen. Versprochen!“ Dies sagte sie eher zu sich selbst, um sich zu motivieren. Irgendwann musste es ja weitergehen. Doch sie fand die innere Ruhe und die Konzentration nicht, die sie dazu benötigte. Matthew saß nun entspannt da, schaute aufs Meer hinaus und hoffte, dass alles gut laufen würde.

„Hast du Hunger? Wollen wir essen gehen?“, fragte er nach einer Weile, stand auf, um auch Louise danach zu fragen. Diese war jedoch so auf ihre Arbeit konzentriert, dass sie es auf später verschob. Angelique war froh darüber, dass sie mit Matthew allein sein konnte. Jetzt erst merkte sie, wie hungrig sie tatsächlich war. In der ganzen Aufregung hatte sie das Essen einfach vergessen. Und so fing sie an, alles Mögliche auf ihren Teller zu packen. Matthew schaute ihr bewundernd zu, denn diese Menge würde selbst er nicht schaffen. Sie sah ihn kurz an, dann ihren Teller

und beide lachten herzhaft darüber. Die trübe Stimmung war wie weggefegt und so setzten sie sich draußen hin und genossen die leckere Mahlzeit.
„Magst du denn den heutigen Abend mit mir verbringen?“, fragte Matthew vorsichtig, denn er wollte sie nicht allein lassen. Angelique schaute ihn an und schien zu überlegen. Ihr Gesichtsausdruck gefiel ihm gar nicht. Doch kurz darauf lächelte sie ihn strahlend an und sagte zu.

Die Sonne ging langsam unter und Angelique machte es sich auf der Terrasse am Matthews Haus gemütlich, um den Sonnenuntergang zu genießen. Die Aussicht von hier aus war jedes Mal atemberaubend, und die Möglichkeit, diesen Abend mit ihm verbringen zu können, machte sie besonders glücklich. Für kurze Zeit waren alle ihre Sorgen vergessen.
„Worauf hast du denn heute noch Lust?“, fragte Matthew, als er merkte, dass sie immer noch auffallend ruhig dasaß.
„Wir könnten fernsehen oder einfach nur noch einmal am Strand spazieren gehen“, antwortete sie. Ihr war es egal, was sie machten. Sie wollte einfach nur bei ihm sein.
„Dann komm mit. Wir gehen spazieren. Es ist so ein schöner Abend“, sagte er, nahm sie in die Arme, küsste sie zärtlich und einige Augenblicke später gingen sie Hand in Hand zum Strand. Der Mond schien inzwischen strahlend hell. Die Wellen schlugen sanft an und ein leichter Wind wehte vom Meer her. Eng umschlungen spazierten sie am Strand entlang. Angelique wünschte

sich, der Abend möge niemals enden. Es machte sie glücklich, seinen Arm um sich zu spüren, seine zärtlichen Küsse genießen zu können und einfach nur in seiner Nähe zu sein. Ihre Gefühle fuhren Achterbahn.

„Wollen wir uns vielleicht kurz hinsetzen?“, fragte Matthew, als er ein wenig müde wurde.

„Ja, gerne“, antwortete sie. „Hier kann man den Sternenhimmel wunderbar beobachten. Ich liebe es. Es ist so romantisch“, sprach Angelique und setzte sich in den Sand. Matthew setzte sich dahinter und legte seine Arme um sie. Sie schaute zu ihm auf und gab ihm einen sehnsuchtsvollen Kuss. Wie eine wilde Melodie klangen die Geräusche der Natur um sie herum. Zeitweilig saßen beide einfach nur da und schauten aufs Meer hinaus. Matthew streichelte sanft über ihre Arme und liebkoste ihren Nacken, denn sie duftete so wunderbar. In seinem Herzen kam erneut dieses eigenartige Gefühl auf, welches er niemals zulassen wollte. Er fühlte sich in ihrer Nähe geborgen. Diese Empfindung war ihm neu, denn für ihn galt es bisher, die körperliche Befriedigung zu erfahren und keine anderen Gefühle zuzulassen. Seit er Angelique begegnet war, fühlte er plötzlich anders und ihm gingen so viele Gedanken durch den Kopf. Er wollte viel mehr Zeit mit ihr verbringen, doch sein innerer Kampf ließ es nicht zu. Zu lange war er allein gewesen. Könnte er sein Leben ändern? Würde er seine Freiheit für die Liebe opfern können? Fühlte sie genauso wie er? Was sollte er gegen sein geheimes Verlangen tun? Matthew gab sich der Grübelei hin und merkte nicht,

dass Angelique ihn verstohlen beobachtete.
„Möchtest du heute bei mir übernachten?“, fragte sie, als sie langsam müde wurde.
„Das klingt sehr verlockend. Sehr gerne“, antwortete Matthew. Dann stand er auf, half ihr hoch und sie gingen heim. Sie kuschelten sich eng aneinander und schliefen sofort ein.

 # 19 #

Als Matthew am nächsten Morgen erwachte, war Angelique schon auf. Er roch den leckeren Kaffeeduft und streckte sich genüsslich. Angelique kam mit zwei Bechern Kaffee ins Schlafzimmer und lächelte ihn liebevoll an.
„Guten Morgen. Hast du gut geschlafen?“, fragte sie und gab ihm einen Kuss. Matthew zog sie zu sich heran. Er küsste sie zärtlich, aber begehrend.
„Oh ja, ich habe seit Langem nicht mehr so gut geschlafen. Kann es sein, dass du mir so gut tust?“, rutschte es aus seinem Mund heraus. Matthew wollte es eigentlich gar nicht so sagen, doch nun war es zu spät.
„Das möchte ich liebend gerne, falls du es zulässt“, antwortete Angelique und errötete dabei, denn sie war sich nicht sicher, was er empfand.
„Wollen wir es herausfinden?“ Matthew schaute sie sehnsüchtig an, als er das sagte. Ihr Herz machte einen Freudensprung.
„Und was ist dann mit deinem Vorsatz, Single zu sein? Beides geht leider nicht.“ Angelique ließ nicht locker. Irgendwie musste

sie ihn davon abbringen, andere Frauen anzufassen. Sie wollte und konnte es nicht, ihn mit anderen Frauen zu teilen. Dafür liebte sie ihn zu sehr.

„Und wie ist es mit dir? Wirst du dich auf die anderen Männer hier einlassen?“, fragte er belustigt. Matthew hatte plötzlich das Bild von ihr und Jaden vor Augen, und Eifersucht stieg in ihm auf.

„Kommt darauf an, was du mir bietest“, antwortete sie und schaute ihn herausfordernd an. Er meinte, einen Hauch Verzweiflung in ihrem Blick wahrzunehmen. „Außerdem habe ich einen Vertrag unterschrieben, der es von mir verlangt. Schon vergessen?“, fügte sie eilig hinzu. Sie hoffte, dass er sie von diesem Vertrag entband. Sie wollte das alles nicht.

„Angelique, es steht dir frei, was du tust und was nicht. Ich werde dich zu nichts zwingen. Solltest du das Verlangen verspüren, dich in ein Abenteuer stürzen zu wollen, dann tu es. Dafür sind wir ja eigentlich hergekommen, oder?“, sagte er besonders überzeugend. Seine innere Stimme jedoch wollte etwas ganz anderes sagen. Er wartete gespannt auf ihre Antwort.

„Was wünschst du dir denn?“, fragte sie ihn. Sie wollte es nicht glauben, was er da sagte. War es ihm wirklich egal, was sie machte? Wollte er sie testen? Sollte sie ihm ihre Gefühle gestehen? Alle diese Fragen beschäftigten sie, doch sie sprach sie nicht aus. Matthew sah, dass es in ihr brodelte.

„Eigentlich nur sehr viel Zeit mit dir verbringen“, antwortete er und zog sie wieder in seine Arme. Dieses Mal küsste er sie noch

begehrlicher, um sie seine Zuneigung spüren zu lassen.
„Warum hast du dich dann gestern mit Louise vergnügt?“ Angelique konnte sich nicht mehr beherrschen und sagte es laut. Matthew erstarrte.
„Woher weißt du das?“, fragte er verblüfft und ein wenig verlegen.
„Ich habe euch beobachtet. Zuerst ungewollt, doch dann konnte ich nicht anders, als euch zuzusehen. Hat es dir Spaß gemacht?“, schrie sie fast und schaute ihn wütend und herausfordernd an. Matthew dachte, dass es nicht fair war, wie sie ihn anging. Sie war doch selbst nicht besser gewesen und hatte sich auf Jaden eingelassen. Wie konnte sie ihm dann solche Vorwürfe machen? Er überlegte fieberhaft, wie er aus diesem Schlamassel wieder herauskommen könnte.
„Es hat sich aus der Situation heraus so ergeben. Die Liebesschaukel war schuld.“ Matthew lächelte verlegen, als er das sagte. „Wie sollte ich da widerstehen?“, stellte er fragend fest und schaute sie belustigt an. Angelique ärgerte sich über seinen Lacher umso mehr und setzte sich zornig neben ihn. Sie schaute ihn empört an. Als er immer noch lächelte, sagte sie nichts mehr, trank ihren Kaffee und grübelte über die gesamte Situation nach. Auch Matthew setzte sich hin und trank seinen Kaffee, der mittlerweile fast kalt geworden war. Er ließ die Zeit für ihn arbeiten. Angelique wird sich schon noch beruhigen, dachte er und schaute sie weiterhin an. Nur dieses Mal ein wenig schuldbewusster. Sie sah so verletzlich aus. Er wollte sie nicht leiden

sehen.
„Hey Angelique. Wollen wir uns wieder vertragen?“, fragte er ganz leise und streckte seine Arme aus. Sie schaute ihn kurz an, überlegte, ob sie sein Angebot annehmen sollte und ließ sich dann in seine Arme fallen.
„War das etwa der Grund, warum du gestern so traurig warst?“, fragte er, während sie in seinen Armen lag. „Warum wolltest du dann nicht mit mir darüber sprechen?“ Matthew versuchte, es zu klären.
„Ich kann dir nicht vorschreiben, was du tun oder lassen sollst, Matthew. Diese Situation hat mich einfach überfordert“, antwortete sie. Sie war nicht gewillt, dieses Thema weiter zu besprechen. Sie war aber auch noch nicht so weit, ihm ihre Gefühle zu gestehen, da sie Angst hatte, von ihm abgewiesen zu werden. Ihr war bewusst geworden, dass er ein eingefleischter Junggeselle war und sie nicht viel zu erwarten hatte. Ihn allerdings kampflos aufgeben wollte sie dann doch nicht.
„Zeit zum Frühstücken. Ich sterbe auf der Stelle, wenn ich nichts zu essen bekomme“, sagte sie, um diese unangenehme Situation zu beenden, stand auf und ging ins Bad. Matthew folgte ihr und stellte sich zu ihr unter die Dusche. Sie seiften einander ein und er genoss es, sie zu berühren. Sein verlangender Blick ließ sie schmelzen. Sie fasste sein Gesicht in beide Hände und küsste ihn, während das Wasser auf ihre Körper prasselte. Seine Hände griffen nach ihren Pobacken und kneteten sie. Angelique stöhnte laut bei jeder einzelnen Berührung, so sehr genoss sie es, ihn zu

spüren.
„Ich begehre dich so sehr“, hauchte er ihr ins Ohr, während er sie liebkoste.
„Ich liebe dich, Matthew“, flüsterte sie leise und Matthew stockte der Atem. Hatte er sich etwa verhört? Das konnte nicht sein.
„Wiederhole es bitte“, forderte er sie auf, während er sie ungläubig anschaute. Matthew hoffte darauf, sich verhört zu haben, denn Liebe sollte in diesem Spiel nicht vorkommen. Alles, was die Jungs wollten, war, reines Vergnügen zu erleben.
„Ich liebe dich, Matthew“, sagte sie jetzt mutiger und lauter. Sie senkte jedoch ihren Blick, da sie Angst vor seiner Reaktion hatte. Matthew nahm sie in seine Arme und drückte sie fest an sich, ohne ein Wort darauf zu erwidern. Ihre Worte schockierten ihn, denn es war genau das eingetreten, was er nicht zulassen wollte. Sie spürte seinen schnellen Herzschlag und fühlte sich auf einmal sehr unwohl. Er würde sie abweisen. Was dann? Wie sollte sie damit klarkommen? Sie litt Höllenqualen! Nach einer Weile stellte Matthew das Wasser ab, schaute sie einen Augenblick unsicher an, gab ihr einen Kuss und fing an zu flüstern: „Angelique, wir kennen uns doch erst seit Kurzem, wie kannst du denn so etwas zu mir sagen?“ Er suchte nach den richtigen Worten. „Ich werde ehrlich zu dir sein. Ich mag dich aufrichtig und fühle mich in deiner Nähe sehr wohl, doch ich kann leider nicht dasselbe zu dir sagen.“ Er wollte es sich nicht eingestehen, dass auch er sich in sie verliebt hatte. „Vielleicht bist du jetzt enttäuscht, doch ich hoffe es sehr, dass wir weiterhin viel Zeit miteinander verbringen

werden. Ich brauche mehr Zeit, um mir meiner Gefühle bewusst zu werden. Kannst du es akzeptieren?“, fragte er flehend und schaute sie dabei verzweifelt an. Tief in seinem Herzen fühlte allerdings auch er dieses wunderbare Gefühl. Sie hob langsam ihren Blick. Tränen kullerten über ihre Wangen hinab. Sie fühlte sich leer und traurig. Hatte sie zu viel erwartet?
„Sorry“, flüsterte sie schluchzend, „ich wollte dich nicht so überrumpeln.“ Er nahm sie erneut in seine Arme und drückte sie fest an sich, bis ihre Tränen versiegt waren.

Später gingen sie Hand in Hand frühstücken. Angelique blieb jedoch die ganze Zeit über still. Matthew versuchte, sie aufzumuntern, doch irgendwie wollte es ihm nicht gelingen. Lass ihr Zeit, dachte er, und so frühstückten sie, ohne viel zu reden.
„Hast du heute etwas Bestimmtes vor?“, fragte er nach einer Weile.
„Ja, ich möchte endlich mal an meinen Entwürfen arbeiten. Es wird langsam Zeit, an den Ernst des Lebens zu denken, meinst du nicht?“ Angelique versuchte zu scherzen. Sie musste sich ablenken und ihre Arbeit war jetzt das beste Mittel dazu. Außerdem wollte sie so schnell wie möglich ihre Kollektion an den Mann bringen, um damit ihr eigenes Geld zu verdienen.
„Sehen wir uns später?“, fragte Matthew. „Falls du Lust dazu hast?“, fügte er schnell hinzu, denn er war sich nicht sicher, wie sie alles, was er vorhin gesagt hatte, aufgenommen hatte.
„Ja, sehr gerne. Ich denke, zum Abendessen wäre es perfekt“,

antwortete sie, gab ihm einen Kuss und ging zu ihrem Bungalow, um zu arbeiten. Matthew ging heim und konnte nicht aufhören, über Angeliques Liebesgeständnis nachzudenken. Konnten ihre Gefühle ihm gegenüber wirklich so intensiv sein? Irgendwie wollte er das nicht glauben. Man kann sich doch nicht innerhalb weniger Tage in jemanden verlieben, dachte er, obwohl er mittlerweile merkte, dass er genauso fühlte. Angelique gehörte in seinen Augen nicht zu den Frauen, die es auf sein Vermögen abgesehen hatten. Außerdem spürte er eine Ehrlichkeit in ihr, die er bei seinen bisherigen Bekanntschaften nie gespürt hatte. Er fühlte sich sehr zu ihr hingezogen. Ihre Art, ihn anzuschauen, ihn zu berühren und mit ihm zu fühlen, war sehr einzigartig. Warum sträubte er sich dann so dagegen, sich diese Gefühle selbst einzugestehen? Er fand keine Erklärung dafür und dachte weiterhin über alles nach.

Als Angelique nach Hause kam, war Mirana gerade dabei, dort sauber zu machen. Ihr fiel auf, dass Angelique traurig war. Was mag wohl der Grund dafür sein, fragte sie sich.
„Guten Morgen, Angelique. Geht es dir nicht gut?“, fragte sie besorgt, denn sie mochte Angelique vom ersten Augenblick an sehr.
„Doch Mirana, alles bestens. Mach dir keine Gedanken um mich. Wie geht es dir denn?“, fragte sie. „Und danke, dass du hier aufräumst“, fügte sie noch hinzu und setzte sich mit einem Skizzenblock auf die Terrasse, um zu zeichnen.
„Danke, dass du fragst. Mir geht es gut, doch ich sehe es dir an,

dass es dir nicht gut geht. Wenn du möchtest, können wir gerne reden. Ich kann schweigen wie ein Grab", sagte Mirana und zwinkerte ihr verschwörerisch zu. Sie war eine hübsche und sympathische junge Frau und Angelique mochte sie aufrichtig. Warum eigentlich nicht, dachte sie und gab nach. So setzte sich Mirana zu ihr und Angelique erzählte ihr ihre Geschichte. Es tat gut, alles aus sich herauszulassen. Nachdem sie geendet hatte, sagte Mirana zuerst gar nichts. Angelique dachte schon, dass es ein Fehler war, sich bei Mirana auszuheulen, doch diese lächelte sie kurz darauf an und sagte dann: „Angelique, deine Gefühle in allen Ehren, doch es könnte dich sehr viel Kraft kosten, Matthews Herz zu erobern. Ich kenne ihn schon seit geraumer Zeit und soweit ich weiß, hat er noch nie eine feste Beziehung geführt. Bislang hatte er auch noch keine Frau auf diese Insel eingeladen. Du bist die Erste, die ich hier mit ihm sehe, was natürlich für dich spricht", sagte Mirana ein wenig erstaunt. „Vielleicht liegt es an seinem Vorhaben, oder er benötigt tatsächlich mehr Zeit, um zu erkennen, dass er nicht ewig allein sein sollte. Ich denke, dass man Liebe nicht erzwingen kann, doch seit du hier bist, verändert sich Matthew. Und das ist kein schlechtes Zeichen meiner Meinung nach. Gib ihm die Zeit, die er braucht. Ich wünsche dir von ganzem Herzen, dass er deine Liebe erwidert. Ihr passt so gut zusammen. Ich könnte mir keine bessere Frau an seiner Seite vorstellen", sprach sie zu Ende. Mirana sagte dies alles so überzeugend, dass Angelique die Tränen in die Augen schossen. Sie konnte nicht anders, als ihnen wieder freien Lauf zu lassen.

Warum muss das Leben nur so kompliziert sein, fragte sie sich in Gedanken.

20

Kurze Zeit später war Mirana gegangen. Nun konnte Angelique endlich ihrer Arbeit nachgehen. Sie brachte ihre gesamte Konzentration auf und fing an zu zeichnen. Von der Insel inspiriert, fiel ihre Zeichnung luftig-locker aus. Es sollte ein Kleid in fröhlichen Sommerfarben werden. In der Mittagszeit wurde es Angelique zu warm. Sie ging zum Pool, um ein paar Bahnen zu schwimmen und sich abzukühlen. Louise sah sie kommen und leistete ihr sofort Gesellschaft. Sie schwammen nebeneinander her, doch Angelique war besonders schweigsam.
„Alles gut bei dir? Du bist so still", fragte Louise, als es ihr zu viel wurde.
„Aber ja doch, alles gut", antwortete Angelique zickig, da sie das Geschehene vom Vortag immer noch nicht verdaut hatte. Und dann diese Frage! Unverschämt, dachte sie.
„Es sieht aber nicht danach aus! Wollen wir reden?" Louise spürte, dass irgendetwas nicht stimmte.
„Warum hattest du gestern Sex mit Matthew, obwohl ich dir gesagt hatte, dass ich mich in ihn verliebt habe?" Angelique wurde richtig laut und starrte Louise böse an.
„Nicht ich hatte Sex mit ihm, sondern er mit mir. Das macht doch wohl einen Unterschied, meinst du nicht?" Louise blieb ruhig.
„Und woher weißt du das denn?" Hatte Matthew etwa

geplaudert? Es wäre das Letzte, was ich von ihm gedacht hätte, dachte sie verärgert.

„Ich habe euch gesehen!“ Angelique war immer noch wütend.

„Oh, das erklärt einiges. Sorry, kommt nicht noch einmal vor“, schwor Louise, denn sie wollte ihrer Freundin nicht wehtun. Dafür war ihr ihre Freundschaft viel zu wichtig.

„Soll ich dir das tatsächlich glauben?“ Angelique schaute sie jetzt neugierig an. Sollte sie es wirklich glauben, überlegte sie unsicher, oder sagt sie es einfach nur so.

„Angelique, unsere Freundschaft bedeutet mir mehr als der Sex mit Matthew, und du kannst dir sicher sein, dass ich ihn nie wieder an mich heranlasse, sollte er es wollen.“ Louise sah sich gezwungen, ihre Freundschaft zu retten. Und das um jeden Preis.

„Hätte ich gewusst, dass du es so ernst meinst, dann hätte ich es nicht zugelassen. Es tut mir wirklich leid.“ Louise schaute sie verzweifelt an, als sie es sagte. „Weiß Matthew denn was du für ihn empfindest?“, fragte sie dann.

„Ich habe es ihm heute gestanden.“ Angelique wich dem prüfenden Blick ihrer Freundin aus.

„Und? Wie war seine Reaktion darauf?“ Louise war neugierig geworden.

„Er war schockiert, glaube ich. Meinst du, es war ein Fehler, es ihm zu gestehen?“ Angelique hatte schon wieder Tränen in den Augen.

„Ach Liebes, ich denke nicht. Es ist vielleicht nur ein wenig zu früh dafür. Ihr kennt euch doch erst seit ein paar Tagen. Wie kannst du dir da so sicher sein, dass es Liebe ist, die du empfindest?“ Louise war jetzt beunruhigt. Das Letzte, was sie wollte, war, dass Angelique die Insel verließ, jetzt, wo sie selbst sich hier so wohlfühlte.

„Ich spüre es einfach in meinem Herzen. Jedes Mal, wenn ich an ihn denke, schlägt es ganz schnell, und wenn ich ihn ein paar Stunden nicht gesehen habe, fühle ich so eine starke Sehnsucht nach ihm, dass es wehtut. Ist es denn keine Liebe? Was ist es dann?“ Angelique weinte, als sie es sagte, war aber froh darüber, dass sie so ehrlich mit Louise reden konnte.

„Oh Gott, dich hat es ja total erwischt. Ich hoffe nur, dass er für dich dasselbe empfindet und wünsche es dir aus tiefster Seele, mein Schatz. Nach deiner Odyssee mit Pierre wäre es das Beste, was dir passieren könnte.“ Louise nahm sie in die Arme und drückte sie ganz fest an sich. Bei dem Gedanken an Pierre schluchzte Angelique umso lauter. Ihre Freundin hatte ja keine Ahnung davon, was ihr vor Kurzem widerfahren ist. Sollte sie es ihr erzählen? Lieber nicht, beschloss sie und beruhigte sich allmählich wieder. Als Louise merkte, dass Angelique ruhiger wurde, gab sie ihr einen liebevollen Schmatzer auf die Stirn und sagte: „Alles wird gut, du wirst sehen.“ Angelique lächelte gequält, aber froh, dass Louise ihr nicht böse war.

„Danke, dass du immer für mich da bist und sorry, dass ich so zickig zu dir war“, entschuldigte sie sich bei Louise. „Wollen wir eine Kleinigkeit essen gehen?“, fragte sie anschließend, denn sie hatte Hunger. Außerdem vermisste sie die gemeinsame Zeit mit ihr. Alle negativen Gedanken waren vorerst weg und sie war froh, dass ihre Freundschaft solche Ereignisse überstand. Kurz nachdem sie sich umgezogen hatten, gingen beide zum Essen. Angelique strahlte wieder. Das Gefühl, dass alles gut werden würde, ergriff sie. Louise war erleichtert darüber, dass Angelique ihr das Sexabenteuer mit Matthew nicht mehr übel nahm. Obwohl sie es ein wenig bedauerte, nicht noch mehr davon mit ihm erleben zu dürfen. Doch was sie versprach, hielt sie auch ein, und so wurde Matthew für sie zum Tabu.

21

Als sie im Speisesaal ankamen, war Alex gerade dabei, das Buffet aufzufüllen. Es duftete köstlich nach Rindereintopf, kleine Empanadas mit verschiedenen Füllungen lagen neben dem Salatbuffet und lockten die hungrigen Inselbewohner. Die beiden Freundinnen schauten sich an und lächelten zufrieden. Endlich konnte Angelique wieder abschalten und sich den Genüssen des Lebens hingeben.

„Wenn das hier so weitergeht, muss ich in ein paar Wochen eine Diät machen“, sagte Louise, als sie den Speiseraum betraten und lachte laut. Alex hörte sie kommen und begrüßte beide mit einer herzlichen Umarmung.

„Du und eine Diät? Das passt nicht zusammen. Du siehst fantastisch aus“, sagte er und zwinkerte ihr zu. Längst hatte er ein Auge auf sie geworfen. Tolle Frau, dachte er.

„Bald nicht mehr“, antwortete sie mit Entsetzen und lachte ihn verführerisch an. Angelique beobachtete sie beide und schmunzelte. Wie konnte Louise nur so unbekümmert flirten, fragte sie sich, während sie anfingen, von allem ein wenig zu probieren, denn so köstlich bekocht zu werden, sahen beide als Luxus an. Mit der Zeit füllte sich die Terrasse, denn auch die anderen Bewohner machten eine kurze Mittagspause. So setzten sich alle in den Schatten und plauderten miteinander. Der Tag war sehr warm. Jaden bot Louise und Angelique einen Ausflug zu den Mangroven an, doch heute war keine der Frauen interessiert. Sie wollten weiterhin an ihren Zeichnungen arbeiten. Alex schaute währenddessen immer wieder zu Louise herüber. Ihr war es nicht entgangen, wie er sie ansah, und jedes Mal errötete sie ein wenig. Matthew kam als Letzter zu dieser Runde dazu und setzte sich neben Angelique. Er nahm sie zärtlich in den Arm und küsste sie, als ob die Welt untergehen sollte. Dann stand er auf und holte sich eine Portion Eintopf. Während er im Speisesaal hantierte, zwinkerte Louise Angelique zu.

„Bleib dran!“, flüsterte sie leise in ihr Ohr. Mirana schaute zu ihnen herüber und lächelte zufrieden. Sie freute sich sehr für Angelique und hoffte, dass zwischen den beiden Freundinnen alles gut werden würde. Für sie war eine richtige Freundschaft wie ein Anker, den man werfen konnte, falls die Wellen des Lebens einen zu weit wegtrieben. Sie selbst verband eine Freundschaft mit Carida und sie wusste genau, wie wichtig eine echte Freundschaft sein konnte.

Nachdem sich alle gestärkt hatten, gingen sie wieder ihre Wege. Die Dienstmädchen verrichteten weiterhin ihre Arbeit, Matthew musste noch einige Bürotätigkeiten erledigen, und Louise und Angelique arbeiteten an ihren Entwürfen. Einige Zeit später sah Louise, wie Alex, nur mit einer Badehose bekleidet, an ihrem Haus vorbeiging. Er hatte sich ein Handtuch über die Schulter gelegt und ging schwimmen. Langsam stieg er in den Pool und schwamm dann einige Runden. Louise hatte von ihrer Terrasse aus eine ausgezeichnete Sicht darauf und verfolgte Alex mit ihrem Blick. Wie kann er es wagen, mich so von der Arbeit abzulenken, dachte sie belustigt. So wird das nie etwas, überlegte sie und beobachtete ihn weiterhin. Alex schaute sie verstohlen an. Seit dem Tanzabend ging sie ihm nicht mehr aus dem Kopf. Sie war zwar zu dünn für seinen Geschmack, doch beim Tanzen hatte sie sein Feuer entfacht. Er konnte nicht aufhören, an sie zu denken. Sie legte nun ihre Arbeit zur Seite, ging zum Pool und streckte sich auf einer Liege aus. Mit ihrem knappen Bikini machte sie Alex völlig verrückt. Er unterbrach seine Runden, hielt sich am Beckenrand fest und schaute sie an. Sie erwiderte standhaft seinen Blick und blinzelte aufreizend. Kurz darauf verließ er den Pool und setzte sich ihr gegenüber.

„Hey Louise, was führt dich auf unsere Insel?", fragte er. Alex wollte nicht direkt mit der Tür ins Haus fallen, also fing er Smalltalk an.

„Ich bin zum Arbeiten hier", antwortete sie geduldig, denn sie hatte seine Absichten längst durchschaut. Er will mich verführen, dachte sie vergnügt. Alex beobachtete sie genau und sah die Belustigung in ihren Augen. Was soll es, gehe aufs Ganze, dachte er und stand auf. Er setzte sich zu ihr und fing an, mit seinen Fingern über ihre Beine zu streicheln.

„Du bist so wunderschön, Louise. Seit ich mit dir getanzt habe, kann ich nicht aufhören, an dich zu denken“, flüsterte er zärtlich und schaute sie sehnsuchtsvoll an. Sie sah in seine Augen und leckte sich dabei provozierend über die Lippen. Ist es die Umgebung, die mich alle Skrupel vergessen lässt? Oder die Gelegenheit, einiges auszuprobieren, die mich dazu verleitet, mich auf solche Abenteuer einzulassen, überlegte sie irritiert. Sie war bisher eher zurückhaltend, was Sex anging und jetzt konnte sie nicht genug davon bekommen. Wie kann das sein, fragte sie sich genau in diesem Moment, als Alex sich vorbeugte, um sie zu küssen. Leidenschaftlich erwiderte Louise seinen Kuss. Kurz darauf stand sie auf und ging ins Haus. Alex folgte ihr, und kaum waren sie dort, fielen sie heiß übereinander her. Er küsste sie verlangend und setzte sie auf die Küchentheke. Ihr wurde schwindelig vor Lust. Alex war nun nicht mehr zu bremsen und trieb Louise mehrmals zum Höhepunkt. Nicht nur in der Küche, auch im Schlafzimmer ging es heiß her. Als dann beide erschöpft, aber völlig befriedigt, so nebeneinander lagen, sagte Louise nur: „Ich liebe es, so verwöhnt zu werden, weißt du?“ Ihre selbstbewusste Art imponierte Alex und kurz darauf fing er erneut an, sie zu streicheln. Er küsste sie begierig und sie erwiderte seine Küsse. Ihre noch verschwitzten Körper verlangten nach erneuter

Befriedigung. Louise führte ihn unter die Dusche. Dort setzten sie ihre Spielchen fort.

 # 22 #

Matthew saß in seinem geheimen Raum und ergötzte sich an dem Schauspiel in Louises Haus. Er sah den beiden weiterhin zu, als sie unter die Dusche stiegen. Louise seifte Alex ein und brachte sein bestes Stück auf Touren. Es zu beobachten, machte Matthew wahnsinnig und er bekam Lust auf Sex. Als Alex Louise erneut nahm, schaltete er den Computer aus und begab sich auf den Weg zu Angelique. Seine Lust bahnte sich ihren Weg. Angelique saß auf der Terrasse und war vollkommen in ihre Arbeit vertieft. Als sie Schritte hörte, hob sie den Kopf und sah Matthew kommen. Freudig legte sie ihre Arbeit weg. Ohne nur ein Wort zu sagen, nahm Matthew sie an die Hand und zog sie mit sich. Sie schaute ihn verdutzt an. Ihr Herz fing an zu rasen.

„Wo wollen wir denn hin?“, fragte sie voller Unbehagen.

„Ich brauche dich jetzt sofort!“, sagte er bestimmend, ohne ihre Einwilligung abzuwarten, und führte sie zu seinem Lieblingsraum im Island-Store. Als sie eintraten, sollte Angelique in der Mitte des Raumes Platz nehmen. Sie wagte es nicht, sich zu rühren, doch plötzlich stieg ein unbeschreibliches Lustgefühl in ihr auf. Was hat er wohl dieses Mal mit mir vor, überlegte sie gespannt. Matthew verband ihr zuerst die Augen, dann ließ er sie auf einer Bank Platz nehmen. Ihr Puls raste. Nachdem er einige Vorbereitungen getroffen hatte, näherte er sich ihr. Das Herz

schlug ihr bis zum Hals vor Aufregung, und sie atmete schnell. Er forderte sie auf, aufzustehen und zog ihre Tunika aus. Danach musste sie ihm ihre Hände vorstrecken.
„Matthew, was wird das?“, wimmerte sie, während sie ihm zögernd die Hände vorhielt.
„Schhhhh...., mach einfach nur mit, bitte!“, flehte er sie zärtlich an und knabberte leicht an ihrem Ohr. Sie bekam Gänsehaut. Ihr Brustkorb hob und senkte sich rasant. Völlig aufgewühlt konnte sie sich kaum noch beruhigen. Matthew legte ihr Handschellen an und sie stöhnte ängstlich auf, als sie das kalte Metall spürte. Dann hörte sie eine Kette rascheln. Matthew legte diese an die Handschellen und führte sie damit an die Wand. Nachdem er ihre Arme hochgezogen hatte, machte er sie an einem Haken fest, gerade noch so, dass Angelique stehen konnte. Sie wimmerte jetzt und atmete unkontrolliert, denn sofort kamen die Erinnerungen an Pierre hoch. In ihrer Beziehung hatte er sich schon immer genommen, was er wollte. Ohne Rücksicht darauf, ob sie damit einverstanden war. Jetzt wiederholte sich alles erneut. Dabei schwor sie sich damals, es nie wieder zuzulassen. Ihre Empfindung Matthew gegenüber machte diese Situation allerdings irgendwie anders. Seine Handlung erregte sie, aber die Ungewissheit, was demnächst passieren würde, ängstigte sie ein wenig.
„Süße Angelique, ich liebe es, dich so zu besitzen, wehrlos und wunderschön“, flüsterte er leise. Die Luft im Raum schien zu vibrieren. Matthew streichelte andächtig ihren Körper und zog

dabei ganz langsam ihren Slip aus.
„Tu mir nicht weh, bitte“, bettelte sie ängstlich.
„Das würde ich mir nie erlauben. Ich möchte dir nur Vergnügen bereiten, lass dich auf dieses Spiel ein, bitte“, sagte er leise. Er war jetzt völlig erregt. Angelique beruhigte sich ein wenig, doch ihr Herz schlug immer noch rasend. Matthew fing erneut an, sie zu streicheln. Sein heißer Atem an ihrer Haut löste in ihr eine Welle des Verlangens aus. Wie ein Virtuose mit seiner Geige, so ging Matthew mit ihrem Körper um. Jeder Zentimeter ihrer Haut spürte seine Zärtlichkeit. Die Angst wich jetzt dem Verlangen nach Befriedigung. Und Matthew war ein Meister dieser Kunst. Seine Begierde führte beide in ungeahnte Höhen. Hierbei lernte Angelique, dass ein Liebesakt sehr viel Spaß machen kann. Es braucht nur den richtigen Partner, und den hat sie in Matthew anscheinend gefunden. Als ihre Hände langsam taub wurden, bat sie ihn, sie zu befreien. Ohne zu zögern tat Matthew es. Seine Lust auf weitere Abenteuer mit ihr war jedoch immens.
„Ich möchte dich noch einmal spüren, meine Schöne. Bist du dazu bereit?“, fragte er ganz vorsichtig, während er sie in seinen Armen wiegte. Sie schaute zu ihm auf und ihr Herz machte erneut einen Sprung. Dieses Verlangen in seinen Augen sprach seine eigene Sprache. Und so gab sie ihm einen innigen Kuss und ließ sich von ihm zu der Liebesschaukel führen, die ihr zuvor besonders zuwider war. Jetzt allerdings entfachte das Ding eine Neugier in ihr, die sie sich nicht erklären konnte. Wie mag es sich wohl anfühlen, darin zu sitzen, fragte sie sich in Gedanken. Und

sofort wurde ihre Frage beantwortet, denn Matthew bat sie, darin Platz zu nehmen. Ihre Spannung stieg ins Unermessliche. Das Liebesspiel ging erneut los, und während sich ihre Körper vereinten, lernte Angelique Matthew zu vertrauen. Ihre Angst, missbraucht zu werden, verschwand und machte der Vorfreude auf glückliche Zeiten Platz. Hoffentlich werde ich nicht enttäuscht, dachte sie und ließ sich verwöhnen. Als sie nach diesem Abenteuer zurückkehrten und am Haus von Louise vorbeigingen, sahen sie, wie Alex zufrieden pfeifend ihr Haus verließ. Angelique schaute Matthew ungläubig an, doch er schmunzelte nur, küsste sie und sagte: „Jeder, wie er mag.“ Beide lachten laut.

Die Sonne stand schon tief am Himmel, als Angelique ihre Arbeit aufgenommen hatte. Matthew saß mit ihr auf der Terrasse, beobachtete sie, wie sie zeichnete und genoss einfach diese Zweisamkeit. Ein Gefühl der Wärme durchdrang sein Innerstes. Ist das etwa Glück, was ich empfinde, fragte er sich gedankenverloren und versuchte, sein Empfinden zu ergründen. Der Abend brach an, also gingen sie zum Abendessen. Louise sah so frisch und fröhlich aus, dass es Angelique die Sprache verschlug. Matthew war froh, dass Angelique endlich wieder entspannter mit ihm umging. Vielleicht braucht sie ein wenig mehr Zeit, um mit allem hier klarzukommen, dachte er und lächelte zufrieden vor sich hin. In der Lounge herrschte ein fröhliches Miteinander. Alle saßen gemütlich zusammen. Es wurde viel geschlemmt, geplaudert und später diverse Cocktails getrunken. Die Stimmung war bestens. Und auch Angelique schien für einige Augenblicke das Geschehen mit Pierre ausgeblendet zu haben. Diese friedliche Atmosphäre gefiel Matthew besonders gut, denn er liebte Harmonie und tat alles dafür, um diese zu erhalten. Als er müde wurde, fragte er Angelique, ob sie heute bei ihm übernachten wolle. Ihr Herz schlug Purzelbäume und sie sagte zu. Also verließen sie die Korallenbucht und schlenderten zu Matthews Haus. Angelique fühlte sich zum ersten Mal seit Langem so richtig glücklich und strahlte ihn an. Sie würde die erste Nacht in seinem Schlafzimmer hier auf dieser Insel verbringen. Na, wenn das nicht ein kleiner Erfolg ist, dachte sie zufrieden.

23

Am nächsten Morgen fand Matthew sein Bett leer vor. Wo ist Angelique nur hin, fragte er sich und stand auf, um sie zu suchen. In der Küche angekommen, stockte ihm der Atem. Die Kaffeemaschine lief, es duftete nach frischem Gebäck und auf einem Tablett gab es alles, was das Herz zum Frühstücken begehrte. Sie schlich sich von hinten ganz leise an ihn heran, umarmte ihn und flüsterte: „Guten Morgen. Hast du gut geschlafen?“ Matthew drehte sich um und gab ihr einen sehnsüchtigen Kuss.

„Ja, sehr sogar. Habe dich beim Aufwachen vermisst. Und du?“ Jetzt nahm er sie in seine Arme und wollte sie gar nicht wieder loslassen.

„Auch ich habe sehr gut geschlafen, danke.“ Angelique lächelte ihn an, denn sie war stolz darauf, das Frühstück auf die Schnelle organisiert zu haben. So konnte sie mehr Zeit nur mit ihm allein verbringen. Matthew schaute sie bewundernd und gleichzeitig überrascht an.

„Woher kommen all die Leckereien?“, fragte er verdutzt.

„Ich war mal so frei und habe mir erlaubt, dich heute zu verwöhnen. Hast du etwas dagegen?“ Sie strahlte ihn immer noch an.

„Nein. Im Gegenteil. Ich könnte mich daran gewöhnen. Nur was mache ich dann mit Martha?“, fragte er und schaute sie dabei besonders ernst an. Als er jedoch merkte, dass sie sich um Martha sorgte, fing er an zu lachen.

„Keine Sorge, Martha bleibt auf Lebenszeit. Niemals könnte ich diese Frau gehen lassen“, sagte er mit einem schelmischen Lächeln. Damit gab er ihr zu verstehen, welchen Wert Martha für ihn hatte, und Angelique war nun beruhigt. Und so setzten sie sich auf die Terrasse, genossen ihre Zweisamkeit, die traumhafte Aussicht und das leckere Frühstück.

„Matthew, ich habe eine Bitte an dich.“ Angelique wurde unruhig, als sie ihn ansprach.

„Ja? Und die wäre?“, fragte er und frühstückte in Ruhe weiter.

„Ich möchte mit dir auf das Festland fahren. Geht das in Ordnung?“, fragte sie leise. „Um weiterarbeiten zu können, benötige ich doch noch einige Stoffe. Die würde ich dann gerne persönlich einkaufen. Aber nur, wenn es dir nichts ausmacht“, sagte sie unsicher.

„Aber sicher darfst du mitkommen. Jederzeit, wenn es dir danach ist. Das haben wir so abgesprochen. Ich möchte doch auch, dass du vorankommst. Ich werde morgen früh aufbrechen. Sei dann bereit. Ich freue mich sogar sehr, dass du mit mir kommst." Als er das sagte, machte Angeliques Herz Freudensprünge. Dann stand sie auf und gab ihm einen Kuss.

„Ok, dann bis später", sagte sie und machte sich auf den Weg zu ihrem Bungalow, um weiterarbeiten zu können. Sie hatte plötzlich so viele Ideen, sodass sie keine Zeit verschwenden wollte. Obwohl jede Minute, die sie mit ihm verbringen durfte, für sie keine Zeitverschwendung darstellte. Matthew saß nun allein da, trank in Ruhe seinen Kaffee und überlegte, wie sein Leben denn weitergehen sollte. Irgendetwas fing an, sich zu verändern. Diese Veränderung war zwar nicht geplant, doch er vermochte sie nicht zu stoppen, denn Herzen fühlen nun, was sie fühlen, und sich dagegen zu wehren hätte eh keinen Sinn. Irgendwann geschieht das Unausweichliche.

Auf dem Weg nach Hause begegnete Angelique Louise, die gerade auf dem Weg zum Speisesaal war.

„Hey Louise, ich fahre morgen mit Matthew aufs Festland, um einige Stoffe einzukaufen. Benötigst du vielleicht noch etwas, das ich dir mitbringen könnte?" Angelique strahlte übers ganze Gesicht, als sie es sagte. Louise entging das nicht.

„Oh Mann, du lässt ihn ja keine Minute mehr aus den Augen, oder?", sagte sie und lächelte verschwörerisch.

„Nein. Es ist nicht, wie du denkst. Ich benötige wirklich einige Stoffe, die zu meinen neuen Entwürfen passen. Die Insel inspiriert mich auf eine Weise, die ich nicht vorhergesehen habe. Aber ich freue mich natürlich sehr, etwas mehr Zeit mit ihm verbringen zu können. Das möchte ich gar nicht leugnen." Angelique errötete leicht, denn Louise durchschaute sie sofort. „Soll ich dir eventuell doch etwas mitbringen?", fragte sie anschließend noch einmal. Louise verneinte, bedankte sich und ging dann weiter.

Voller Tatendrang machte Angelique sich an ihre Entwürfe. Während sie völlig konzentriert an den Zuschnitten arbeitete, bemerkte sie nicht, dass Jaden in ihr Haus kam. Er war barfuß, und sie hörte seine Schritte nicht. Nun stand er im Türrahmen und beobachtete sie eine Zeit lang. Als sie sich umdrehte, schrie sie fast vor Schreck und fasste sich an die Brust.
„Jaden, bist du irre! Ich hätte fast einen Herzinfarkt bekommen. Kannst du nicht anklopfen?", rügte sie ihn, als sie wieder Luft holen konnte. Jaden lachte, weil er diese Situation lustig fand, was Angelique besonders ärgerte.
„Es macht Spaß, dir zuzuschauen. Du siehst dabei so sexy aus", sagte er ohne Umschweife. Angelique versteifte sich, denn seine Anwesenheit machte sie unsicher. Dieses Erlebnis mit ihm am Strand war für sie ein einmaliger Ausrutscher und mehr würde es nicht geben, das stand für sie fest. Doch Jaden sah es anders. Er wollte sich erneut mit ihr vergnügen. Sie bemerkte dieses Begehren in seinem Blick.
„Jaden, geh bitte! Sofort! Zwischen uns wird es nie wieder

Zärtlichkeiten geben!“, sagte sie derart bestimmend, wie es ihre Unsicherheit nur zuließ. Doch er lächelte siegessicher und näherte sich ihr, um sie zu berühren.
„Hat es dir denn keinen Spaß gemacht? War ich dir nicht gut genug? Ich kann auch anders“, sagte er herausfordernd. Jetzt stand er ganz nah vor ihr und grinste sie an. Sie bekam Panik und wurde bleich. Jaden fasste sich in den Schritt und ließ seine Hüften schwingen, um ihr seine Lust auf diese Weise zu demonstrieren. Angelique fand sein Benehmen widerlich und konnte es kaum fassen, dass sie sich auf ihn eingelassen hatte.
„Jaden, ich bitte dich noch einmal: Geh!“ Ihre Stimme versagte. Plötzlich tauchte Matthew hinter ihm auf.
„Du hast gehört, was Angelique sagte. Geh!“, zischte er völlig aufgebracht. Er kochte vor Wut. Wie konnte Jaden es wagen, sich so zu benehmen? Doch dieser lächelte immer noch frech, drehte sich um und verließ dann den Raum. Angelique stürzte in Matthews Arme und fing an zu weinen. Sie zitterte am ganzen Körper.
„Danke, dass du vorbeigekommen bist. Ich weiß nicht, was ich sonst getan hätte“, sagte sie völlig aufgelöst und schluchzte weiter.
„Ich werde mit ihm sprechen. Sollte er es noch einmal wagen, sich so zu benehmen, dann fliegt er hochkant von der Insel.“ Matthew war immer noch aufgebracht. Jaden war zwar ein ausgezeichneter Guide, doch sollte er es noch einmal versuchen, sich einer der Frauen ohne deren Einverständnis zu nähern, dann

würde er ihm fristlos kündigen. Er duldete keine Frechheiten und erwartete Anstand und Respekt von jeder Person, mit der er sich umgab. Das musste Jaden wohl erst noch begreifen.

„Was hat dich denn gerade eben zu mir geführt?“, fragte Angelique, als sie ihre Fassung wiedergewonnen hatte. „Du bist mein Schutzengel, weißt du das?“ Sie umarmte ihn immer noch krampfhaft und wollte ihn gar nicht loslassen. Matthew drückte ihren Kopf an seine Brust und atmete ihren Duft ein. Er würde sie für immer beschützen, das schwor er sich gerade in diesem Moment.

„Kommst du mit mir schwimmen?“, fragte er, als er merkte, dass sie ruhiger wurde. Das Meer lag still an diesem Tag und er hoffte, dass sie zusagen würde.

„Aber da sind doch diese Haie!“ Sie hatte wieder diese Angst in ihrem Blick. „Ich traue mich nicht“, flüsterte sie leise.

„Komm bitte mit. Du wirst sehen, dass es gar nicht so schlimm ist. Ich möchte dir so gerne deine Angst nehmen, sodass du genauso wie ich unbeschwert dort draußen schwimmen und die wunderbare Wasserwelt genießen kannst. Du verpasst so vieles, wenn du dich von deiner Furcht blockieren lässt. Bitte. Versuche es mir zuliebe.“ Matthew ließ nicht locker und so gab sie ein wenig nach. Nachdem sie Badetücher und Sonnencreme mitgenommen hatten, machten sie es sich auf den Liegen am Strand gemütlich. Zuerst cremten sie einander ein. Matthew strich sanft über Angeliques Rücken, während sie vor ihm saß und liebkoste, wie schon oft, zärtlich ihren Nacken. Dann setzte sie sich hinter ihn und tat es ihm gleich. Dabei betrachtete sie sein Tattoo. „Wofür steht eigentlich der chinesische Drache, den du da als Tattoo trägst?“, fragte sie und strich mit ihren Fingern sanft darüber.

„Er bedeutet Macht, Stärke, Intelligenz und Glück. Alles, was man sich in seinem Leben eigentlich wünscht, findest du nicht?“ Matthew drehte sich jetzt zu ihr um und schaute sie liebevoll an. „Möchtest du denn eines Tages auch ein Tattoo tragen?“, fragte er neugierig. Angelique schmolz bei seinem Anblick dahin. Ihr Herz schlug wie wild und sie konnte sich nicht sattsehen an ihm. „Vielleicht lassen wir uns ein gemeinsames Motiv stechen? Was hältst du davon?“, fragte er weiter und überlegte sogleich, welches denn für sie beide passend wäre.

„Meinst du das wirklich ernst? Würdest du es tun?“, fragte Angelique ungläubig, denn sie traute ihren Ohren nicht. Sein Verhalten machte sie stutzig, denn ein gemeinsames Tattoo sollte etwas sein, das Menschen verbindet. Sie sollte lediglich eine Gespielin für ihn sein. Das passte nicht zusammen. Empfindet er etwa doch mehr für mich, als er zugibt? Diese Frage geisterte jetzt in ihrem Kopf. Wenn er es doch nur zulassen würde, dann wäre alles leichter, dachte sie weiter.

„Ja. Warum nicht? Sag Bescheid, falls du es dir zutraust“, antwortete er, lächelte sie an und strich zärtlich über ihre Arme. Dann nahm er sie bei der Hand und führte sie zum Wasser. Er merkte jedoch, dass die Angst erneut in ihr hinaufkroch und sie ihm unsicher folgte.

„Angelique, versuche, dich zu entspannen und lege deine Angst ab. Sonst wirst du es nie genießen können, bitte!" Er flehte sie regelrecht an und reichte ihr die Schwimmbrille. Matthew sprang vergnügt ins Wasser. Angelique folgte ihm nun. Ein wenig entspannter bewunderte sie die lebhafte Unterwasserwelt, deren Farbenpracht sie immer wieder aufs Neue beeindruckte. Nicht ohne Grund kam ihr diese Insel paradiesisch vor. Nach einer Weile steuerten sie die Felswand auf der rechten Seite der Bucht an und schwammen an ihr entlang. Ein Stück weiter entdeckte Angelique eine kleine Höhle. Sie wurde neugierig und winkte Matthew zu. Nachdem er sie eingeholt hatte, führte er sie hinein. Kleine Krabben flüchteten vor ihnen ins Wasser und Angelique versuchte, sie einzufangen. Als sie drinnen standen, bestaunte sie die Wände der Höhle. Kleine Tropfsteinsäulen hingen an der Decke, und sie entdeckte auch mehrere Fledermäuse, die dort schliefen. Leise, um sie nicht zu stören, gingen sie wieder hinaus. Sie ließen sich auf einem Stein nieder und betrachteten das Meer.

„Matthew, ist es dir überhaupt bewusst, in was für einem Paradies du lebst?", fragte sie nach einer Weile und ließ ihren Blick über die Umgebung schweifen.

„Ich denke schon, sonst hätte ich diese Insel nicht erworben", antwortete er selbstbewusst.

„Bist du glücklich?", fragte sie überraschend.

„Bist du glücklich?", stellte er die Gegenfrage und hoffte, eine ehrliche Antwort von ihr zu bekommen. Er konnte ihre Frage nicht mehr mit „Ja“ beantworten, denn er merkte zunehmend, dass zu seinem vollkommenen Glück irgendetwas fehlte. Sollte etwa Angelique der Schlüssel zu seinem Glück sein? Diese Frage beschäftigte ihn plötzlich sehr. Er musste es unbedingt herausfinden.

„Ja, und nein. Denn seit ich dir begegnet bin, fühle ich eine Freude in mir, die ich mit keinem anderen Gefühl vergleichen kann. Dazu kommt diese Sehnsucht nach dir. Für mich ist es Liebe. Das wird mir mit jeder Sekunde, die ich mit dir verbringe, bewusster und ich möchte dieses Gefühl nicht mehr missen. Das macht mich glücklich. Nicht zu wissen, was du für mich empfindest, mindert mein Glück jedoch“, antwortete sie wahrheitsgemäß. Sie schaute ihn nicht an, als sie es sagte und erwartete auch nicht, das Gleiche von ihm zu hören. Obwohl sie die Hoffnung, sein Liebesgeständnis zu bekommen, nicht aufgeben wollte. Sie musste es ihm allerdings erneut gestehen, denn ihr Empfinden machte sie zwar glücklich, erdrückte sie jedoch innerlich. Matthew erwiderte tatsächlich nichts darauf. Er saß nur stumm da, schaute sie an, doch sein Herz schlug wie wild. In diesem Moment wurde ihm bewusst, dass auch er sich in sie verliebt hatte. Er war jedoch noch nicht bereit, ihr seine Liebe zu gestehen.

„Wir müssen wieder zurück zum Strand, die Wellen werden stärker, es könnte zu gefährlich werden, noch länger hier zu verweilen. Komm, wir schwimmen zurück“, sagte er nur, stand auf und schwamm los. Angelique folgte ihm.

Später erfrischten sie sich an der Bar und faulenzten in der Sonne. Zur Mittagszeit kamen fast alle im Speisesaal zusammen. Nur Jaden war nicht aufgetaucht. Angelique war es recht, denn der Gedanke, ihm erneut zu begegnen, behagte ihr gar nicht. Benita und Rodolfo beendeten ihre Mittagspause und wollten gerade aufbrechen, als Louise zum Essen kam. Angelique fragte sie, ob sie denn Lust hätte, sich die Plantage anzuschauen, und Louise sagte zu. Also versprachen sie den Gärtnern, sie am Nachmittag zu besuchen. Diese freuten sich sehr darüber. Matthew wollte sie später hinführen, ging aber zwischenzeitlich nach Hause, um Vorbereitungen für den morgigen Tag zu treffen. Angelique und Louise begaben sich in den Island-Store. Louise benötigte festes Schuhwerk und einen Sonnenhut. Nachdem sie alles ausgewählt hatte, wollte sie unbedingt noch einmal den speziellen Raum aufsuchen.

„Hey Angelique, komm, wir schauen uns da drinnen in Ruhe um. Jetzt sind wir ja allein.“ Sie konnte der Versuchung, alles genauer zu inspizieren, nicht widerstehen.

„Was willst du denn dort? Ich weiß nicht, ob ich es möchte“, erwiderte Angelique empört, weil sie nicht vorhatte, sich freiwillig mit diesem Raum auseinanderzusetzen.

„Es kann doch nicht schaden, auf manches vorbereitet zu sein, meinst du nicht?“, fragte Louise keck und schob Angelique, die widerwillig einen Fuß vor den anderen setzte, in den Raum hinein. Leise schloss sie die Tür und ging alle Regale durch. Angelique nahm auf der Bank Platz und sagte: „Ich werde mit niemand anderem mehr Sex haben als mit Matthew." Ihr Entschluss stand fest und daran war nicht zu rütteln.

„Du kannst dir trotzdem einiges anschauen und ihn dann damit überraschen. Männer lieben es. Was hältst du von dieser Idee?" Louise war für Liebesspiele offen und wollte hier auf dieser Insel so einiges ausprobieren. „Zu einer guten Beziehung gehört gesunder Sex, merk dir das. Sonst kommt schnell Langeweile auf und du bist weg vom Fenster", belehrte Louise ihre Freundin weiter und lachte dabei.

„Hielt deswegen keine deiner Beziehungen länger als ein paar Wochen?", fragte Angelique bissig. Dieses Thema war ihr aufgrund der Erlebnisse mit Pierre unangenehm und sie wollte einfach nur raus aus diesem Raum.

„Ach Liebes, wenn du wüsstest. Alle Kerle, die ich bisher kennengelernt habe, waren beim Sex reine Egoisten. Außer Aiden natürlich. Er versteht es, eine Frau zufrieden zu stellen. Nur leider habe ich nichts mehr von ihm gehört. Glaubst du, dass ich ewig unzufrieden durchs Leben gehen werde, nur weil es den meisten Männern egal ist, ob ich auf meine Kosten komme?" Louise wurde ungewollt lauter.

„Ich habe mir in dieser Hinsicht noch nie Gedanken darüber gemacht. Es tut mir leid", sagte Angelique so leise, dass Louise genau hinhören musste, um sie zu verstehen.

„Dann solltest du langsam damit anfangen. Denn auch du hast ein Anrecht darauf, im Mittelpunkt zu stehen. Ich werde jedenfalls so lange herummachen, bis mir der Richtige über den Weg läuft, das kannst du mir glauben!“ Louise wurde richtig laut. „Wie ist Matthew denn so im Bett?“, fragte sie aufgebracht und im selben Moment hielt sie sich die Hand vor den Mund, weil ihr bewusst wurde, dass Angelique sie beide hier in diesem Raum beobachtet hatte.

„Das muss ich dir wohl nicht erzählen, oder?“, entgegnete Angelique und richtete ihren Blick auf die Liebesschaukel, in der sie mittlerweile selbst mal gesessen hatte. „Du hattest sehr viel Spaß dabei!“

„Sorry. War nicht so gemeint. Ich möchte doch nur, dass es dir gut geht und du glücklich bist“, sagte Louise, nahm Angelique in den Arm und drückte sie zur Versöhnung.

„Ich kann auf mich selbst aufpassen, okay? Und dir wünsche ich viel Glück“, sagte Angelique. Damit war für sie das Thema beendet und sie setzte sich wieder hin, um Louise Zeit zum Schauen zu geben. Diese ging von Regal zu Regal, begutachtete alles, überlegte dabei, wer denn als Nächstes dran glauben musste und schmunzelte dabei. Für sie war das Ganze hier ein Spiel, und es waren ausreichend Spielzeuge vorhanden. Nachdem sie eins für sich ausgesucht hatte, verließen sie den Raum wieder. Mit Vergnügen beobachtete Matthew die beiden. Er hatte gehofft, dass auch Angelique sich für eines der Spielzeuge entscheiden würde, doch dem war leider nicht so. Schade, dachte er ein wenig enttäuscht. Es hätte interessant werden können.

24

Das Besichtigen der Plantage stand nun auf dem Plan. Matthew begleitete die beiden Freundinnen. Louise bewunderte die Lage und die vielen verschiedenen Pflanzen und Bäume. Sie hatte eine solche Plantage zum ersten Mal in ihrem Leben vor sich. Benita und Rodolfo erklärten ihr mit einer Engelsgeduld alles, was sie wissen wollte. Sie kosteten Bananen und auch die frischen Kakaobohnen. Louise kam aus dem Staunen nicht heraus. Später bat Angelique Matthew darum, sie alle zum Wasserfall zu führen, und das tat er mit Freude. Oben angekommen traute Louise ihren Augen nicht. Gewaltige Bäume, deren Grün sich in dem kleinen See spiegelte, umsäumten den Wasserfall. Die Geräusche der Natur hallten hier oben um einiges lauter als am Strand und das Plätschern des Wassers lud zum Baden ein. Sie war von diesem Ort völlig fasziniert.
„Ich gehe da jetzt rein, kommt ihr mit?“, rief Louise begeistert und fing an, sich zu entkleiden. Matthew schaute dabei Angelique an und grinste. Sie wurde sehr verlegen, denn sofort musste sie an die wunderbaren Zärtlichkeiten, die sie hier ausgetauscht hatten, denken. Ein Verlangen, es erneut zu erleben, erfasste sie. Doch leider waren sie heute nicht allein hier. Schnell zogen auch sie ihre Sachen aus und sprangen vergnügt hinein.

Der Tag war schon fast vorbei, als sie von ihrer Tour zur Plantage zurückgekehrt waren. Angelique und Louise gingen zurück zu ihren Häusern. Ans Arbeiten war nicht mehr zu denken. Dafür waren beide viel zu müde. Also machten sie sich kurz frisch und setzten sich später an die Strandbar. Alex mixte vorzügliche Cocktails, die sie genussvoll schlürften. Die Sonne ging langsam unter und die Lounge füllte sich wie jeden Abend. Als Angelique Jaden erblickte, versteifte sie sich sofort, denn er kam direkt auf sie zu.

„Angelique, können wir bitte reden?", fragte er in einem reumütigen Ton.

„Ich habe keine Lust, mit dir zu reden!" Angelique wurde rot vor Wut, als sie es sagte. Louise beobachtete diese Szene ganz genau. Sie überlegte, was denn vorgefallen sein musste, dass Angelique derart heftig reagierte.

„Bitte! Nur einen Moment." Jaden ließ nicht locker. Widerwillig stand Angelique auf und ging ein Stückchen mit ihm.

„Angelique, ich möchte mich bei dir entschuldigen. Mein Verhalten dir gegenüber war nicht gerade lobenswert. Es tut mir aufrichtig leid und ich hoffe, du kannst mir verzeihen. Ich wusste nicht, dass du mit Matthew zusammen bist. Sorry, ehrlich. Ich werde dich nie wieder anfassen", sagte er leise und schaute sie hoffnungsvoll an, denn er wollte keinen Ärger.

„Wer erzählt denn, dass ich mit Matthew zusammen bin?", fragte sie verdutzt.

„Er selbst hat es mir gesagt. Ich habe mich auch bei ihm entschuldigt, und er hat meine Entschuldigung angenommen. Tust du es auch? Bitte!" Jaden hoffte auf Versöhnung.

„Na gut. Ich nehme deine Entschuldigung an", antwortete sie

und war bereit, ihm zu verzeihen. Seine Worte ließen sie jedoch ins Grübeln kommen. Matthew erzählte, dass er mit ihr zusammen sei. So etwas zu hören, war sehr ungewöhnlich. Sie schöpfte plötzlich Hoffnung, dass er doch mehr für sie empfand, als er zugeben wollte. Ihre Gefühle fuhren Achterbahn.

Nach der Aussprache kehrten beide zurück zur Lounge. Auch Matthew war mittlerweile eingetroffen. Als er sah, dass zwischen Jaden und Angelique alles geklärt war, war er sehr froh darüber. Er stand auf, nahm Angelique in seine Arme und küsste sie mit einem Begehren, sodass ihr der Atem stockte. Gebannt schauten alle anderen ihnen zu. Als der Kuss geendet hatte, gab es lauten Applaus. Angelique errötete vor Verlegenheit. Doch Matthew hielt sie immer noch eng umschlungen, schaute in ihre wunderschönen Augen und sagte dann: „Angelique, ich liebe dich." Jetzt war der Applaus noch lauter. Angelique sah ihn völlig überrascht an und Tränen rannen ihr die Wangen hinab. Sie konnte nicht glauben, was sie gerade gehört hatte. Träume ich, fragte sie sich. „Ich liebe dich so sehr, Matthew", gab sie fast unhörbar von sich, und erneut folgten Küsse. Mirana war über dieses Ereignis besonders erfreut, denn nach dem Gespräch mit Angelique machte sie sich Sorgen um sie. Jetzt hoffte sie darauf, dass die Liebe der beiden für immer währen möge. Als es dann spät wurde, verließen die frisch Verliebten die Bucht, denn sie wollten am nächsten Tag zum Festland aufbrechen.

25

David brachte am Morgen eine Lunchbox zur Yacht, da Matthew dort mit Angelique frühstücken wollte. So machten sie sich schon früh auf den Weg. Angelique strahlte vor Glück, als Matthew ablegte und die Yacht Richtung Miami Beach steuerte. Liebevoll bereitete sie das Frühstück vor. Sie deckte den Tisch, brühte frischen Kaffee und wartete ungeduldig darauf, dass ihr Liebster sich zu ihr setzte. Als sie hörte, dass der Motor ausging, schlug ihr Herz sofort schneller. Nun waren sie ganz allein, umgeben von den Weiten des Ozeans. Matthew erschien mit einer Flasche Champagner und setzte sich zu ihr.

„Wer hätte das gedacht, dass ausgerechnet mir so etwas passiert?", sagte er liebevoll und fing an, sie zu küssen. Sein Herz schlug schnell und er fühlte sich überglücklich.

„Was meinst du damit?", fragte Angelique, tat unschuldig und schmiegte sich an ihn, während auch ihr Herz raste. Sie hätte es nicht zu träumen gewagt, was hier gerade geschah.

„Na, dass ich mein Herz so schnell an eine Frau verliere", antwortete er, ließ den Korken knallen und schenkte ein.

„Bedauerst du es etwa?" Angelique schaute ihn jetzt unsicher und erschrocken an.

„Würde ich dann Champagner mit dir trinken?", fragte er, lächelte sie an und küsste sie erneut. „Ich glaube zwar immer noch nicht, dass ich das sage, aber ich habe mich wirklich in dich verliebt. Seit ich dich zum ersten Mal gesehen habe, war nichts mehr wie vorher.“ Matthew strahlte sie an und nahm ihre Hände in seine. „Ich hoffe, dass deine Gefühle so ehrlich sind, wie du sie mir gestanden hast, denn ich möchte nicht mehr ohne dich sein, meine Liebe“, sprach er weiter und sah sie dabei total verliebt an. Angelique konnte ihre Tränen nicht mehr zurückhalten. Es waren Tränen des Glücks. Sie hätte nicht einmal im Traum daran gedacht, dass sie so viel Liebe empfinden könnte und dass dieses Gefühl so unbeschreiblich schön sein würde. Sie spürte, dass es dieses Mal die wahre Liebe war und war sehr glücklich. Matthew küsste zärtlich ihre Tränen weg und nahm sie in seine Arme. „Ich bin so unsagbar glücklich. Ich liebe dich so sehr. Ich möchte dich am liebsten niemals mehr loslassen“, sagte sie und umarmte ihn liebevoll, denn sie konnte ihr Glück immer noch nicht fassen. „Wollen wir denn nicht wenigstens frühstücken? Sonst sterbe ich vor Hunger, was jammerschade wäre, oder?“, fragte Matthew scherzhaft, lachte und schob sie ein wenig von sich. Widerwillig löste sich Angelique aus seiner Umarmung und sie fingen mit dem Frühstück an. Zuerst stießen sie aber auf ihre Liebe an. Kurze Zeit später ging Matthew ans Steuer und sie fuhren weiter. Angelique stellte sich währenddessen hinter ihn, umarmte ihn und schmiegte sich eng an seinen Rücken. Sie spürte seinen Herzschlag, denn sein Puls ging sofort schneller, als sich ihre Arme um ihn schlossen. Nun stellte er den Motor erneut ab, drehte sich zu ihr um und fragte: „Sex? Hier und jetzt?“ In seinen Augen loderte heißes Verlangen. Gierig entblößte er ihren Körper und bedeckte ihn mit Küssen. Angelique ließ sich innerlich

fallen und genoss seine Berührungen.
„Oh mein Engel, wie ich dich begehre“, flüsterte er mit erregter Stimme und führte sie in seine Schlafkoje. Beide sehnten sich nach dieser körperlichen Nähe und ließen sich von ihrer Lust in unbeschreibliche Höhen treiben. Ihre Münder waren unzertrennlich, während ihre Körper im Klang der Wellen tanzten. Atemlos sanken sie dann hinab und labten sich an diesem Augenblick. Angelique wünschte sich in solchen Momenten, dass diese Augenblicke für immer dauern würden. Doch die Realität holte sie jedes Mal aus ihrem Wunschdenken zurück. Und auch diesmal musste die Fahrt fortgesetzt werden. Matthew begab sich erneut ans Steuer und setzte seine Yacht in Bewegung, während Angelique das gerade Erlebte in vollen Zügen genoss.

 # 26 #

Über Miami zog ein kleines Unwetter auf und es fing an zu regnen, während sie von der Yacht stiegen. Sie liefen schnell zum Haus und kamen völlig nass, aber herzlich lachend an.
„Wird man so als frisch Verliebte in Miami begrüßt? Der Himmel sollte sich mit uns freuen, stattdessen lässt er Millionen von Tränen auf uns regnen“, sagte Matthew laut und küsste Angelique wieder einmal heiß und begierig, als sie ins Wohnzimmer gelangten.
„Was höre ich da?“ Martha bekam alles mit und sah beide sehr verwundert und mit freudigen Augen an.
„Hallo Martha. Ja, du hast richtig gehört“, antwortete Matthew

und umarmte sie so fest, dass ihr die Luft wegblieb. Er wirbelte sie herum und gab ihr einen herzlichen Kuss auf die Wange. Dann nahm er Angelique in die Arme und sagte zu Martha: „Vor dir steht meine große Liebe, ich hoffe, du freust dich für mich!“ Martha schaute beide noch einige Sekunden an, denn sie glaubte immer noch, sich verhört zu haben. Einen Augenblick später umarmte sie die beiden jedoch sehr herzlich.

„Und wie ich mich freue! Ich wünsche euch von Herzen alles Gute“, sagte sie enthusiastisch und an Angelique gewandt, fügte sie hinzu: „Endlich bekomme ich weibliche Unterstützung hier in diesem Haus. Willkommen, Liebes.“ Dabei zwinkerte sie ihr liebevoll zu.

„Aber ich wohne hier doch gar nicht“, antwortete Angelique und lächelte unsicher.

„Noch nicht, aber das können wir sehr schnell ändern, falls du bereit dazu bist. Ich würde es mir sehr wünschen“, sprach Matthew und sah sie erwartungsvoll an. Auch Martha war gespannt auf ihre Antwort, da sie Angelique vom ersten Moment an sehr mochte und sich über ihre Gesellschaft hier im Haus riesig freuen würde. Da Angelique jetzt von beiden beäugt wurde, errötete sie plötzlich, denn das alles ging ihr irgendwie viel zu schnell. Sie war nicht darauf gefasst, sofort hier einzuziehen. Und obwohl sie jede Minute mit Matthew verbringen wollte, fiel ihr diese Entscheidung nicht gerade leicht.

„Okay, ich denke, es lässt sich machen“, sagte sie nach einer Weile und lachte herzlich, denn sie konnte es noch immer noch nicht begreifen, was hier gerade vor sich ging. Martha nickte zufrieden darauf und begab sich in die Küche, um für die beiden zu kochen. Matthew nahm Angelique bei der Hand und führte sie ins Schlafzimmer, damit sie sich abtrocknen und umziehen konnten. Da sie noch keine eigenen Sachen hier hatte, bekam sie sein Hemd und Shorts, die ihr zwar ein wenig zu groß waren, ihren Zweck allerdings gut erfüllten. Kurz darauf fuhren sie zu ihrer Wohnung, damit sie einige ihrer Sachen holen konnte. Jetzt saß sie in seinem Wohnzimmer und schaute sich unsicher um. Das wird jetzt mein neues Zuhause, überlegte sie und versuchte, es zu begreifen. Matthew beobachtete sie eine Weile schmunzelnd. Dann ging er hinaus und kehrte eine Minute später zurück. Er setzte sich zu ihr, schaute sie immer noch lächelnd an und nahm behutsam ihre Hand. Sie sah zu ihm auf und er merkte, dass sie sich ein wenig unbehaglich fühlte. Als er seine Hand öffnete, lag ein Hausschlüssel darin, den er jetzt in ihre Hand legte.

„Herzlich willkommen in meinem Haus, mache es bitte auch zu deinem. Ich wünsche mir, dass du dich hier wohlfühlst. Marthas Segen hast du bereits“, sagte er liebevoll und strahlte bis über beide Ohren. Dabei küsste er sie immer wieder. Benny kam soeben zu ihnen und Angelique fing an, ihn zu streicheln. Er schnurrte genüsslich und blieb in ihrem Schoß liegen. Tränen der Freude schimmerten in ihren Augen, doch sie drängte sie zurück und lächelte zaghaft.

„Siehst du? Seinen Segen hast du nun auch. Ich liebe dich,

Angelique." Matthew war das erste Mal seit sehr langer Zeit wieder so richtig glücklich. Er wollte dieses Gefühl nicht mehr missen.

„Und ich liebe dich und möchte dich glücklich machen, Matthew." Jetzt konnte sie ihre Tränen doch nicht mehr zurückhalten, denn ihr Herz quoll über vor Glück. Und so ließ sie ihnen freien Lauf. Matthew verließ das Wohnzimmer. Er wusste, was ihr jetzt guttun würde. Also ging er in die Küche und kam mit zwei Bechern Kaffee wieder. Angelique schaute ihn lächelnd an und nahm dankbar einen dieser Becher entgegen. Kaffee war nun mal das Lieblingsgetränk der beiden, egal wann und wo sie sich befanden. Und sie machten es zu ihrem täglichen Ritual, ihn zusammen zu genießen. So auch jetzt. Kurze Zeit später lud Martha beide zum Essen ein. Dieses Mal blieb sie freiwillig bei ihnen, denn beide so glücklich zu sehen, stimmte sie sehr froh. Würde seine Mutter noch leben, wäre sie jetzt sicherlich besonders glücklich darüber, überlegte Martha kurz und wurde nachdenklich. Angelique beobachtete sie unauffällig und merkte, dass Martha ein wenig traurig schaute. Stimmt irgendetwas nicht? Bin ich der Grund dafür, fragte sie sich. Sie wurde nervös. Matthew schien es auch bemerkt zu haben.

„Martha, ist alles in Ordnung?", fragte er besorgt.

„Ja, Matthew. Alles bestens. Ich muss nur gerade an deine Mutter denken. Sie wäre sicherlich sehr glücklich darüber, dass du endlich deine Liebe gefunden hast", antwortete Martha und sah ihn weiterhin ein wenig traurig an.

„Oh ja, das wäre sie bestimmt“, sagte er. Und zu Angelique sagte er: „Sie würde dich lieben, meine Süße.“ Angelique sah Tränen in seinen Augen schimmern. Also nahm sie ihn in die Arme und versuchte, ihn zu trösten. Ihr ist bewusst geworden, wie sehr er seine Mutter immer noch vermisste.

„Ich hätte sie sehr gerne kennengelernt. Es tut mir leid, dass sie nicht mehr da ist“, sagte sie traurig, während sie über seinen Rücken streichelte. Matthew hob den Kopf und versuchte zu lächeln.

„Jetzt bist du ja da und ich bin sehr froh darüber. Ich liebe dich“, sagte er und gab ihr einen sehnsüchtigen Kuss. Später führte er sie durch das Haus, um ihr alle Räume zu zeigen. Außer Wohn- und Schlafraum gab es noch ein Ess- und ein Arbeitszimmer, die Küche und drei Gästezimmer.

„Du wirst ein Zimmer zum Arbeiten benötigen, wir können eines der Gästezimmer dafür umfunktionieren. Was hältst du davon?“, fragte er mit Nachdruck, denn er wollte am liebsten alles sofort geklärt haben.

„Das können wir gerne machen. Ich muss jedoch so schnell wie möglich einen Abnehmer für meine Mode finden, denn sonst bin ich bald pleite“, sagte Angelique, weil sie sich Sorgen um ihre Finanzen machte. Jetzt, wo sie mit Matthew zusammen war, konnte sie den Vertrag schlecht einhalten und damit Geld verdienen.

„Meine Liebe, wegen Geld musst du dir doch keine Gedanken machen. Meins reicht doch für uns beide“, sagte er leicht empört.

„Matthew, es ist lieb von dir so zu denken und ich danke dir dafür, doch ich möchte gerne selbst für meinen Lebensunterhalt sorgen. Ich hoffe, du kannst es verstehen?“, sagte sie besänftigend. Sie wollte unbedingt ihre Unabhängigkeit wahren. Sein Vermögen hatte für sie keine Rolle gespielt, denn es war die Liebe, die sie bei ihm bleiben ließ.

„Verstehe und bin damit einverstanden. Doch bevor es so weit ist, hoffe ich sehr, dass du mein Angebot annimmst und dir keine Sorgen in dieser Hinsicht machen wirst, ja? Nimm dir so viel Zeit, wie du brauchst“, sagte er in einem sanften Ton und strahlte sie an.

„Okay, aber nur vorübergehend“, antwortete sie verlegen. „Wie lange bleiben wir hier in Miami? Ich benötige Zeit, um Interessenten für meine Mode zu finden“, fragte sie dann.

„In drei Tagen werde ich zwei weitere Damen, mit denen ich Verträge abgeschlossen habe, zur Insel bringen. Entweder du kommst dann mit und werkelst dort noch einige Zeit an deinen Entwürfen, oder du bleibst hier, richtest dein Arbeitszimmer ein und arbeitest hier weiter. Du musst entscheiden, was dir denn lieber ist. Zeit genug hast du ja, und wenn auf der Insel alles gut läuft, dann komme ich zurück und helfe dir dabei, die richtigen Kontakte zu finden.“ Matthew wollte sie ihre Entscheidung allein treffen lassen. Angelique schien zu überlegen. Es war keine einfache Aufgabe, die da vor ihr lag.

„Ich glaube, ich gehe wieder zurück auf die Insel und arbeite dort noch einige Modelle aus. Ich habe noch so viele Ideen, die ich gerne umsetzen möchte. Und in den kommenden drei Tagen würde ich gerne die Zeit dafür nutzen, sämtliche Materialien, die ich benötige, zu besorgen. Dann komme ich mit dir mit. Ach Matthew, eine Frage noch: Was ist denn jetzt mit meinem Vertrag?", fragte sie vorsichtig, denn sie wollte unbedingt Klarheit schaffen.

„Na, den werden wir wohl ganz schnell vergessen! Oder glaubst du etwa, dass ich dich noch mit irgendjemandem teilen werde? Denke nicht mal im Traum daran", antwortete Mathew ein wenig gereizt. Wie kann sie jetzt noch an den Vertrag denken, nachdem ich ihr meine Liebe gestanden habe, dachte er wütend. Doch dann beruhigte er sich schnell wieder, nahm sie in die Arme und küsste sie unendlich lange. Angelique fiel ein Stein vom Herzen.

„Möchtest du gleich noch mitkommen? Ich fahre zu einer Galerie, um nach neuen Kunstwerken zu schauen. Vielleicht wirst du auch fündig?", fragte er anschließend. Eine andere Sache beschäftigte ihn jedoch noch intensiver. Er musste unbedingt für ihre Sicherheit sorgen. Nach dem Vorfall auf der Insel konnte er nicht sichergehen, dass ihr hier in Miami nichts passierte. Er brauchte einen Rat in dieser Sache und würde sich am nächsten Tag sofort darum kümmern.

„Oh ja, ich komme sehr gerne mit. Danke", antwortete Angelique, und sie machten sich auf den Weg in die City. Von seinen Ängsten um sie ahnte sie nichts.

27

Währenddessen auf der Insel...

Louise wachte sehr früh auf, und da Angelique zum Festland aufgebrochen war, fing sie sofort wieder mit ihrer Arbeit an. Frühstücken wollte sie später. Sie hatte so viele fabelhafte Ideen, die sie am liebsten alle auf einmal aufs Papier bringen wollte und so vergaß sie völlig die Zeit. Als es kurz vor Mittag wurde und sie immer noch nicht im Speisesaal aufgetaucht war, kam Alex vorbei, um nach ihr zu schauen, denn er machte sich Sorgen um sie. Louise sah ihn von weitem, winkte ihm zu und lächelte verlegen. Er brachte frische Croissants und Marmelade mit. Auch eine Schale mit leckeren Früchten war dabei.
„Hallo Louise, ich sehe, meine Sorgen um dich sind unbegründet. Dir geht es gut“, sprach Alex und stellte die mitgebrachten Sachen auf den Tisch vor ihr ab. Jetzt erst bemerkte Louise, wie hungrig sie war.
„Möchtest du einen Kaffee?“, fragte sie ihn und ging in ihre Küche, um welchen zu brühen.
„Ja, sehr gerne, danke“, antwortete Alex und folgte ihr. Als die Kaffeemaschine lief, sah Louise ihn an und zwinkerte ihm aufreizend zu.
„Kommt gleich frisch und heiß“, sagte sie und ging hinaus, um eine Kleinigkeit zu essen.
„So wie du“, sagte er, als er sich neben sie stellte und begierig auf sie hinabschaute.

„Danke, dass du dir Sorgen um mich machst", sagte Louise mit vollem Mund, denn sie hatte tatsächlich großen Hunger. „Und natürlich für diese Köstlichkeiten hier", fügte sie hinzu. „Wie kann ich das nur wieder gutmachen?", fragte sie, als er mit dem Kaffee wiederkam.

„Na ja, ich hätte da eine Idee", sagte Alex und schaute sie herausfordernd an. Seine Augen glänzten vor Verlangen und Louise verstand diesen vielsagenden Blick sofort.

„Oh, schlechter Zeitpunkt, mein Lieber. Ich bin gerade dabei, meine Entwürfe zu zeichnen und würde mich nicht gerne lange ablenken lassen", sagte sie leicht verlegen, denn gegen eine schnelle Nummer hatte sie nichts einzuwenden.

„Wer spricht denn hier von einer langen Ablenkung? Manchmal geht es auch schneller", sagte er eifrig und stand sofort wieder bei ihr. Als Louise seine Erregung erblickte, war sie nun auch nicht mehr zu bremsen. Das Verlangen nach der körperlichen Befriedigung war überwältigend. Und so ging das Spielchen los. Im Schatten der Palmen, bei einer angenehmen Meeresbrise vollzogen sie einen heißen Liebesakt, der sie in einen Zustand der vollkommenen Zufriedenheit versetzte.

„Na, das nenne ich mal eine schnelle Nummer", sagte Louise, als sie wieder zu Atem kam und lachte laut. „Aber gut war sie", legte sie noch nach.

„Also darf ich dir demnächst öfter etwas zum Essen vorbeibringen?", fragte Alex scherzhaft und half ihr von dem Tisch herunter, auf dem sie sich vergnügt hatten. Anschließend nahm er sie

in seine Arme und küsste sie sanft, aber verlangend.
„Wenn es nicht zur Gewohnheit wird, dann sehr gerne“, antwortete sie vorsichtig. Louise wollte ihm begreiflich machen, dass es zwischen ihnen nicht mehr als ein Abenteuer geben würde, sollte er auf mehr hoffen. Sie hatte nämlich andere Pläne für ihre Zukunft. Kurze Zeit später ging Alex zufrieden seiner Wege und Louise arbeitete weiter an ihren Zeichnungen.

Am späten Nachmittag kam Jaden bei ihr vorbei. Er nahm auf einer der Liegen Platz.
„Hallo Louise, wie geht es dir?“, fragte er, als er sie im Pool schwimmen sah. Louise kühlte sich ab, um dann weiter zu arbeiten.
„Danke der Nachfrage, es geht mir gut. Was führt dich denn zu mir?“, fragte sie neugierig, da sie mit seinem Besuch nicht gerechnet hatte.
„Ich wollte dich fragen, ob du Lust hast, morgen mit mir einen kleinen Ausflug zum Wasserfall zu machen? Ich könnte dir aber auch die Mangroven zeigen, falls du Interesse hast?“ Er langweilte sich zurzeit und suchte ein wenig Abwechslung.
„Den Wasserfall habe ich schon gesehen, also würde ich die Mangroven vorziehen. Könnte interessant werden“, antwortete sie und stieg aus dem Pool. Jaden betrachtete ihren schlanken, nassen Körper und stellte sich vor, wie es sich anfühlen würde, ihn jetzt zu berühren. Louise entging sein Blick nicht und sie fing an, sich provozierend abzutrocknen. Sie spielte gerne mit ihren

weiblichen Reizen, doch heute würde nicht mehr daraus werden. Sie wollte unbedingt weiterarbeiten.
„Wann sollen wir morgen losziehen?“, fragte sie, da er keine Anstalten machte, zu gehen.
„Am frühen Vormittag ist es am besten, da die Temperaturen noch nicht so hoch sind. Ich erwarte dich dann im Speisesaal so gegen zehn Uhr. Ist das für dich in Ordnung?“, antwortete er und ließ seinen Blick immer noch gierig über sie wandern.
„Ja. Das geht in Ordnung. Dann sehen wir uns morgen. Jetzt muss ich aber noch ein wenig arbeiten, entschuldige mich bitte.“
Louise ging nun ins Haus, um sich umzuziehen. Jaden trottete widerwillig davon. Wie gerne hätte er sich jetzt mit ihr vergnügt, dachte er bedauernd und verschwand zwischen den Palmen. Er gab seine Hoffnung nicht auf, dass er morgen dazu kommen würde. Seine Lust war nun geweckt.

 # 28 #

Am nächsten Morgen ging Louise frühstücken und freute sich schon auf den Ausflug mit Jaden. Alex hatte Dienst. Er begrüßte sie mit einer herzlichen Umarmung und einem Kuss auf die Wange. Jaden saß bereits da und beobachtete die beiden sehr aufmerksam. Was läuft da zwischen den beiden? Überlegte er. Soll ich sie vielleicht doch lieber in Ruhe lassen? Ähnlich wie bei Angelique? Ging es ihm durch den Kopf. Ach egal, einen Versuch ist es wert, dachte er und frühstückte in Ruhe weiter. Louise kam jetzt zu ihm und leistete ihm Gesellschaft.

„Guten Morgen Jaden. Wie war die Nacht? Können wir gleich los? Ich bin schon sehr gespannt, was du zu bieten hast?“, sagte sie aufgeregt und freute sich über diese Abwechslung. Alex stand draußen und hörte zu. Eifersucht stieg in ihm auf.
„Ja, klar. Es kann sofort losgehen, sobald wir hier fertig sind. Das Boot steht bereit. Ich sehe, du hast auch schon die richtige Kleidung an. Vorbildlich!“, lobte er sie, denn er war sehr zufrieden mit ihrem Outfit. Louise trug nämlich eine Leinenbluse, lange Leinenhose und hatte einen großen Hut auf. Diese Sachen waren perfekt als Sonnen- und Mückenschutz geeignet. Also frühstückten sie zu Ende und Jaden führte sie dann zu einem Steg am Fluss, wo sein Boot festgemacht war. Er half ihr hinein und ruderte dann los. Louise staunte nicht schlecht, als sie kurze Zeit später in eine völlig andere Welt eintauchten. Unter dem Baldachin aus Bäumen steuerte Jaden das Boot durch ein Dickicht aus Wurzeln, die aus dem Wasser ragten. Kleine Krebse und Garnelen krabbelten überall. Mangrovenreiher wateten im Schlamm und pickten nach Futter. Die Luft war feucht und roch modrig. Nach einer Weile lichtete sich der Wald und sie trieben auf den Ozean hinaus. Hier weitete sich der Fluss und verschwand in den Wellen des Meeres. Louise war überwältigt von den vielen neuen Eindrücken, die sie soeben erlebt hatte. Jaden warf nun den Motor an und fuhr mit dem Boot an der Steilküste entlang.
„Hey Jaden, ist da etwa eine Höhle in der Steilwand?“, rief Louise begeistert, als sie die Öffnung im Felsen entdeckte.
„Ja, sie ist aber sehr klein und nicht besonders sehenswert“,

meinte er und wollte weiter düsen. Er kannte nämlich einen wunderschönen Strand an der Spitze der Insel, der nur mit dem Boot zu erreichen war. Und dorthin wollte er jetzt mit ihr fahren.
„Können wir dort anlegen? Bitte! Ich möchte sie mir gerne anschauen." Louise bettelte förmlich darum und Jaden steuerte das Boot nun widerwillig in Richtung dieser Höhle. Er machte es fest und sprang hinaus, um ihr beim Aussteigen zu helfen. Dann gingen sie hinein. Die Höhle war tatsächlich klein, musste Louise feststellen. Einige Krabben flüchteten ins Wasser, da sie sich gestört fühlten. An der Decke hingen mehrere Fledermäuse und schliefen friedlich. Louise entdeckte auch kleine Stalaktiten, die sich dort gebildet hatten. Sie schaute sich noch kurz um und fragte dann: „Sind wir denn für heute fertig?"
„Wenn du möchtest, kann ich dir einen besonders schönen Strand, der nur mit dem Boot zu erreichen ist, zeigen. Hast du Lust darauf?", fragte Jaden und hoffte, dass sie zusagte.
„Aber ich habe doch gar keine Badesachen mitgenommen und Sonnenschutz auch nicht", stellte sie resigniert fest.
„Das macht nichts, du kannst dort auch ohne Badesachen schwimmen. Handtücher und Sonnencreme habe ich dabei, mehr brauchen wir nicht", antwortete er mit einem Zwinkern.
„Auf alle Eventualitäten vorbereitet, was? Und zuschauen wirst du auch noch? Na, ich weiß nicht so recht", sagte Louise ein wenig verlegen, bemerkte aber seine Absichten und empfand sie als besonders amüsant, denn dort würde sie ihn mit ihren weiblichen Reizen provozieren können, und das war ihr diesen Spaß

auf jeden Fall wert.

„Ich leiste dir sehr gerne Gesellschaft dabei, wenn du nichts dagegen hast. Das wird bestimmt spaßig“, meinte er und lachte sie verführerisch an.

„Okay, was soll es, fahren wir dorthin“, gab sie sich unternehmungslustig und eine prickelnde Erregung durchströmte ihren Körper bei dem Gedanken, sich ihm gleich unbekleidet zu präsentieren. Um einiges mehr erregte sie die Tatsache, mit ihm allein an so einem entlegenen Strand zu sein. Mal schauen, wohin das noch führen wird, dachte sie vergnügt, streckte ihr Gesicht dem Fahrtwind entgegen und genoss den Moment. Kurze Zeit später steuerte Jaden das Boot auf einen Strand zu, der sich zwischen zwei hohen Felsen erstreckte. Prächtige Palmen ragten davor aus dem Boden und spendeten Schatten. Louise sprang aus dem Boot und ging in den Schatten der Palmen. Jaden holte die Badetücher und eine Kühltasche mit Getränken aus dem Boot und folgte ihr.

„So viel Schönheit hatte ich echt nicht erwartet“, sagte sie mit Erstaunen und strahlte.

„Also habe ich dir nicht zu viel versprochen?“ Jaden war zufrieden.

„Wollen wir schwimmen gehen?“, fragte sie. Sie war gerne im Wasser und wollte auch jetzt sofort hinein. Das Meer lag ruhig, nur kleine, sanfte Wellen brachen sich am Strand. Schnell zog sie ihre Sachen aus und sprintete vergnügt hinein. Auch Jaden entkleidete sich zügig und folgte ihr. Als sie sich kurz umdrehte, um

nach ihm zu schauen, blieb ihr fast die Luft weg. Sie starrte überrascht seine Männlichkeit an, und als er es bemerkte, lächelte er siegessicher und folgte ihr in das angenehme Nass.
„Was für ein Vergnügen“, rief sie begeistert, planschte herum, spritzte Wasser in seine Richtung und kicherte dabei. Er näherte sich ihr und spritzte sie ebenfalls an, bis sie tauchte und anfing, sich von ihm zu entfernen. Nun schwamm er ihr hinterher. Er war ein ausgezeichneter Schwimmer und holte sie schnell ein. Nun lagen beide reglos im Wasser und ließen sich treiben. Louise konnte jedoch ihren Blick von seinem nackten Körper nicht abwenden. Jaden spürte ihre Lust und schwamm zum Strand. Heißes Verlangen peinigte sie beide. Er war zuerst unter der Palme und setzte sich hin. Der Anblick ihres Körpers ließ ihn erschauern. Sie kam auf ihn zu und setzte sich auf seinen Schoß. Nun war Jaden in seinem Element. Er hatte gehofft, dass er das, was jetzt folgte, bekommen würde, und tat alles, um Louise Freude zu bereiten. Als sich ihre Münder trafen, schmeckten sie puren Sex. Ihre Körper vollzogen einen Tanz, der ewig zu dauern schien. Atemlos und völlig befreit lagen sie danach im Schatten der Palme. Jaden liebkoste noch lange ihren Körper, während sie mit geschlossenen Augen diese Zärtlichkeiten genoss. Die frische Meeresbrise trocknete langsam ihre Körper und die Sonne streichelte mit ihren Strahlen die Haut. Immer wieder aufs Neue trieb Jaden sie in ungeahnte Höhen. Oh, wie sie es liebte, so verwöhnt zu werden. Sie genoss jede Sekunde, denn solche Qualität bekam sie nicht immer zu spüren. Später lag sie völlig entkräftet neben

ihm und schaute ihn ungläubig an.
„Was ist? Stimmt etwas nicht?“, fragte Jaden, als er versuchte, ihren Blick zu deuten.
„Es war unglaublich! Ich kann es kaum anders beschreiben“, antwortete sie wahrheitsgemäß, denn sie war überwältigt und sprachlos zugleich, weil der Sex mit ihm so gut war.
„Dieses Kompliment gebe ich gerne zurück, Louise. Du bist so unglaublich heiß! Ich könnte mir vorstellen, mehr solcher Momente mit dir zu erleben“, sagte er jetzt ungeniert. Er mochte es, Frauen auf diese Weise glücklich zu machen.
„So jemandem wie dir begegnet man nicht alle Tage“, sagte sie verlegen und lächelte ihn an. „Ich glaube jedoch nicht, dass wir das noch oft wiederholen werden, denn bald bin ich wieder in Miami Beach und so werden sich unsere Wege trennen.“ Louise sah den Tatsachen ins Auge. „Doch auch ich kann es mir gut vorstellen, solange ich hier bin, mich öfter auf diese Weise von dir verwöhnen zu lassen. Also, falls du es dir nicht anders überlegst, haben wir eine Abmachung?“ Es war eher eine Feststellung als eine Frage und sie freute sich schon auf die kommenden Tage. Ihr Selbstbewusstsein imponierte Jaden.
„Wir haben eine Abmachung. Jederzeit immer wieder gerne“, antwortete er mit Begeisterung.

Nachdem sie sich ausgeruht und noch einige Male beim Schwimmen abgekühlt hatten, packten sie alles wieder ins Boot ein und kehrten zurück. Louise bekam langsam eine schöne Bräune und sah sehr zufrieden und erholt aus. Sie duschte, machte ihre Haare zurecht und ging zum Essen, da sie nach dem herrlichen Abenteuer am Strand richtig hungrig war. Sie schlüpfte in einen legeren Jumpsuit, der sie besonders sexy erscheinen ließ. Alex befand sich immer noch im Dienst. Als er sie kommen sah, erhellte sich sein Gesicht. Er lächelte sie an. Seine Gedanken kreisten in letzter Zeit nur noch um sie, und jedes Mal, wenn er sie sah, schlug sein Herz schneller. So auch jetzt.

„Hallo, meine Schöne, einen angenehmen Tag gehabt?“, fragte er mit großem Interesse.

„Oh ja, und was für einen Tag!“ Sie strahlte regelrecht, als sie es sagte, da sie an das Erlebte denken musste. „Jaden hat mir heute die Mangroven gezeigt und dann noch einen traumhaften Strand am anderen Ende der Insel. Das reinste Paradies. Dort ist mir erst recht klar geworden, warum Matthew diese Insel erworben hat. Sie ist einfach unglaublich! Ich hoffe darauf, demnächst noch mehr Zeit hier verbringen zu dürfen“, sagte sie an ihn gewandt und ging hinein, um sich am Buffet zu bedienen. Alex trottete hinter ihr her und starrte dabei auf ihren Po, der in dem Jumpsuit besonders gut zur Geltung kam. Seine Augen ergötzten sich an diesem Anblick. Er wollte sie am liebsten sofort wieder vernaschen.

„Ich habe mir gedacht, dass ich dir heute wieder etwas Gutes tun könnte und wollte dir Essen vorbeibringen“, sagte er scherzhaft. Louise verstand sofort, wie er das meinte.

„Hey Alex, wie du siehst, ist es heute nicht nötig. Ich bin ja jetzt

hier." Sie schaute ihn belustigt an und lud unbeirrt das Essen auf ihren Teller, ohne weitere Hintergedanken.
„Schade", entgegnete Alex enttäuscht. „Jetzt entgeht mir der Spaß, dich zu verwöhnen", sprach er weiter, da er darauf hoffte, dass es zwischen ihnen eines Tages mehr werden könnte.
„Danke, das ist zwar lieb von dir, doch ich möchte gleich noch ein wenig arbeiten. Sorry, daraus wird heute leider nichts mehr", antwortete sie, ging hinaus und setzte sich zum Essen hin. Alex folgte ihr erneut und setzte sich ihr gegenüber.
„Isst du nichts?", fragte Louise, um die unangenehme Stille zu unterbrechen, weil Alex ihr einfach nur zuschaute.
„Ich würde am liebsten von dir naschen", antwortete er und schaute sie herausfordernd an. Er verschlang sie förmlich mit seinem Blick und das wurde ihr zu viel.
„Alex, bitte. Heute nicht!", sprach sie sehr bestimmend in einem leicht gereizten Ton.
„Okay, ich habe es verstanden. Ich wünsche dir noch einen schönen Abend, Louise", sagte Alex enttäuscht, stand auf und begab sich in die Küche. Warum ist sie auf einmal so abweisend, überlegte er fieberhaft und machte sich an die Arbeit, um das Abendessen für die restlichen Bewohner vorzubereiten. Louise ging danach zurück ins Haus und fing an, zu arbeiten. Das tat sie, bis die Nacht anbrach. Später setzte sie sich mit einem Glas Wein auf die Terrasse und schaute aufs Meer hinaus, das im Mondlicht herrlich glitzerte. Dabei ließ sie den Vormittag Revue passieren und erlebte in Gedanken noch einmal die wunderbaren

Momente, die Jaden ihr beschert hatte. Sie hoffte, noch einiges mehr erleben zu können. Der Sex mit ihm war so unverschämt gut, dass sie sofort wieder Lust darauf bekam. „Auf bald!“, sagte sie zu sich selbst, prostete sich mit dem Glas Wein zu, trank es leer und ging dann schlafen.

 # 29 #

Miami Beach…

Als Matthew am nächsten Morgen aufwachte, fand er das Bett leer vor. Er hörte jedoch das Wasser im Bad rauschen, also stand er auf und trottete noch völlig verschlafen hinein. Beim Anblick seiner großen Liebe war seine Müdigkeit wie weggewischt und sofort gesellte er sich zu ihr. Ihr nasser Körper war die reinste Augenweide. Er wollte ihn berühren, ihn spüren.
„Guten Morgen Liebste, hauchte er ihr ins Ohr, stellte sich hinter sie, ließ das Wasser auch auf seinen Körper prasseln und fing an, sie einzuseifen.
„Einen wunderschönen guten Morgen“, antwortete Angelique verführerisch, schloss die Augen und genoss seine Berührung. Wildes Verlangen riss beide mit und das Liebesspiel nahm seinen Lauf. Immer wieder erklommen sie den Gipfel der Lust, bis sie kraftlos in seine Arme sank.
„Ich liebe dich so sehr, Matthew“, flüsterte sie zärtlich und kuschelte sich an ihn.
„Es macht mich glücklich, dich bei mir zu haben, meine Schöne.

Ich liebe dich auch sehr“, sagte er, schlang seine Arme um sie und drückte sie fest an sich. Zusammen kosteten sie ihr Glück aus, jede einzelne Sekunde. Später machten sie sich zum Frühstücken bereit. Als Martha die beiden erblickte, strahlte sie übers ganze Gesicht. Matthew sah das erste Mal seit langer Zeit glücklich und zufrieden aus. Sie war darüber besonders erfreut.

„Guten Morgen, Martha“, sagte Matthew, ging auf sie zu, umarmte sie und gab ihr einen Schmatzer auf die Wange. Angelique tat es ihm gleich, obwohl noch ein wenig verhaltener.

„Guten Morgen, ihr Lieben. Ich hoffe, ihr habt viel Hunger mitgebracht?“, fragte Martha und lächelte. „Der Kaffee ist fertig und ich mache gerne ein paar Pancakes für euch. Ist euch das recht?“, fragte sie weiter. Sie liebte es einfach, Menschen mit ihren Leckereien zu verwöhnen.

„Oh ja, Martha, ich liebe Pancakes. Danke“, sagte Angelique begeistert, und auch Matthew nickte zustimmend. Dann nahmen sie ihren geliebten Kaffee und gingen auf die Terrasse, um dort zu frühstücken.

„Hast du bestimmte Pläne für heute, mein Engel?“, fragte Matthew, da er seinen Tagesablauf auf sie abstimmen wollte. Er würde sie ab jetzt keine Minute mehr allein lassen, bis er einige Sicherheitsvorkehrungen getroffen hätte.

„Was hältst du vom Sport? Später würde ich gerne einkaufen gehen. Du weißt, dass ich noch einiges an Materialien benötige, um weiter arbeiten zu können“, sagte sie und nippte an ihrem Kaffee.

„Sport? So vollgegessen? Ich denke nicht, dass das gut geht“, sagte er verlegen, denn es war ihm heute überhaupt nicht nach Sport zumute.
„Dann also zuerst einkaufen und danach könnten wir uns sportlich betätigen? Vielleicht hat Mateo Zeit für uns und wir machen ein wenig Yoga“, schlug sie vor. Angelique war vom Sport nicht abzubringen. Matthew hasste Yoga, wollte es aber nicht so direkt äußern.
„Gut, einverstanden. Ich rufe ihn gleich an“, sagte Matthew resigniert. Früher gehörte Joggen am Morgen zu seiner Lieblingsbeschäftigung, doch seit er mit Angelique zusammengekommen war, trieb er lieber Sex mit ihr als irgendwelchen Sport. Angelique jedoch bestand beharrlich darauf, sich sportlich zu verausgaben, und so blieb ihm nichts anderes übrig, als ihr dabei Gesellschaft zu leisten. Also rief er Mateo an und vereinbarte für den Nachmittag einen Yoga-Termin. Angelique war begeistert und freute sich schon sehr darauf.
„Angelique, bevor wir gleich losziehen, möchte ich noch etwas Wichtiges mit dir besprechen“, sagte Matthew. Angelique schaute ihn unsicher an.
„Was gibt es denn noch Wichtiges? Ich dachte, wir hätten erst einmal alles geklärt?“
„Es geht um die Sache mit Pierre.“ Angelique wurde blass. Dieses Thema hatte sie versucht zu meiden, so gut es ging, jetzt war es anscheinend nicht mehr möglich.
„Ich höre?“, sagte sie nur ganz leise und senkte den Blick. Sie

hasste dieses Thema sehr.
„Da wir uns nicht sicher sein können, was er noch vorhat, müssen wir für deine Sicherheit sorgen. Zuerst lasse ich meine Yacht checken, denn ich vermute, dass sie mit GPS-Sendern versehen wurde. Wie sonst hätte er uns auf diese Insel folgen können?“, sprach Matthew. Angelique sah ihn jetzt an. Die Angst stand ihr ins Gesicht geschrieben.
„Und was können wir noch tun?“, fragte sie unsicher, da sie nicht weiter wusste.
„Zum einen, ich weiche nicht von deiner Seite“, versuchte er, sie zu beruhigen. „Und zum anderen werden wir einen Sicherheitsexperten aufsuchen und uns dort beraten lassen. Du musst einen GPS-Sender immer bei dir tragen, denn sollte es ihm trotzdem gelingen, dich zu entführen, dann werde ich dich finden können. Ich hoffe sehr, dass es nie dazu kommen wird, aber sicher ist sicher. Bist du denn damit einverstanden?“, fragte er mit Nachdruck. Angelique schlang jetzt ihre Arme um sich selbst und wiegte sich hin und her. Tränen stiegen in ihre Augen und dann gab es kein Halten mehr. Sie weinte hemmungslos, weil sie dieses Thema stark belastete. Matthew nahm sie in seine Arme und versuchte sie zu beruhigen.
„Es tut mir leid, dass das alles passiert ist“, schluchzte sie laut. „Ich habe gedacht, ich sehe ihn nie wieder und dann das!“
„Mein Engel, die Sache ist ja noch mal gut gegangen. Und nun werden wir vorsichtig sein. Alles wird gut“, versuchte er, sie zu trösten, doch auch er spürte den bitteren Beigeschmack, den ihm

dieses Ereignis hinterlassen hatte.
„Ich tue alles, was du möchtest, Liebster. Und danke dir, dass du dir solche Sorgen um mich machst“, sagte sie jetzt ein wenig ruhiger.
„Warum sollte ich es nicht tun? Ich liebe dich und möchte dich niemals verlieren. Mit diesem Pierre werden wir schon fertig, glaube mir! Wenn ich nur wüsste, ob er noch hier ist“, sagte Matthew eher zu sich selbst als zu Angelique. „Er muss doch eine Yacht oder ein Boot gemietet haben“, überlegte er weiter. „Es muss möglich sein, ihn aufzuspüren. Ich werde sehen, was sich machen lässt“, versprach er und gab ihr einen sehnsüchtigen Kuss. Er hatte einen Plan, und den würde er jetzt angehen. Er musste nur die richtigen Leute ansprechen. Und so machten sie sich auf den Weg in die City. Zuerst besorgten sie ein GPS-Armband, das wie ein Schmuckstück aussah, und Angelique legte es sich um ihr Handgelenk.
„Du darfst es niemals ablegen, hörst du! Unter keinen Umständen!“ Matthew musste sichergehen, dass er sie immer orten konnte.
„Ja, ich habe es verstanden“, antwortete Angelique. Sie versuchte so ruhig wie möglich zu klingen, obwohl ihr Herz wie wild schlug, bei der Vorstellung, ihr Ex würde es schaffen, sie tatsächlich zu entführen. Dann bestellte Matthew noch einen Techniker, der seine Yacht untersuchen sollte. Und als das alles erledigt war, suchten sie die Läden auf, in denen Angelique ihre benötigten Waren kaufen konnte. Dabei kamen sie an einem Tattoostudio

vorbei. Abrupt blieb Angelique stehen und schaute sich die ausgestellten Motive an. Matthew sah sie dabei erstaunt an.
„Hey, möchtest du dir jetzt doch ein Tattoo stechen lassen?“, fragte er begeistert.
„Vielleicht?“, antwortete sie ein wenig verlegen, denn sie hoffte, dass er sein Wort hielt und sie sich ein gemeinsames Tattoo stechen lassen würden.
„Dann lass uns zu meinem Tätowierer fahren, er ist wirklich sehr talentiert“, sagte Matthew und ließ nicht mehr locker.
„Soll ich es wirklich tun?“, fragte sie leise. Angelique war sich in diesem Moment doch nicht ganz so sicher damit. Das Tattoo auf seiner Schulter hatte sie jedoch dermaßen fasziniert, dass sie sich auch eins wünschte. Als sie alle Besorgungen erledigt hatten, fuhren sie zu Matthews Tätowierer. Sie erklärten ihm ihre Absichten und suchten sich das Motiv aus. Matthew wählte für sich ein Vorhängeschloss in Herzform aus und Angelique sollte den Schlüssel dazu tätowiert bekommen. Für Matthew stand nämlich fest, dass sie der Schlüssel zu seinem Glück ist und so sollte dieses Tattoo es auch darstellen. Die Motive würden sie sich auf die Unterarme stechen lassen. Also vereinbarten sie einen Termin für den nächsten Tag und machten sich auf den Weg zum Yogastudio.

„Hallo Matthew, schön dich zu sehen. Wie stehen die Dinge?“, fragte Mateo, nachdem er beide herzlichst begrüßt hatte. Noch wusste er nichts über die Ereignisse der letzten Tage und

wunderte sich ein wenig darüber, die beiden so vertraut miteinander zu sehen.
„Darf ich dir meine große Liebe vorstellen?“, sagte Matthew und umarmte Angelique.
„Oh...“, war alles, was Mateo von sich geben konnte. Er war sehr überrascht und das konnte man ihm auch ansehen. Angelique errötete, als sie merkte, dass ihre Liebe anscheinend einige Pläne der Jungs zunichtegemacht hatte.
„Freust du dich denn gar nicht für mich?“, fragte Matthew ein wenig enttäuscht.
„Sicher freue ich mich! Nur kommt es sehr überraschend. Angelique, nichts für ungut, sorry, aber Matthew war bisher der eingefleischte Junggeselle und ich hätte es ihm niemals zugetraut“, antwortete Mateo ehrlich an beide gerichtet. Doch dann nahm er sie nacheinander in den Arm und gratulierte ihnen von Herzen. Matthew war erleichtert.
„Und wie geht es jetzt mit unserem Vorhaben auf der Insel weiter?“, fragte Mateo, als Angelique in der Umkleide verschwand. „Du weißt, dass ich in ein paar Tagen hinwollte?“, fügte er enttäuscht hinzu.
„Das kannst du immer noch gerne tun. Louise und zwei andere Frauen werden ja dort sein. Aber wehe, du fasst Angelique an, dann sind wir längst Freunde gewesen. Ich warne dich!“, sagte Matthew zwar scherzhaft, doch er meinte es ernst und das verstand Mateo sehr gut.
„Ich freue mich schon sehr, Louise wiederzusehen. Sie hat es mir

echt angetan. Ich werde allerdings noch jemanden mitbringen. Du hast hoffentlich nichts dagegen, oder? Es ist Claire. Du kennst sie und ihre renommierte Boutique-Kette. Sie hat Interesse an Louises Entwürfen und darum möchte ich sie ihr vorstellen.“ Mateo war sich sicher, dass Louise dann eine Abnehmerin für ihre Mode haben würde. Angelique kam nun zurück und bekam diesen Satz gerade noch mit.

„Hey Mateo, meinst du, sie hätte auch Interesse an meinen Entwürfen?“, fragte sie sofort ehrgeizig.

„Ich kann gerne für dich nachfragen, doch wenn sie auf die Insel kommt, dann kannst du sie persönlich kennenlernen und ihr deine Arbeiten zeigen. Dann werden wir sehen, okay? Und jetzt wollen wir doch ein wenig für unseren Körper tun, oder? Seid ihr bereit?“, fragte er mit Begeisterung, denn Yoga war seine Leidenschaft und er konnte es nicht mehr abwarten, auch Matthew dafür zu begeistern. Dieser tat sich jedoch sehr schwer damit, Yoga als eine Sportart zu akzeptieren und grinste ironisch. Nach einigen anstrengen Minuten änderte Matthew jedoch seine Meinung dazu grundlegend. Als die Trainingsstunde dann zu Ende war, fuhren sie nach Hause und verbrachten den Abend am Pool, um sich zu entspannen. Angelique fieberte jedoch dem nächsten Tag entgegen, denn dann würde sie ihr erstes Tattoo bekommen. Sie war sehr aufgeregt. Was wird wohl Louise dazu sagen, fragte sie sich in Gedanken und konnte es kaum noch abwarten.

30

Da Matthew vor der Rückkehr zur Insel noch einige wichtige Angelegenheiten regeln musste, blieb Angelique an dem Vormittag zu Hause. Sie ging zu Martha in die Küche und schaute ihr bei den Vorbereitungen zum Mittagessen zu.

„Martha, darf ich dir helfen? Ich möchte so gerne kochen lernen“, sagte Angelique und stand schon neben ihr bereit. Sie wollte jede Gelegenheit nutzen, um es zu lernen.

„Hast du es denn zu Hause nicht gelernt?“, fragte Martha ein wenig überrascht.

„Nein, leider nicht. Ich habe viel Zeit im Internat verbracht und als mein Studium zu Ende war, bin ich nach Miami gekommen“, versuchte Angelique, sich zu rechtfertigen.

„Na, dann werde ich es dir, so gut ich kann, beibringen.“ Martha fühlte sich geehrt, ihr diese Bitte erfüllen zu können.

„Schade, dass wir morgen schon wieder zur Insel zurückkehren“, sagte Angelique ein wenig traurig. Obwohl sie sich auch teilweise darauf freute, in das traumhafte Paradies zurückkehren zu dürfen und dort weiterhin arbeiten zu können. Sie war hin und her gerissen.

„Aber du kommst doch sicherlich bald wieder und dann werden wir so einiges ausprobieren. Versprochen!“ Martha lächelte sie an und drückte sie liebevoll an sich. Das Mädchen gefällt mir, dachte sie dabei. Angelique fühlte sich geborgen und sehr wohl in Marthas Nähe. Und so zauberten beide ein leckeres Menü. Als

Matthew zurückkam, tischten sie ihm stolz diese Köstlichkeiten auf. Später fuhren beide zum vereinbarten Tattoo-Termin.

„Angelique, ist alles in Ordnung bei dir? Du siehst so blass aus?“, fragte Matthew während der Fahrt und machte sich Sorgen, denn sie war die ganze Zeit über sehr ruhig.
„Na ja. Ehrlich gesagt habe ich Angst vor den Schmerzen“, antwortete sie leise und sank tiefer in den Sitz ein.
„Hey, mein Engel, du schaffst das“, ermunterte er sie. „Und ich könnte wetten, dass es nicht dein letztes Tattoo sein wird.“ Matthew lächelte sie liebevoll an und sie erwiderte zaghaft sein Lächeln.
„Ich hoffe es sehr“, sagte sie, ihre Antwort klang jedoch nicht gerade überzeugend. Als sie im Studio angekommen waren, ließ Matthew ihr den Vortritt, damit sie nicht auf die Idee kam, es sich doch noch anders zu überlegen. Während der Tätowierer mit seiner Arbeit begann, nahm Matthew Angeliques Hand und streichelte sie ununterbrochen. Es beruhigte sie und so hielt sie diese schmerzhafte Prozedur durch. Später war er dran und Angelique hielt auch seine Hand dabei. Dies sollte eher zu ihrer Beruhigung beitragen, denn Matthew war hart im Nehmen und brauchte solchen Zuspruch nicht. Doch ihr zuliebe ließ er es geschehen, auch wenn der Tätowierer sich ein wenig lustig darüber machte. Später am Abend setzten sich beide in einem der Beachclubs am Strand und ließen den aufregenden Tag mit einem

guten Wein ausklingen. Am nächsten Tag ging es wieder zurück zur Insel.

31

Angelique wachte auf und spürte zarte Küsse auf ihrer Haut. Der Tag begann herrlich.
„Wie spät ist es?“, fragte sie verschlafen und reckte sich genüsslich. Danach drehte sie sich auf den Bauch und versuchte, wach zu werden. Matthew fand ihre Position sehr einladend und glitt mit seinen Lippen über ihren Körper. Er liebte jedes Fleckchen davon. Seine Gier nach ihr war einfach unersättlich. Seine Hände berührten ihre Pobacken wie die eines Schöpfers, der sein Werk gerade vollendet. Angelique hatte die Augen geschlossen und stöhnte lustvoll bei dieser Liebkosung. Jetzt war ihr Körper hungrig nach Liebe und sie gab sich ihm völlig hin. Mit allen Sinnen genoss sie diesen Moment und übernahm manchmal die Führung, was Matthew besonders gefiel. Er ließ sich von ihrem Mund verwöhnen und benutzte seinen, um ihr Freuden zu bereiten. Und so trieben sie auf einer Welle, die sie jegliches Zeitgefühl vergessen ließ und sie immer höher mit sich trug. Bis sie brach und sie tosend im Glücksgefühl versanken. Atemlos lagen sie nun nebeneinander. Mit jedem Tag erwachte in Angelique größeres Verlangen nach Matthews Zärtlichkeiten, und sie fand Gefallen an diesen Handlungen, vor denen sie eine Zeit lang geflüchtet war. Es war das Gefühl der Liebe, das alles in ihr veränderte. Sie war glücklich wie noch nie zuvor.

Nachdem sie dann doch aus dem Schlafzimmer herausgefunden hatten, gingen sie frühstücken und fanden auf der Terrasse einen reichlich gedeckten Tisch vor. Martha war schon sehr früh auf den Beinen, da sie wusste, dass Matthew heute wieder zur Insel fuhr. Sie wollte ihn verwöhnen, da sie nicht ahnen konnte, wann er denn wieder einmal nach Hause kommen würde. Und so stärkten sie sich zu dritt und plauderten ein wenig. Als es an der Tür klingelte, wurde Angelique unruhig. Sie würde gleich die zwei Frauen kennenlernen, die mit auf die Insel sollten. Ein eigenartiges Gefühl erfasste sie, das sich nicht einfach beschreiben ließ. War es Angst? Oder Eifersucht? Sie hätte es nicht sagen können, doch das Herz schlug ihr bis zum Hals. Matthew führte Paisley hinein und stellte ihr Angelique vor.

„Hi Paisley, schön, dich kennenzulernen", sagte Angelique anstandshalber und schaute sie sich genauer an. Was sie sah, gefiel ihr gar nicht, denn Paisley hatte eine Figur, mit der sie allen Männern den Kopf verdrehen konnte. Bestimmt auch Matthew, und da war sie sofort wieder, diese Angst, ihn zu verlieren. „Hi Angelique, ich freue mich auch, dich kennenzulernen." Paisley strahlte sehr viel Selbstbewusstsein aus und lächelte sie fröhlich an. Wenn sie wüsste, was in Angelique vorging. Doch diese ließ es sich kaum anmerken. Martha beobachtete unauffällig diese Begegnung und machte sich ihre eigenen Gedanken dazu. Sie war ja schließlich nicht eingeweiht und wunderte sich über die neue Besucherin, als es an der Tür erneut klingelte. Nun führte Matthew Anna hinein und stellte auch sie Angelique vor.

Angelique beobachtete beide Frauen sehr aufmerksam, während Matthew ihnen half, ihre Sachen auf die Yacht zu bringen. Martha entging nicht, mit welcher Sorge Angelique dieses Geschehen verfolgte, doch ihre Diskretion ließ es nicht zu, sie darauf anzusprechen. Zum Abschied umarmte sie Angelique jedoch besonders herzlich und gab ihr einen Kuss auf die Wange. Es wird alles gut, wollte sie sagen, doch dann hielt sie sich zurück. Sie war davon überzeugt, dass Matthew endlich seine große Liebe gefunden hatte und diese nicht aufs Spiel setzen würde. In diesen Gedanken versunken stand sie noch einige Zeit lang am Steg und schaute zu, wie die Yacht am Horizont verschwand.

Während der Fahrt war Angelique nicht gerade gesprächig, und das fand Paisley ein wenig eigenartig. Nach einer Weile wurde es ihr zu viel. Sie musste handeln.

„Hey Angelique, bist du immer so drauf?", fragte Paisley und starrte sie herausfordernd an.

„Was meinst du damit?" Angelique wollte sich nicht provozieren lassen und blieb ruhig. Anna schaute den beiden zu und schmunzelte. Bloß nicht einmischen, dachte sie gelassen.

„Na, so ruhig und abweisend. Bin ich etwa der Grund dafür? Wenn du mich nicht magst, dann kannst du es mir ruhig sagen." Sie war jetzt voll auf Konfrontation aus.

„Ich kenne dich doch gar nicht. Warum sollte ich dich nicht mögen?" Angelique wurde ein wenig verlegen, als sie es sagte, denn Paisley konnte wirklich nichts für ihre schlechte Laune. Sie

wurde angeworben und wollte einfach nur ihren Job machen.
„Ich weiß nicht. Sag du es mir!“ Paisley ließ nicht locker.
„Hey Mädels, beruhigt euch doch. Wir drei fahren doch nur zum Arbeiten dorthin, also warum sollten wir uns denn bekriegen?“, sagte Anna schlichtend, um die Situation zu entspannen.
„Ihr fahrt dorthin, um zu arbeiten. Ich bin mit Matthew zusammen und werde dort zwar arbeiten, aber nicht auf eure Weise“, sagte Angelique ein wenig gereizt, denn sie wollte unbedingt ihren Status definieren.
„Oh, das freut mich für dich, ehrlich“, sagte Anna sehr überrascht. „Und natürlich auch für Matthew, denn es sieht ganz danach aus, dass er endlich seine Liebe gefunden hat.“ Sie freute sich wirklich für ihn, da sie ihn schon seit geraumer Zeit kannte und ihn auch sehr mochte. Dabei wurde ihr allerdings bewusst, dass er ihre Dienste nicht mehr benötigen würde und diese Feststellung fand sie dann weniger gut.
„Kennst du ihn schon lange?“, fragte Angelique neugierig.
„Ja. Seit ungefähr drei Jahren“, antwortete Anna. Angelique blieb der Mund offenstehen. Paisley prustete los. Diese Situation war so urkomisch, dass sie nicht anders konnte, als zu lachen.
„Hat er dir nichts erzählt?“, fragte Anna verlegen und hoffte, nichts Falsches gesagt zu haben. „Du kannst beruhigt sein, zwischen uns war nichts. Er hat mich immer mal gebucht, wenn er Begleitung zu besonderen Anlässen benötigte. Und manchmal auch, um sich zu vergnügen. Ich sah es immer nur als einen Job an, wurde dafür bezahlt und mehr war da nicht. Außerdem

gehört das wohl jetzt der Vergangenheit an, oder?“ Anna sprach es mit solcher Gleichgültigkeit aus, sodass Angelique sich ein wenig beruhigte.
„Hattest du dich auch mit ihm getroffen?“, fragte sie jetzt Paisley und schaute sie durchdringend an.
„Nein. Ich habe ihn erst vor ein paar Tagen kennengelernt, als er mir den Job angeboten hat. Und jetzt bin ich hier. Ich hoffe, du kannst damit leben, denn ich brauche die Kohle dringend. Und es sei dir versichert, ich werde ihn bestimmt in Ruhe lassen. Es sei denn, er bittet mich als mein Arbeitgeber um meine Dienste, dann kenne ich kein Pardon und werde sie ausführen! Sorry, Liebes. Vertrag ist Vertrag!“, sagte sie leicht genervt. Sie war bereit, sich mit jedem anzulegen, der ihr diesen Job vermiesen wollte. Auch wenn es die neue Liebe ihres jetzigen Arbeitgebers sein sollte, das war ihr egal. Angelique lenkte dann endlich doch noch ein, denn nachdem sie über alles nachgedacht hatte, begriff sie, dass die beiden nichts anderes machten, als ihren Lebensunterhalt zu verdienen.
„Paisley, entschuldige bitte meine fiese Laune. Ich habe nichts gegen dich. Du hast recht, du machst nur deinen Job. Freunde?“ Angelique streckte ihr die Hand entgegen und lächelte verlegen.
„Freunde!“, antwortete Paisley und war froh, dass die Situation doch nicht eskalierte. Sie zog Angelique in ihre Arme und drückte sie herzlich. Es war ihre offene Art, die sie so handeln ließ, und entweder mochte man sie oder kam damit nicht klar. Sie würde sich für niemanden verbiegen, das schwor sie sich immer wieder.

Anna erhob nun ihr Glas mit der Weinschorle und sagte: „Auf uns und die hoffentlich schöne Zeit auf der Insel." Die drei prosteten sich zu. Kurze Zeit später legte Matthew mit der Yacht am Steg an und führte den Neuzugang über die Insel.

32

Da Angelique nicht stören wollte, verabschiedete sie sich mit einem langen Kuss von ihrem Geliebten und begab sich zu ihrem Haus am Strand. Sie sah Louise auf der Terrasse sitzen. Anscheinend war diese total in ihre Arbeit vertieft, denn sie reagierte nicht auf ihr Kommen.

„Hallo Louise", rief Angelique schon von weitem und eilte zu ihr, um sie zu begrüßen.

„Hey Angelique, schön, dass du wieder da bist. Ich habe dich ein wenig vermisst." Louise drückte sie fest an sich und gab ihr einen dicken Kuss auf die Wange.

„Nur ein wenig? Habe ich etwa Konkurrenz bekommen?", fragte Angelique überrascht und schaute Louise fragend an.

„Na ja, nicht direkt meine Liebe. Es war mir aber auch nicht gerade langweilig während deiner Abwesenheit." Louise zwinkerte ihr verschwörerisch zu, als sie sprach und errötete.

„Du musst mir unbedingt alles erzählen!", forderte Angelique sie auf und sie setzten sich hin. Dabei entdeckte Louise das Tattoo auf Angeliques Unterarm, ergriff ihn und schaute ungläubig darauf.

„Was ist denn das?!", rief sie völlig entsetzt.

„Wie du siehst, war es mir auch nicht gerade langweilig." Angelique lachte jetzt herzhaft.
„Also, du zuerst", forderte Louise sie auf. „Und bitte mit allen Details! Unbedingt."
„Womit soll ich denn anfangen?" Angelique überlegte fieberhaft, wie sie es ihr beibringen sollte, dass sie mit Matthew zusammenzog. „Matthew hat mich gebeten, zu ihm zu ziehen. Du hast nun keine Mitbewohnerin mehr", erzählte sie und klang dabei ein wenig unsicher, da sie Louise nicht enttäuschen wollte.
„Und? Ziehst du bei ihm ein?", fragte Louise völlig perplex.
„Bin ich ja schon teilweise", antwortete Angelique und schaute sie schuldbewusst an.
„Was? Und das in den drei Tagen? Bist du dir denn wirklich sicher, dass er der Richtige ist?" Louise konnte kaum glauben, was sie da hörte.
„Louise, ich liebe ihn so sehr, dass ich keine Minute meines Lebens ohne ihn sein möchte. Und ihm geht es genauso. Warum sollte ich es dann nicht tun?", fragte Angelique völlig aufgeregt. Dass Louise ihr diese Frage stellte, war zwar berechtigt, und es tat ihr zwar leid, nicht mehr mit ihr zusammen zu wohnen, doch das Glücklichsein überwog jegliche Zweifel. Und das war sie definitiv: glücklich.
„Na, wenn das so ist, dann freue ich mich aufrichtig für dich!", sagte Louise, nahm sie in die Arme und erdrückte sie fast vor lauter Freude. Angelique kamen die Tränen, denn sie hatte mit einer solchen Reaktion ihrer Freundin nicht gerechnet. Die Angst,

Louise würde ihre Entscheidung nicht akzeptieren, ließ sie nicht zur Ruhe kommen. Doch jetzt, in diesem Moment, war sie sich sicher, dass ihre Freundschaft allem standhalten würde. Gerade als Louise von ihren Abenteuern mit Jaden erzählen wollte, erblickte sie Matthew, wie er mit zwei anderen Frauen im Schlepptau an ihrem Haus vorbeikam.

„Hey Matthew, möchtest du uns nicht vorstellen?", fragte sie neugierig, da sie erfahren wollte, welche Konkurrenz angereist war. Also führte Matthew den Neuzugang zu ihr und stellte ihr Paisley und Anna vor. Louise musterte beide Frauen sehr aufmerksam, dann wünschte sie ihnen noch einen schönen Nachmittag und die drei zogen weiter.

„Was hältst du von den beiden?", fragte Louise in einem herablassenden Ton.

„Sie sind beide eigentlich sehr sympathisch. Ich hoffe nur, dass Matthew die Finger von ihnen lässt. Sonst sterbe ich!" Angelique versuchte zu scherzen, als sie es sagte, doch Louise kannte sie lange genug, um zu wissen, dass sie es ernst meinte.

„Tja, meine Liebe, dann musst du anfangen, ihm einiges zu bieten. Du weißt, was ich meine, oder?" Louise war jetzt in ihrem Element. „Falls du Anregungen brauchst, frag mich. Ich helfe dir gerne, denn die Konkurrenz schläft nie." Mit dieser Aussage verunsicherte sie Angelique umso mehr.

„Und was war bei dir so los, die letzten drei Tage?", fragte Angelique, weil sie das unangenehme Thema unbedingt umgehen wollte. Und sofort fing Louise an, ihr alles Erlebte in Einzelheiten zu erzählen. Manchmal wurde es Angelique zu intim und sie errötete, doch auf diese Weise wollte Louise ihr begreiflich machen, worauf es beim Sex ankam. Kurze Zeit später kam Matthew zurück und setzte sich zu ihnen. Nun erblickte Louise auch sein Tattoo und tat erneut entsetzt. Sie hielt nicht viel davon, sich tätowieren zu lassen.

„Ihr seid ja schlimmer als zwei verliebte Teenager." Mit diesem Satz gab sie den beiden zu verstehen, wie sie über deren Verhalten dachte.

„Na, das nenne ich doch mal ein Kompliment!", rief Matthew laut, lachte herzhaft und küsste Angelique dabei sehnsuchtsvoll. „Kommst du mit zu mir, mein Engel. Ich möchte dich spüren", hauchte er ihr ins Ohr, jedoch so laut, dass Louise es hören konnte.

„Oh ja, sicher. Sorry, Louise, die Pflicht ruft", scherzte Angelique und zwinkerte ihr zu. Dann ergriff sie Matthews Hand und zog ihn eilig mit sich. Die Vorfreude, mit ihm allein sein zu können, wuchs, und sie konnte es kaum noch abwarten.

„Falls die Neuen etwas benötigen sollten, dann wissen sie, wo sie dich finden!", rief Matthew beim Weggehen Louise zu. „Wir wollen nicht gestört werden", fügte er noch hinzu. Dann hörte sie ihn laut lachen, während sie davonzogen. Na, das soll mir noch was geben, dachte Louise belustigt und ging zum Pool, um ihre Bahnen zu schwimmen.

In der Zwischenzeit lieferte Jaden die Sachen von der Yacht an den Neuzugang aus. Als er damit fertig war, kam er bei Louise vorbei, setzte sich auf die Liege und schaute ihr beim Schwimmen zu. Ihre Zweisamkeit hielt jedoch nicht lange an, denn sie bekamen Gesellschaft. Anna und Paisley erkundeten den Strand und gesellten sich sofort zu ihnen.

„Hallo Louise, nett hier!“, stellte Paisley fest, sprang ungehemmt in den Pool und planschte vergnügt. Anna setzte sich neben Jaden und schaute sich um. Sie war schon immer die Ruhe selbst und beobachtete gerne alles um sich herum.

„Hi Paisley, nett ist keine Beschreibung für dieses Paradies hier“, wies Louise sie in die Schranken und stieg aus dem Pool.

„Ja, okay. Du hast recht. Nett ist wirklich untertrieben. Es ist traumhaft hier“, antwortete sie und schwamm weiterhin vergnügt hin und her. Jaden schaute Louise an und grinste, als diese anfing, sich provozierend abzutrocknen. Jetzt, da sie Konkurrenz bekommen hatte, musste sie sich ein wenig anstrengen, um ihn zu reizen. Als dann Paisley aus dem Wasser stieg und Louise ihren Körper betrachtete, stieg Eifersucht in ihr auf. Dieser Körper war sehr weiblich und die großen, prallen Brüste lockten sofort alle Blicke auf sich. Jaden schwenkte nun auch seinen Blick auf Paisley und pfiff hemmungslos durch die Zähne. Dann stand er auf und verließ den Strand, denn in ihm brodelte pure Lust. Würde er noch ein wenig länger dort sitzenbleiben, dann garantierte er für nichts mehr. Also ging er an die Bar und trank ein Bier, um auf andere Gedanken zu kommen. Bei seinem zweiten

Glas bemerkte er, dass Louise zum Speisesaal kam, und er gesellte sich sofort zu ihr.
„Heiß die Braut! Meinst du nicht?“, sagte Louise sarkastisch.
„Oh ja. Sehr heiß“, bestätigte er und lächelte sie verführerisch an.
„Lust auf ein heißes Stündchen?“, fragte er dann ohne Umschweife und schaute ihr dabei direkt in die Augen. Zuerst loderte Wut darin, doch dann fing sie an zu grinsen und ihre Wut war verflogen. Jaden sah wieder dieses lustvolle Verlangen aufflackern. Er wollte sie unbedingt berühren, in ihr sein. Und er hatte auch schon eine Idee, wo er sich mit ihr vergnügen würde. Als sie fertig gegessen hatte, nahm er sie an die Hand und führte sie auf den Berg hinauf.
„Wo willst du denn mit mir hin?“, fragte sie überrascht, als sie immer höher den Berg hinaufstiegen.
„Wir gehen zum Wasserfall“, sagte er und zog sie immer noch hinter sich her. Seine Erregung trieb ihn an. Er wollte so schnell wie möglich dorthin.
„Ich dachte, du hast Lust auf ein heißes Stündchen, stattdessen gehst du mit mir spazieren?“ Louise klang ein wenig enttäuscht.
„Hey Baby, warte doch erst mal ab, du wirst dich noch wundern.“ Jaden blieb kurz stehen, nahm sie in die Arme und legte seinen weichen Mund auf ihren. Während er sie küsste, drückte er seinen Unterleib gegen ihre Hüfte, um sie spüren zu lassen, was sie erwartete. Sofort stöhnte Louise lustvoll und begriff, dass sie das bekommen würde, worauf sie gerade eine enorme Lust hatte. Jaden führte sie weiter hinauf. Nun folgte sie ihm gerne und ihre

Erregung wuchs mit jedem Schritt, mit dem sie sich dem Wasserfall näherten. Sie hörte schon von weitem das Wasser plätschern und einige Augenblicke später standen sie bereits davor. Louise staunte erneut über die Schönheit des Ortes, als Jaden sie an den Rand des herunterstürzenden Wassers führte. Dort fing er sofort seine Spielchen an. Sein Mund erkundete jeden Zentimeter ihrer Haut, während er sie begierig entkleidete. Die Gischt des Wasserfalls vernebelte beide und die Feuchtigkeit ließ ihre Körper umso erotischer erscheinen. Es gab nun kein Halten mehr. Mit einer Geschicklichkeit, die kaum jemand beherrschte, brachte er Louise in einen Zustand, der sie in ungeahnte Höhen gleiten ließ. Als sie wie in Trance seine Zärtlichkeiten genoss, befahl er ihr, sich in eine Kuhle im Stein zu setzen. Unmittelbar darüber stürzte das Wasser hinunter und höhlte so den Stein aus. Kurz schaute Louise ihn verunsichert an. Dann tat sie, wie er es verlangte. Das Wasser prasselte nun mit voller Wucht auf sie herab. Jaden schob nun ihre Beine auseinander. Jetzt begriff sie, wohin sie seine Bitte führen sollte. Das kühle Nass bescherte ihr ein Gefühl, das sie noch nie erlebt hatte. Sie lehnte sich zurück und ließ ihre Sinne alles auskosten. Jaden labte sich an ihrem Anblick. Ihr ganzer Körper spannte sich an, da sie sich dem größten Höhepunkt näherte, den sie in ihrem erotischen Leben bisher erlebt hatte. Dieser Anblick ließ auch Jaden nicht ungerührt, und als Louise kraftlos zusammen sank, wiegte er sie zuerst in seinen Armen. Später vergnügte er sich erneut mit ihr. Louise hätte es nicht für möglich gehalten, jemals im Leben solche körperliche

Befriedigung zu erfahren, hätte sie es nicht gerade eben erlebt. Ist eine Steigerung des Ganzen überhaupt noch möglich? Fragte sie sich in Gedanken, während Jaden sie immer wieder mit Küssen aus ihrer Träumerei zurückholte. Dieser Mann bringt mich um den Verstand, dachte sie verträumt, als sie den Berg wieder hinunterstiegen. Wird es je jemand toppen können? Überlegte sie, als er sie vor ihrem Haus zum Abschied küsste und verschwand.

33

Nachdem Matthew und Angelique im Haus ankamen, fing er sofort damit an, sie schon im Flur zu entkleiden. Er küsste sie wild, während sie sich befreien und ihm spielerisch entwischen wollte. Als er ihr Shirt hochzog und mit beiden Händen an ihren Busen griff, stöhnte sie erregt und schaute ihn provozierend an. Sein Blick wurde dunkel und lustvoll.

„Baby, du bist so wunderbar heiß", flüsterte er vor Erregung und fasste grob zwischen ihre Schenkel. Jetzt nahm die Lust auf dieses Spiel auch bei Angelique die Überhand. Um ihm zu beweisen, dass sie keine langweilige und unerfahrene Spielgefährtin sei, übernahm sie die Führung in diesem spannenden Moment. Matthew staunte nicht schlecht, denn was er jetzt geboten bekam, traute er ihr bisher nicht zu. Sein Herz vollführte erneut Sprünge. Sein ganzer Körper sehnte sich nach ihrer Berührung. Angelique brachte jedes Quäntchen Mut auf, um so weit zu gehen. Und das mit Erfolg. Matthew wurde zu Knetmasse in ihren

Händen, die sie leidenschaftlich zu modellieren begann. Die Zeit schien stillzustehen, während sie sich auf eine Art vergnügten, die beide zur vollkommenen Erfüllung führte. Erschöpft, aber glücklich schlief Matthew ein. Angeliques Kopf lag dabei auf seiner Brust. Sie hörte seinem ruhigen Herzschlag zu und dachte über vieles nach. Kann ich ihm wirklich das geben, wonach er sucht? Wird er sich damit zufriedengeben? Oder wird er woanders nach Befriedigung suchen? All diese Gedanken quälten sie, und sie fing an zu weinen.

„Baby, stimmt irgendetwas nicht?“, fragte Matthew, als er ihre Tränen auf seiner Brust spürte und dann ihr Schluchzen vernahm.

„Sorry, ich wollte dich nicht wecken“, schniefte sie laut, erhob sich und verschwand ins Bad. Er folgte ihr und nahm sie in seine Arme. Im Spiegelbild sah er, dass sie immer noch weinte. „Warum weinst du? Was ist denn nicht in Ordnung?“ Matthew klang besorgt, denn das Letzte, was er wollte, war, sie weinen zu sehen.

„Ich habe Angst, dir nicht zu genügen“, sagte sie schluchzend und drückte ihre Hände auf seine. Ihre Tränen wollten nicht versiegen.

„Angelique. Ich liebe dich und kann mir nicht mehr vorstellen, ohne dich zu sein. Auch der Sex mit dir ist fantastisch. Warum denkst du nur so negativ?“ Matthew war schockiert.

„Ich bin nicht gerade sehr erfahren in diesen Dingen und habe Angst, dass du dich langweilen könntest“, sagte sie ganz leise. Sie senkte ihren Blick und lehnte sich an ihn.

„Baby, du machst mich glücklich und zufrieden. Ich habe gedacht, dass du Sex genauso magst wie ich“, sagte er und zwinkerte ihrem Spiegelbild zu, da sie ihn jetzt anschaute.

„Sicher mag ich Sex. Besonders und vor allem nur mit dir. Ich bin aber nicht so gut darin wie manche anderen Frauen“, sagte sie immer noch sehr verunsichert. Dann drehte sie sich um und gab ihm einen heißen Kuss.

„Mich interessieren andere Frauen und ihre Sexpraktiken nicht mehr. Ich habe dich gefunden und möchte nur noch dich spüren und dich glücklich machen. Bitte sage es mir, falls ich dabei zu weit gehe. Okay?“ Matthew nahm ihr Gesicht in seine Hände und liebkoste es.

„Okay, versprochen“, flüsterte sie leise und kuschelte sich in seine Arme.

34

Kurze Zeit später ging Angelique zu ihrem Bungalow, um die mitgebrachte Ware auszupacken und einzusortieren. Matthew nutzte die Gelegenheit und begab sich sofort in seinen geheimen Raum. Seine Obsession überwog alles, und er konnte trotz seiner Liebe zu Angelique nicht darauf verzichten. Also startete er gespannt seinen Computer und stöberte in den Aufnahmen. Dabei entdeckte er Louise und Jaden am Wasserfall. Seine Augen glänzten vor Freude und seine Emotionen waren nicht mehr zu bändigen. Erregt beobachtete er, was da vor sich ging. Oh Mann, hat der Typ Ideen, dachte er und schaute weiterhin gebannt zu. Eines Tages werde ich diese Nummer auch mit Angelique versuchen, nahm er sich vor, als sein Geist endlich befriedigt wurde. Später schaute er noch bei Anna und Paisley herein. Anna saß auf der Terrasse und tippte am Laptop. Paisley duschte gerade und er sah, wie sie ihre Brüste einseifte. Dabei bemerkte er Piercing-Ringe an ihren Brustwarzen. Sofort regte sich wieder die Lust in seinen Lenden. Und auch wenn es einen Verrat an seiner geliebten Angelique bedeutete, würde er auf diese besonderen Momente niemals verzichten können und wollen. Davon durfte sie allerdings nie erfahren, denn er wollte sie nicht kränken; dafür liebte er sie wirklich viel zu sehr. Auf diese sonderbare Weise befriedigt, schaltete er den Computer aus und duschte ausgiebig. Dann machte er sich auf den Weg zu Angelique, um mit ihr zu Abend zu essen. Er fand sie bei Louise auf der Terrasse. Sie hatten es sich mit einem Glas Wein dort gemütlich gemacht. Als Louise ihn kommen sah, unterbrach sie sofort die Unterhaltung. Matthew schaute verdutzt drein.

„Lästert ihr etwa über mich? Du kannst ruhig weiterreden, ich höre dir auch gerne zu“, sprach er in einem lustigen Ton und gab Angelique einen Kuss.

„Frauengespräche. Sorry, mein Lieber“, sagte Louise, lächelte ihn an und nippte seelenruhig an ihrem Glas.

„Okay, akzeptiert. Habt ihr Lust, mit mir zu Abend zu essen, oder möchtet ihr lieber allein sein?“, fragte er, da er sehr hungrig war. Louise schaute Angelique an und wartete auf ihre Antwort.

Einerseits wollte Angelique das Gespräch mit Louise zu Ende führen, andererseits hatte auch sie großen Hunger und würde gerne mit ihm essen gehen. Sie entschied sich, das Gespräch zu verschieben.
„Gehen wir essen, ich sterbe vor Hunger“, sagte Angelique, stand auf und hakte sich bei Matthew ein.

 # 35 #

Im Speisesaal ging es wieder lebhaft zu, als sie ankamen. Anna und Paisley wurden von allen Seiten in Beschlag genommen. Jaden, Alex und David saßen den beiden gegenüber und löcherten sie mit den unterschiedlichsten Fragen. Daneben saßen Carida, Ella und Mirana und hörten interessiert zu, während sie ihre Teller leerten. Benita und Rodolfo nahmen am Nebentisch Platz und amüsierten sich über diesen Anblick. Von Anna erfuhren alle, dass sie einen YouTube-Kanal betrieb und dort über die Natur berichtete, die zu ihrer Leidenschaft geworden war. Sie unternahm in ihrer Freizeit gerne kleine Expeditionen ins Grüne und stellte sie später ins Netz. Außerdem schrieb sie gerade an einem Buch und wollte die Zeit auf der Insel dazu nutzen, beim Schreiben voranzukommen. Paisley war eine passionierte Zeichnerin. Sie entwarf Zeichnungen aller Art: Tattoos, Wanddekoration, Straßenkunst und fertigte Bilder in Bleistiftzeichnung an. „Also, wenn sich jemand gerne verewigen lassen möchte, ist er bei mir genau richtig. Über den Preis lasse ich dann mit mir reden“, sagte Paisley, wie immer sehr selbstbewusst. Dann lachte

sie herzhaft. Mit ihrer offenen Art eroberte sie im Nu alle Herzen um sich herum.
„Dann werde ich wohl der Erste sein, der einen Auftrag für dich hat“, rief Matthew. Angelique versteifte sich bei diesem Satz, denn sie befürchtete, Matthew würde sich mit ihr treffen.
„Und der wäre?“, fragte Paisley besonders neugierig.
„Ich möchte, dass du meine große Liebe zeichnest, und ich bin sehr gerne bereit, einiges dafür zu bezahlen.“ Matthew strahlte Angelique an und küsste sie leidenschaftlich. „Bist du denn damit einverstanden und wirst ihr Modell stehen?“, fragte er sie anschließend. Seine Augen strahlten so viel Liebe aus, dass ihr wieder die Tränen in die Augen schossen, so gerührt war sie. Sie schluckte schwer und lächelte dann erleichtert, als sie merkte, was er im Schilde führte.
„Das werde ich sehr gerne für dich tun, Liebster“, sagte sie leise und gab ihm einen innigen Kuss. Ihre Zweifel waren wie weggewischt; sie glaubte jetzt an seine Liebe zu ihr. Wenige Augenblicke später konnte Paisley mehrere solcher Aufträge für sich verbuchen und war mit dieser Entwicklung sehr zufrieden. Jetzt musste sie nur noch ein provisorisches Atelier in ihrem Arbeitszimmer einrichten, dann konnte sie loslegen. Weswegen sie eigentlich ursprünglich auf diese Insel kam, rückte erst einmal in den Hintergrund. Louise bewundert die Art, mit der Paisley alle um sich herum für sich begeistern konnte und wurde ein wenig neidisch. Sie war eher kühl und zurückhaltend und wünschte sich manchmal, so wie Paisley zu sein. Sie glaubte nämlich, dass

dadurch das Leben viel einfacher sein könne. Ihre konservative Erziehung ließ es jedoch nicht zu. Sie wurde zur Zurückhaltung und Gehorsam erzogen. Erst als sie nach Amerika kam, fing sie an, sich zu verändern. Sie entdeckte nach und nach die schönen Dinge des Lebens und genoss diese jetzt in vollen Zügen. So wie gerade in diesem Moment den Aufenthalt auf dieser Insel und die damit verbundenen Erlebnisse. Alex beobachtete sie aus dem Augenwinkel und ihm fiel auf, dass sie sehr nachdenklich war. Als er die nächste Runde Cocktails fertig hatte, setzte er sich zu ihr und schaute in ihre wunderschönen Augen. Sie sah sehr verletzlich aus, wie sie gerade da saß.

„Darf ich dich heute nach Hause begleiten?“, fragte er leise und schaute sie weiterhin an.

„Und was dann?“, fragte sie ihn herausfordernd, denn seine Frage riss sie aus ihren Gedanken und ließ sie in das Hier und Jetzt zurückkehren.

„Alles, was du möchtest, meine Schöne“, flüsterte er ihr zärtlich ins Ohr und strich dann mit seiner Zunge über ihren Hals. Louise bekam Gänsehaut und hielt den Atem an. „Du bestimmst und ich tue es“, fügte er hinzu. Doch Louise war nicht in Stimmung und wollte die Nacht allein verbringen.

„Sorry, Alex. Ich glaube nicht, dass ich dir heute Freude bereiten könnte. Ich möchte lieber allein sein in dieser Nacht. Gute Nacht und süße Träume wünsche ich dir“, sagte sie entschlossen, hauchte einen Kuss auf seine Wange, stand auf und ging nach

Hause. Alex schaute ihr enttäuscht nach, denn er begehrte sie und sehnte sich nach ihr.

So langsam wurde der Abend zur Nacht und die Lounge leerte sich wieder. Nur David und Anna saßen noch da. Sie schauten sich gemeinsam ihren YouTube–Kanal an. Am Strand auf einer der Liegen entdeckte Alex Jaden und Paisley, die sich angeregt unterhielten. Matthew und Angelique waren schon vor einer Weile aufgebrochen. Es blieb ihm also nichts anderes übrig, als aufzuräumen und allein schlafen zu gehen. Und das tat er dann auch schweren Herzens.

36

Die Nacht war ungewöhnlich ruhig. Sanfte Wellen schwappten auf den Sand der Korallenbucht und erzeugten dabei angenehme Geräusche. Die Einzigen, die hier noch saßen, waren Paisley und Jaden. Sie flüsterten jetzt miteinander, denn die Stille der Insel war überwältigend. Nach einer Weile setzte Jaden sich direkt neben Paisley. Sie durchschaute seine Absichten sofort. Erotik knisterte in der Luft. Bereits den ganzen Abend über beobachtete sie ihn neugierig und fand ihn sehr interessant. Jetzt war sie seinem Vorhaben nicht abgeneigt, denn er gefiel ihr gut. Außerdem fand sie im Gespräch mit ihm heraus, dass sie ungewöhnlich viele Gemeinsamkeiten hatten. Jaden saß nun direkt vor ihr, seine Hände auf ihren Oberschenkeln ruhend, und schaute sie an.

„Ich hoffe, du hast nichts gegen Sex?“, fragte er ungeniert und fing an zu schmunzeln.
„Ich liebe es“, antwortete Paisley und führte seine Hände an ihren Busen. Sie näherte sich seinen Lippen und fing an, diese mit ihren zu erkunden. Mit einer Sanftheit, die er gar nicht so kannte, berührte er ihren Busen. Er fühlte sich weich und fest zugleich an, sodass er nicht aufhören wollte, darüber zu streicheln. Dabei schloss er seine Augen und ließ sich treiben. Er spürte auch, wie Paisley mit ihrer Zunge nach seiner suchte. Jaden war von dieser Art des Kusses überwältigt. Sie zeigte ihm, dass auch eine Frau fordernd sein konnte und das imponierte ihm besonders. Als er dann auch noch die Piercings an ihren Brüsten ertastete, stockte ihm der Atem. Mehrmals fühlte er darüber. Sofort regte sich ungewöhnliche Lust in ihm. Erregt nahm er die Piercings in den Mund und spielte damit. Auf diese Weise versetzte er Paisley in eine Ekstase, die sie nicht so schnell vergessen würde. Im zauberhaften Mondlicht und bei angenehmer Meeresbrise genossen beide ihr Liebesspiel. Während Paisley auf seinem Schoß das bekam, wovon Frauen träumen, knabberte Jaden immer wieder gierig an ihren Piercings und bereitete ihr einen intensiven Hochgenuss. Ständig wechselten sie die Positionen und trieben von einem Höhepunkt zum anderen.
„Oh Paisley, du scharfe Biene. Welch ein Genuss, dich so zu spüren“, hauchte Jaden ihr ins Ohr, als sie ihre Spielchen beendet hatten.
„Na mein Hengst. Hast du dich ausgetobt?“, fragte sie ihn kess,

als sie völlig verschwitzt in seinen Armen lag und seinen schnellen Atem hörte.
„Du bist eine kleine heiße Hexe, hast mich voll verzaubert", flüsterte er zärtlich und schaute sie herausfordernd an. Jaden hatte bisher noch keine Frau wie sie getroffen. Heiß war keine passende Beschreibung für ihr Temperament. Sie war scharf wie ein Skalpell. Er war überwältigt und sprachlos. Plötzlich überkam ihn ein seltsames Gefühl. Sie war die Frau, mit der er sich sein weiteres Leben vorstellen konnte, obwohl er sie heute erst kennengelernt hatte. Diese Erkenntnis traf ihn wie ein Blitz.
„Das weiß ich, mein Lieber", antwortete sie kess und lachte dann aus vollem Hals. „Pass gut auf dich auf. Verbrenne dich nicht", fügte sie belustigt hinzu.
„An dir verbrenne ich mich gern", sagte er und küsste sie begehrlich. Dann half er ihr hoch und sie stiegen unter die Dusche. Auch dort ging es heiß her. Später begleitete Jaden sie zu ihrem Zuhause und verabschiedete sich mit einem sehnsuchtsvollen Kuss. Für ihn stand ab diesem Moment fest, dass er nur noch mit ihr zusammen sein wollte. Er würde keine andere Frau mehr anrühren.

37#

Als Louise am nächsten Morgen wach wurde, schaute sie kurz aus dem Fenster. Sie traute ihren Augen nicht, als sie sah, was da vor sich ging. Jaden und zwei ihr unbekannte Männer trugen Surfbretter und die dazugehörigen Windsegel an den Strand. So schnell sie konnte, zog sie sich ein Strandkleid über und lief begeistert hinaus.

„Wo kommen die denn so plötzlich her?“, rief sie schon von weitem. Überrascht bewunderte sie die Bretter.

„Du wolltest doch unbedingt welche haben, also hier sind sie.“ Matthew kam nun hinterher und lächelte sie fröhlich an.

„Oh Matthew. Das ging aber schnell!“, sagte sie begeistert, ging auf ihn zu und gab ihm einen herzlichen Kuss auf die Wange. „Danke, danke, danke!“, rief sie immer wieder begeistert. Ihre Freude war unbeschreiblich.

„Ich hoffe, dass bald der Wind noch ein wenig auffrischt, dann können wir mit dem Surfunterricht anfangen.“ Matthew war damit voll in seinem Element. Er liebte es, im Wasser zu sein, und es würde ihm sehr viel Spaß bereiten, Louise das Surfen beizubringen, dessen war er sich sicher. Nachdem die Männer noch die restlichen Sachen, die sie bestellt hatte, vorbeibrachten, verließen sie die Insel wieder. Louise fing sofort damit an, alles zu sortieren.

„Brauchst du Hilfe beim Möbelaufbau?“, fragte Jaden, der jetzt ein wenig Zeit erübrigen konnte. Er hatte es ihr vor einigen Tagen versprochen und wollte sein Versprechen auch einhalten. „Oh ja, das wäre sehr lieb von dir“, antwortete Louise und schaute ihn erwartungsvoll an. „Allein schaffe ich es nicht, danke“, fügte sie hinzu und fing an, die Ware auszupacken. „Ich hole nur kurz mein Werkzeug und bin dann gleich wieder bei dir“, sagte er und verließ ihr Haus. Louise schaute ihm nach und sofort regte sich in ihr die Lust, ihn beim Aufbau der Möbel zu verführen. Sie duschte schnell, zog einen Jumpsuit an und trug ein wenig Parfüm auf. So vorbereitet begab sie sich in ihr Arbeitszimmer und fing an, alles zurechtzulegen. Jaden kehrte zurück, legte sein Werkzeug hin und begann fleißig mit dem Schrauben.

„Geht es dir gut?“, fragte Louise nach einer Weile, als sie merkte, wie still er war.

„Ja. Danke, dass du fragst. Wie geht es dir heute?“, fragte er höflich und schaute zu ihr auf. Louise stand direkt vor ihm, reichte ihm ein Regalbrett und versuchte seine Stimmung zu ergründen. Normalerweise hätte er spätestens jetzt Anmerkungen zu ihrem Outfit gemacht oder sie sonst in irgendeiner Weise angeschmachtet. Doch er nahm ihr nur das Brett aus der Hand, beachtete sie kaum und schraubte weiter.

„Danke, auch gut. Lust auf ein Sexspielchen?“, fragte sie ungeduldig und lächelte ihn verführerisch an. Dann stellte sie sich hinter ihn, legte ihre Hände auf seine Schulter und glitt damit unter sein Shirt. Sie wollte ihn in Stimmung bringen.

„Sorry, Louise. Kein Interesse!“, sagte er abweisend und entzog sich ihrem Griff. Dieses Verhalten schockte Louise zutiefst. Sie setzte sich vor ihn hin und sah ihn grimmig an.

„Habe ich irgendetwas falsch gemacht?“, fragte sie unsicher und schaute in seine wunderschönen Augen. So abgewiesen zu werden, tat ihr weh.

„Nein. Du kannst nichts dafür“, antwortete er nur und senkte

verschämt seinen Blick.
„Was ist es dann?“, fragte sie ein wenig gereizt, denn sie war heiß auf ein Abenteuer mit ihm.
„Ich möchte nicht darüber reden. Entschuldige bitte“, antwortete er in einem sanften Ton und schaute sie verzweifelt an. Dann schraubte er weiter an dem Regal.
„Okay. Ich verstehe!“, rief Louise aufgebracht und verließ das Zimmer. Sauer und verletzt ging sie zum Speisesaal, um zu frühstücken. Aber auch um Jaden Zeit zu geben, alles fertig zu schrauben und ihr Haus zu verlassen. Helfen würde sie ihm jetzt bestimmt nicht. Während sie unterwegs war, versuchte sie in Gedanken den gestrigen Tag Revue passieren zu lassen und suchte nach dem Grund seines Benehmens. Sie konnte keinen finden. Im Speisesaal war außer David niemand da. Es war später Vormittag und die meisten hatten schon gefrühstückt und gingen ihrer Beschäftigung nach. Louise setzte sich nun in Ruhe hin und stocherte gedankenverloren in dem Rührei, das sie sich auf den Teller gelegt hatte, herum. Sie schaute aufs Meer hinaus und grübelte nach.
„Hallo Louise. Hast du keinen Hunger?“ Sie hörte Angeliques Stimme und drehte sich um. Zufällig kam auch sie gerade zum Frühstücken. Sofort erhellte sich Louises Gesicht ein wenig.
„Was ist los?“, fragte Angelique erschrocken, als sie merkte, welch fiese Laune Louise hatte.
„Kannst du dir vorstellen, du hast Lust auf Sex, bietest dich an und wirst abgewiesen?“ Louise war jetzt außer sich vor Wut und

konnte ihre Stimme nicht mehr kontrollieren. Angelique starrte sie ungläubig an.

„Nein. Das kann ich nicht, denn so etwas habe ich noch nicht erlebt“, sagte sie dann in einem ruhigen Ton. Sie sah nämlich, dass David sie beide sehr aufmerksam beobachtete.

„Der Typ wird mich nie wieder anfassen!“ Louise konnte sich immer noch nicht beruhigen.

„Von wem redest du? Von Alex?“ Angelique wollte es nicht glauben, denn ihr ist nicht entgangen, wie Alex Louise mittlerweile vergötterte.

„Na von Jaden. Dieser Scheißkerl! Zuerst bekommt er nicht genug von mir und dann bin ich ihm plötzlich egal!“ Louise schimpfte immer lauter.

„Hey Louise, sei bitte leiser. David schaut uns schon komisch an“, flüsterte Angelique ihr jetzt zu, denn sie wollte ihr die Peinlichkeit ersparen, ausgelacht zu werden.

„Das ist mir doch egal, soll er ruhig alles mitbekommen!“ Louise wurde total rot im Gesicht vor Wut. David ging nun hinein und hielt sich da raus. Als dann einige Minuten vergangen waren, in denen sie weiter gefrühstückt hatten, beruhigte sich Louise langsam und holte sich ein Glas Wein.

„Wie kannst du so früh am Tag Wein trinken?“, fragte Angelique erstaunt.

„Den brauche ich jetzt, um meine Laune aufzubessern.“ Louise prostete Angelique zu.

„Wo ist Matthew?“, fragte sie dann, als ihr Glas leer wurde. Ihre

Laune wurde dadurch aber auch nicht besser.
„Bei Anna und Paisley. Er wollte die Bestellung für ihre Arbeitszimmer durchgehen“, antwortete Angelique.
„Hoffentlich zeigt er ihnen nicht das wunderbare Sexzimmer! Du weißt, was dann passieren kann“, sagte Louise sarkastisch und holte sich noch ein Glas Wein.
„Warum bist du denn plötzlich so zickig? Habe ich dir irgendetwas getan?“, fragte Angelique, als Louise zurückgekehrt war und schaute sie herausfordernd an.
„Nein, Liebes. Sorry“, entschuldigte sich Louise und trank dann den Wein doch nicht mehr weiter. „Ich bin einfach nur sauer.“ Dann stand sie auf und ging nach Hause. Sie hoffte, dass Jaden nicht mehr in ihrem Haus war. Angelique schaute ihr nach und wurde nachdenklich. Kurze Zeit später ging auch sie in ihr Strandhäuschen und fing an zu arbeiten.

38

Im Haus angekommen stellte Louise fest, dass in ihrem Arbeitszimmer alles ordentlich aufgebaut war. Von Jaden keine Spur. „Dein Glück, Junge“, sagte sie laut zu sich selbst und fing an, ihre Nähutensilien auszupacken und zu sortieren. Sie musste sich jetzt ablenken und unbedingt weiterarbeiten. Also machte sie sich daran, Zuschnitte zu fertigen und nähte dann fleißig an ihren Stücken. Ihre Kollektion bekam langsam Form und sie war stolz auf das, was sie bisher geschafft hatte. Der Tag war wie im Flug vergangen und als sie auf die Uhr schaute, war es schon später Nachmittag. Ihre Wut war abgeklungen und sie hatte Lust auf eine kleine Zwischenmahlzeit bekommen. Und so machte sie sich erneut auf den Weg zum Speisesaal. Und wieder fand sie dort gähnende Leere vor. Also bereitete sie sich einen Salat zu, probierte von den Tapas, die David liebevoll zubereitet hatte, und ließ sich von ihm einen alkoholfreien Cocktail mixen. Als sie so dem Meer zugewandt saß und schlemmte, legten sich plötzlich Hände über ihre Augen und sie spürte Lippen in ihrem Nacken. Überrascht hielt sie den Atem an und versuchte zu erraten, wer es denn sein könnte. Als die Hände ihre Augen wieder frei gaben, schaute sie hoch und erblickte Mateo, der strahlend zu ihr heruntersah und lächelte. Louise wurde es schwindelig. Sie sprang auf, stürzte sich auf ihn und küsste ihn ewig lange.

„Oh man, Louise. Was für eine stürmische Begrüßung!“ Mateo konnte seinen Augen nicht trauen, als er sie sah. Er schob sie ein Stückchen von sich und musterte sie von oben bis unten. „Du siehst so wunderschön aus. Und wie wunderbar gebräunt du schon bist. Ich kann es kaum glauben, dass erst wenige Tage vergangen sind, seit wir uns das letzte Mal gesehen haben.“ Noch bevor Louise etwas erwidern konnte, legten sich seine Lippen auf ihren Mund und er küsste sie zärtlich, aber sehnsüchtig und drückte sie fest an sich.

„Mateo, schön dich zu sehen. Ich habe noch gar nicht mit dir gerechnet“, sagte Louise, als er sie endlich losließ. „Bist du allein gekommen? Oder sind Aiden und Christopher auch da?“, fragte sie neugierig.

„Die beiden sind auch da. Ich habe allerdings noch eine Überraschung für dich mitgebracht.“ Mateo grinste jetzt verschwörerisch.
„Was ist es denn? Kann ich es sofort sehen? Ich liebe Überraschungen!“ Louise freute sich wie ein kleines Kind. Sie liebte wirklich Überraschungen.
„Ich denke, in ein paar Minuten wird sie so weit sein“, sagte Mateo und schaute in Richtung Matthews Haus.
„Sie? Welche sie?“, fragte Louise irritiert. Ihre gute Laune schwand erneut dahin.
„Lass dich überraschen, meine Schöne. Es könnte sich lohnen“, sagte er leise zu ihr und nahm sie wieder in seine Arme. „Es tut so gut, dich zu spüren“, hauchte er in ihr Ohr und schaute sie mit einem sehnsüchtigen Blick an. Seine graublauen Augen leuchteten vor Freude und es bildeten sich kleine Lachfältchen um sie herum, als er sie anlächelte. „Du bist so wunderschön“, sagte er weiter und konnte sich nicht satt an ihr sehen. In diesem Moment wurde Louise bewusst, wie sehr sie seine Zärtlichkeit und Nähe brauchte. Die Sexeskapaden der letzten Tage kamen ihr wie ein Vergehen an seiner Zuneigung vor und sie schämte sich plötzlich für ihr Verhalten. Hoffentlich erfährt er nichts davon, denn dann wäre alles verloren, dachte sie verzweifelt und schmiegte sich fest an ihn.
„Drückst du mich auch so liebevoll wie ihn?“, hörte sie plötzlich eine bekannte Stimme neben sich und versteifte sich sofort dabei. Mateo entging das nicht und er schaute gebannt zu, wie sie

auf Aiden reagieren würde. Es war schon einmal vorgekommen, dass sie Aiden ihm vorgezogen hatte. Beim zweiten Mal würde er es nicht akzeptieren, das stand auf jeden Fall für ihn fest.

„Hallo Aiden, schön dich zu sehen", sagte Louise nur trocken und blieb in Mateos Umarmung. Das Herz schlug ihr dabei bis zum Hals, denn sofort hatte sie wieder diese eine Nacht vor Augen, die sie mit ihm erlebt hatte. Ihr Verstand jedoch verbot es ihr, sich noch einmal auf ihn einzulassen. Aiden war über ihre Reaktion ein wenig enttäuscht und zog dann weiter in Richtung der Bungalows am Strand. Als Louise kurz darauf aufblickte, kam ihr eine attraktive Frau entgegen, und Louise konnte ihre Augen nicht von ihr abwenden. Sie war mindestens 180 cm groß, hatte eine wunderbare weibliche Figur, lange blonde Haare und blaue Augen. Ihr Gesicht war makellos und sie strahlte eine Eleganz aus, die einschüchternd wirkte.

„Du musst Louise sein? Ich bin Claire, hallo", sagte diese und streckte ihr die Hand entgegen. Langsam löste Louise sich aus Mateos Umarmung und reichte Claire unsicher die Hand.

„Hi Claire, was führt dich auf diese Insel?", fragte Louise ein wenig irritiert. Zum Arbeiten kam diese Dame bestimmt nicht hierhin, dachte sie dabei.

„Ich würde mir sehr gerne deine Arbeiten anschauen", sagte Claire, lächelte verschmitzt und fügte noch hinzu: „Vielleicht kommen wir ins Geschäft?"

„Oh, aber ja doch! Sehr gerne." Jetzt leuchtete es Louise ein, wen sie vor sich hatte, und sie errötete leicht dabei. Sie war nicht darauf gefasst, dass Mateo tatsächlich sein Wort halten würde, das er ihr beim letzten Treffen gegeben hatte. „Wenn du möchtest, können wir unverzüglich zu mir gehen“, sprach Louise verlegen und im selben Moment überlegte sie angestrengt, ob ihr Zuhause aufgeräumt war. Sie wollte nicht unordentlich rüberkommen. Egal, dachte sie, jetzt ist es ohnehin zu spät. Ihr Herz schlug wie wild vor Aufregung und Anspannung. Schnell fasste sie Mateos Hand und führte beide zu ihrem Häuschen am Strand. Claire staunte nicht schlecht, als sie über die Insel schaute. Ihre Schönheit entzückte sie. Am Strand angekommen, zog sie die Sandalen aus und watete genüsslich in den kleinen Wellen, die auf den Sand aufschlugen.

„So habe ich es an meinem ersten Tag hier auch gemacht“, flüsterte Louise Mateo zu und lächelte zufrieden. Mateo nahm ihr Gesicht in beide Hände, schaute sie total verliebt an und küsste sie, als ob die Welt untergehen sollte.

„Mateo, ich kann jetzt sehr gut nachvollziehen, warum du unbedingt so schnell hierhin wolltest“, sagte Claire, als sie es sah und lachte herzlich. „Wenn mich so viel Schönheit locken würde, würde ich auch nicht Nein sagen! Damit meine ich beides, die Insel und natürlich dich, Liebes“, gab sie hinzu und schaute dabei Louise an. In Louises Augen standen Tränen, die sie kaum zurückhalten konnte. So liebevoll hat schon lange niemand mehr mit ihr gesprochen. Sie war überwältigt und fand Claire auf Anhieb sympathisch.

„Darf ich dir jetzt meine Arbeiten zeigen?“, fragte Louise

ungeduldig und führte sie ins Haus. Claire schaute sich die Bungalows nun genauer an und versuchte zu ergründen, nach welchem Prinzip diese von den Bewohnern ausgesucht wurden. Sie glaubte, dass die Farbe der Häuser dabei eine Rolle spielte, denn durch sie konnte man einiges über die Persönlichkeit der Menschen erfahren. Als sie sich dem gelben Haus näherten, staunte Claire nicht schlecht. Sie hätte Louise eher eine dezentere Farbe zugetraut. Gelb bedeutete Fröhlichkeit, Spontanität und Hoffnung. Mal schauen, ob diese Farbe tatsächlich zu ihr passt, dachte sie und trat ein. Louise führte sie in ihr Arbeitszimmer, wo an einem Ständer mehrere ihrer Arbeiten hingen. Daneben auf dem Arbeitstisch lagen noch einzelne nicht beendete Stücke. „Wow, Louise, dein außergewöhnliches Talent ist unübersehbar. Und diese fröhliche Art, die du hiermit ausdrückst, passt genau zum Flair von Miami Beach.“ Claire begutachtete die fertige Kollektion, schaute sich noch einige Skizzen an und witterte ein gutes Geschäft. „Ich bin wirklich sehr beeindruckt. Hut ab. Ich glaube, da gibt es nicht viel zu überlegen meinerseits. Wenn du möchtest, nehme ich dich gerne unter Vertrag. Ich sehe hier ein enormes Potenzial.“ Louise wusste in diesem Moment nicht, wie es ihr geschah. Sie stand einfach nur da und glaubte nicht, was sie hörte, bis Mateo sie in die Arme nahm und ihr gratulierte. Erst jetzt begriff sie, was dieser Moment für sie bedeutete: einen ersten Erfolg auf dem Weg zu ihrer Selbstständigkeit. Mit Freudentränen in den Augen ergriff Louise Claires Hand und sagte zu.

„Wir müssen allerdings noch die Bedingungen aushandeln, doch ich denke, wir werden uns schon einig werden“, sagte Claire und lächelte zufrieden.
„Louise, hast du Lust, mit mir ein paar Runden im Pool zu drehen?“ Angelique kam fragend herein und stockte, als sie die Besucher entdeckte. Sie hatte es gar nicht mitbekommen, dass Besuch auf die Insel kam, so beschäftigt war sie bis jetzt mit ihrer Arbeit. „Oh, Mateo, schön dich zu sehen!“, rief sie überrascht und umarmte ihn herzlich zur Begrüßung. Dann schaute sie Claire an und reichte ihr die Hand. „Hi, ich bin Angelique, Matthews Freundin“, sagte sie zaghaft und musterte Claire neugierig. „Hi, ich bin Claire. Mateo hat mir schon von dir erzählt. Ich freue mich sehr, auch dich kennenzulernen“, sagte sie und verzauberte Angelique mit ihrem ehrlichen Lächeln. „Wenn du nichts dagegen hast, würde ich mir gerne auch deine Arbeiten anschauen. Ich bin schon echt darauf gespannt, was mich erwartet, denn Louises Talent hat mich gerade sehr überzeugt“, sagte sie besonders interessiert.
„Aber gerne doch. Komm bitte mit.“ Angelique ging voraus und die anderen folgten ihr. Als sie auf den blauen Bungalow zugingen, überlegte Claire wieder, auf welche Eigenschaften diese Farbe hindeutete. Es war ein kleines Faible von ihr, sich damit zu beschäftigen. Blau bedeutete für sie Intelligenz, Verantwortung und Vertrauen. Wenn Angelique diese Eigenschaften tatsächlich besaß, dann wäre sie für Matthew die passende Partnerin. Außerdem wusste Claire, dass Blau auch Matthews

Lieblingsfarbe war, denn er hatte schon öfter bei ihr eingekauft und sie kannte seine Vorlieben, was die Kleidungsfarbe anging. Na, wenn das kein Zufall ist, dachte sie erfreut und betrat den Bungalow, den Angelique bewohnte. Im Arbeitszimmer präsentierte Angelique ihr dann ihre Kollektion und Claire war erneut begeistert. Auf der Stange hingen besonders elegant geschneiderte Kleider und bunte Blusen in dezenten Farben reihten sich an Röcken und Hosen. Die Qualität der Stoffe war hervorragend. Claire war sprachlos.

„Wieso seid ihr mir nicht schon früher begegnet?“, fragte sie erstaunt und sah sich die Zeichnungen an, die Angelique zuletzt angefertigt hatte. Ihre Begeisterung war nicht zu überhören und die Freundinnen fielen sich glücklich in die Arme. Beide hatten Freudentränen in den Augen und atmeten aufgeregt ein und aus.

„Wenn ihr also bereit seid, mit mir zusammenzuarbeiten, dann möchte ich sehr gerne eure Mode im großen Stil vermarkten“, sagte Claire an beide gerichtet und sie fingen an, vor Freude zu kreischen. Mateo und Claire warteten geduldig, bis sich die beiden wieder beruhigt hatten und lächelten verschmitzt, denn so eine Reaktion hatten sie nicht erwartet.

„Mateo, danke, dass du Claire hierher gebracht hast. Ich weiß gar nicht, wie ich das wiedergutmachen kann“, sagte Louise und schmiegte sich eng an ihn. „Claire, dir danke ich, dass du mir die Chance gibst, mich zu beweisen.“ Louise war vor Begeisterung nicht mehr zu bremsen.

„Auch ich möchte euch beiden danken. Ich freue mich schon sehr

auf die Zusammenarbeit mit dir, Claire. Wirklich! Vielen herzlichen Dank“, sagte Angelique und lächelte zufrieden.
„Angelique, hast du Louise gesehen?“, hörten sie Matthew von Weitem rufen und dann kam er auch schon herein.
„Schatz, ich habe gerade erfahren, dass Claire uns beide unter Vertrag nimmt. Ich bin so unsagbar glücklich!“, sagte Angelique und warf sich in seine Arme, sodass er kaum das Gleichgewicht halten konnte. Matthew drückte sie fest an sich und freute sich mit ihr.
„Dessen war ich mir von Anfang an sicher“, sagte er überzeugend und gab ihr dabei einen Kuss. Claire schmunzelte und war froh über diese Neuentdeckung, die frischen Wind in ihre Kollektion bringen würde.
„Das müssen wir unbedingt feiern! Kommt! Wir gehen an die Bar“, hörten sie Matthew sagen und verließen das Haus. Das war tatsächlich ein Grund zum Feiern. Der Meinung waren sie alle.
„Claire, hast du genügend Zeit mitgebracht? Wie lange hast du vor zu bleiben?“, fragte Matthew neugierig auf dem Weg dorthin.
„Kommt darauf an, wie lange du mich hier ertragen möchtest“, antwortete Claire und lachte dabei vergnügt.
„Du darfst bleiben, solange es dir beliebt. Ich mag gerne nette Gesellschaft“, scherzte Matthew weiter.
„Ist denn ein Häuschen am Strand noch frei? Dann würde ich mich dort sehr gerne für ein paar Tage einmieten. Wenn es dir nichts ausmacht, natürlich.“ Sie zwinkerte ihm zu, als sie es sagte. Solche Gelegenheit, hier auf dieser Insel zu entspannen,

wollte sie sich auf keinen Fall entgehen lassen. Ihre Entscheidung, in einen der Bungalows einzuziehen, kam Matthew wiederum sehr gelegen, denn so konnte er die Freiheit in seinem Haus genießen, ohne Rücksicht auf seine Besucher nehmen zu müssen. Die Gefahr, bei seinen geheimen Genüssen entdeckt zu werden, war dabei nämlich viel größer. Also einigten sie sich auf ein paar gemeinsame Tage und nahmen Platz in der Lounge neben der Bar.

39

Die Stimmung unter den Bewohnern war bestens und es wurden wieder leckere Cocktails bestellt. Als Alex anfing, diese zu mixen, fiel ihm auf, dass Louise nicht allein dasaß. Er sah zu ihr herüber und lächelte sie an. Louise wurde dabei sehr verlegen und strich sich eine Haarsträhne hinters Ohr. Mateo schaute sie an und fand den Anblick zauberhaft. Er beugte sich vor und legte seine Lippen auf ihren Mund. Louise errötete dabei, denn Alex schaute sie immer noch besonders intensiv an. Dann öffnete sie leicht ihren Mund und erlaubte Mateo, ihn mit seiner Zunge zu erforschen. Dabei legte er seine Arme um sie und drückte sie an sich. Louise atmete erregt, denn sie sehnte sich nach dieser Berührung und schmiegte sich noch enger an ihn. Augenblicke später schaute Mateo in ihre Augen und entdeckte eine Art Scheu darin, die ihn verunsicherte.

„Ich habe die letzten Tage nur noch an dich gedacht, meine Schöne“, hauchte er ihr ins Ohr und schaute sie weiterhin an.

„Jetzt bin ich froh, hier sein zu können und dich in meinen Armen halten zu dürfen. Du hast mein Herz gestohlen“, gestand er ihr und küsste sie erneut. Louise stockte der Atem. Ist er etwa verliebt in mich? Überlegte sie fieberhaft. Was für eine absurde Situation, dachte sie entsetzt, denn eigentlich sollte sie hier auf dieser Insel einen Dienst erfüllen, der so gar nichts mit Liebe zu tun hatte. Ihr wurde allerdings bewusst, dass man Gefühle nicht so leicht steuern konnte. Seine Art, mit ihr umzugehen, ließ auch ihr Herz höherschlagen, denn sie fühlte sich richtig wohl in seiner Nähe. Mehr noch, sie sehnte sich aufrichtig danach.
„Ich freue mich auch, dass du hier bist. Ich hoffe, du bleibst noch eine Weile, damit wir uns näher kennenlernen können. Das war es doch, worum du mich gebeten hast, nicht wahr?“, gab sie verlegen von sich und schmiegte sich erneut eng an ihn.
„Ja, das möchte ich sehr gerne. Darf ich denn für die kommenden Tage hier bei dir einziehen?“, fragte Mateo und wartete gespannt auf ihre Antwort.
„Wenn du es möchtest, dann sehr gerne“, sagte Louise und strahlte übers ganze Gesicht. Endlich gab es jemanden, der sich für sie persönlich interessierte und nicht nur auf ein Abenteuer aus war. Dieses Gefühl ließ sie hoffen und sie war bereit, sich voll und ganz darauf einzulassen.

Kurze Zeit später füllte sich die Terrasse mit den restlichen Bewohnern der Insel. Aiden und Christopher wurden von Anna und Paisley begleitet und unterhielten sich angeregt. Als letzte kamen

Benita und Rodolfo zum Essen und staunten nicht schlecht über so viel Besuch. Jaden ließ sich jedoch sehr viel Zeit damit, dazu zu stoßen. Lieber beobachtete er das Geschehen aus einer gewissen Entfernung, denn er hatte keine Lust auf erneute Konfrontation mit Louise. Als er allerdings merkte, wie sie von Mateo umgarnt wurde, beschloss er, diesen Abend doch noch mit allen zu verbringen und gesellte sich zu ihnen. Matthew stellte ihm Claire vor, da er alle anderen bereits kannte. Normalerweise hätte Jaden sie jetzt schon mit seinen Augen verschlungen, doch er nickte ihr nur freundlich zu und sagte: „Hi Claire, willkommen auf dieser Insel", holte sich ein kaltes Bier und setzte sich etwas abseits von allen hin. Louise beobachtete ihn unauffällig und musste feststellen, dass irgendetwas nicht stimmte. Was ist denn nur los mit ihm? Fragte sie sich. Dabei bemerkte sie, dass seine ganze Aufmerksamkeit wohl Paisley galt, denn er hatte nur noch Augen für sie. Sein Blick sprach Bände; dabei wurde Louise einiges klar. Hat es ihn etwa auch erwischt? Aber wie kann das sein? Paisley ist doch erst seit zwei Tagen hier, dachte sie weiter und spürte auf einmal, wie sich Mateos Arme um sie legten und er sie zu küssen versuchte. Sie schaute ihn ein wenig verwirrt an. „Wo bist du gerade mit deinen Gedanken? Bereit, sie mir zu verraten?", fragte er liebevoll, als er merkte, wie abwesend sie war. „Ach, nicht der Rede wert", antwortete sie schnell und schmiegte sich in seine Arme. Sie sog seinen Duft ein und hörte seinem Herzschlag zu, der so rhythmisch klang. „Ich bin so glücklich, dass du hier bist", flüsterte sie ihm zu und küsste ihn hingebungsvoll. Als sie Aidens Blick bemerkte, stand sie auf, nahm Mateo an die Hand und führte ihn zu ihrem Bungalow. Sie wollte jetzt nur noch mit ihm allein sein. Nun begriff Aiden, dass da nichts mehr zu holen war und wandte sich Paisley zu.

Sie gefiel ihm von dem Augenblick an, in dem er sie an ihrem Bungalow angetroffen hatte. Sie besaß eine gewisse wilde Ausstrahlung, die ihn besonders reizte. Ihre Figur haute ihn sofort um und ihre selbstbewusste Art imponierte ihm auf Anhieb. Er konnte und wollte seine Augen nicht von ihrer Oberweite abwenden und stellte sich vor, was er so alles mit ihr anstellen würde. Paisley entging sein gieriger Blick nicht, und es amüsierte sie, mit ihm zu flirten. Jaden beobachtete beide sehr genau. Ein Gefühl der Wut stieg in ihm auf. Es war niemandem aufgefallen, dass er kurze Zeit später die Lounge verließ. Matthew schaute in die Runde. Es kam ihm vor, als ob alle das Hiersein genießen würden. Sein Plan schien aufzugehen. Vor allem Christopher schien diese Atmosphäre gutzutun, denn hier konnte er endlich seinen Anzug ablegen und den täglichen Stress hinter sich lassen. Er saß zusammen mit Anna und sie unterhielten sich über alles Mögliche. Christopher war ein Arbeitstier und es gab bisher wenig Platz für ein weibliches Wesen an seiner Seite. Anna jedoch war eine hübsche und intelligente Frau. Matthew hätte es sich gewünscht, dass sein Freund ein wenig Interesse an ihr zeigen würde. Er mochte ihn nämlich sehr und es tat ihm im Herzen weh, ihn immer so einsam zu sehen. Die Zeit wird es wohl noch zeigen, dachte er optimistisch und wandte seine Aufmerksamkeit Angelique zu. Sie sah so entspannt und glücklich aus. Sein Herz schlug Purzelbäume, als sie ihn liebevoll anschaute und in seine Arme glitt. Claire schaute zu ihnen herüber und lächelte Matthew anerkennend an. Sie freute sich für ihn, da er endlich seine Liebe gefunden hatte. Als sie so weiter in die Runde blickte, sah sie, wie Aiden Paisley mit seinem Blick verschlang. Sie kannte ihn erst seit kurzem und schaute ihn sich jetzt genauer an. Ihr war aufgefallen, dass er eine sehr sportliche Figur hatte. Sie mochte solche Typen, schlank, hübsch und reich dazu. Aiden schaute zufällig kurz in ihre Richtung. Ihm fiel ihr interessierter Blick auf. Könnte sie mich erregen, fragte er sich. Hübsche Figur hat sie, dachte er weiter und lächelte sie verführerisch an. Claire wandte ihren Blick jedoch zuerst einmal ab, denn sie wollte nicht zum Freiwild werden und beteiligte sich am Gespräch mit Anna und Christopher. Gelegentlich sah sie aber immer mal verstohlen zu Aiden herüber, der sich dann doch wieder in vollem Umfang an Paisley heftete. Der Abend wurde schnell zur Nacht, und die meisten verabschiedeten sich. Wie fast jeden Abend gingen zuerst Benita, Rodolfo, Mirana, Carida und Ella nach Hause. Auf sie wartete am nächsten Tag sehr viel Arbeit, daher brauchten sie den Schlaf. Louise und Mateo waren nicht mehr zurückgekehrt. Matthew wurde ein wenig müde und fragte, ob Claire mitkommen möchte, denn sie würden sich jetzt zurückziehen. Da sie es nicht darauf ankommen lassen wollte, allein nach Hause zu müssen, stand sie auf und wünschte allen gute Nacht. Dabei schaute sie Aiden einen Augenblick länger als gewollt an und folgte dann Angelique und Matthew.

Alex und David räumten auf. Christopher war derart von Anna fasziniert, dass sie weiterhin zusammenhockten und sich angeregt unterhielten. Aiden hatte für die heutige Nacht nur noch ein Ziel vor Augen: Sex. Um es zu bekommen, war ihm jedes Mittel recht. Nun rückte er näher an Paisley heran und prostete ihr zu. Beide hatten ihre Cocktailgläser halb voll und schlürften daran. Aiden sah gebannt zu, wie sich Paisleys Lippen um den Trinkhalm legten und stellte sich vor, sie würde an ihm saugen. Sein Blick verdunkelte sich und ein Stöhnen entfuhr seiner Kehle. Paisley bemerkte seinen Blick und prustete los. Ihr entging nicht, welche Wirkung sie auf Aiden gerade in diesem Moment hatte und schlürfte weiterhin genüsslich an ihrem Cocktail. Also rückte Aiden noch näher heran und fing an, ihren Körper zu erkunden. Bei jeder weiteren Berührung gab auch Paisley anzügliche Geräusche von sich. Ihr Liebesspiel begann. Anna und Christopher war es nicht entgangen, was da gerade vor sich ging, und Christopher wurde verlegen. Anna schmunzelte innerlich, denn sie hatte kein Problem damit, dass andere neben ihr herummachten. Sex war für sie die normalste Sache der Welt. Christophers Reaktion jedoch hatte sie stutzig gemacht. Sie war bisher der Meinung, dass alle Kerle gleich seien. Doch nun sah sie Christopher in einem anderen Licht. Er kam ihr dermaßen unsicher vor, dass sie ihm diese unangenehme Situation nicht länger

zumuten wollte.
„Wollen wir schlafen gehen? Morgen können wir unser Gespräch dann fortsetzen“, schlug sie vor. Christopher war sichtlich dankbar für ihren Vorschlag. Also standen sie auf, und nachdem Anna sich bei ihm kumpelhaft eingehakt hatte, schritten sie langsam in Richtung ihrer Bungalows. Auch David und Alex machten sich kurz darauf auf den Heimweg. Zurück blieben nur Aiden und Paisley. Aiden schaltete sämtliche Beleuchtung aus, denn er wollte es romantisch angehen. Nur das Mondlicht erleuchtete die Bucht. Paisley wartete gespannt, was denn nun folgen würde. Aiden verführte sie nun mit all seinen Künsten. Heiße Küsse waren da erst der Anfang. Als er dann ihre Piercings ertastete, war es um ihn geschehen.
„Oh Gott, du bist gepierct? Und das an dieser Stelle? Das glaube ich nicht!“ Aiden stockte der Atem. Langsam zog er ihr Top aus und befreite ihren Busen. Sein Mund gierte danach. Das Metall fühlte sich kalt an. Seine Zunge genoss dieses Spiel. Er vergaß alles um sich herum. Dieses ungewöhnliche Gefühl war für ihn unbeschreiblich und seine Erregung stieg ins Unermessliche. Wild und laut genossen sie dieses Liebesspiel. Fast wie ein Echo klangen die nächtlichen Geräusche der Natur, die sich mit ihrem ungestümen Treiben vermischten. Nicht weit entfernt gab es allerdings eine Person, die dem Ganzen nichts Angenehmes abgewinnen konnte. Jaden saß nämlich in unmittelbarer Nähe und beobachtete das Geschehen. Sein Magen zog sich dabei zusammen, denn er litt Höllenqualen. Fieberhaft überlegte er, wie er

Paisley seine Liebe gestehen sollte. Lange würde er diese psychische Folter nicht aushalten können.

40

Am Tag darauf frischte tatsächlich der Wind ein wenig auf. Es wird wohl regnen heute, dachte Matthew, als er auf der Terrasse seinen geliebten Kaffee genoss. Angelique schlief noch und von Claire war auch nichts zu sehen. Also ging er in Ruhe seinen Gedanken nach. Seine gestrigen Beobachtungen zeigten eine neue Entwicklung in seinem Plan auf. Eigentlich sollte es eine Zeit des Vergnügens hier auf seiner Insel geben, denn darauf freute er sich vor ein paar Tagen am meisten. Stattdessen bildeten sich jetzt schon Pärchen unter seinen Gästen. Allen voran er und Angelique. Damit habe ich überhaupt nicht gerechnet, überlegte er weiter und nahm einen Schluck Kaffee. Was soll es, dachte er belustigt und schmunzelte vor sich hin. Dann werden wir wohl unser Singledasein aufgeben müssen. Was ist schon dabei, überlegte er weiterhin mit einem schelmischen Lächeln im Gesicht. Angelique stand ungesehen in der Tür und beobachtete ihn neugierig. Als er anfing zu lächeln, schossen ihr tausend Gedanken durch den Kopf. An wen denkt er wohl gerade? Hatte er doch Sex mit Paisley oder Anna gestern? Plant er etwa so etwas in der Richtung? Wenn ich doch nur seine Gedanken lesen könnte, wünschte sie sich insgeheim, denn die Eifersucht, die jedes Mal aufs Neue in ihr aufkeimte, machte ihr wahnsinnig zu schaffen. Matthew hatte sie immer noch nicht bemerkt und überlegte weiter. Wer weiß, vielleicht werde ich sogar eines Tages Vater, dachte er noch einen Schritt weiter, und bei diesem Gedanken strahlte er übers ganze Gesicht. Jetzt konnte Angelique nicht anders, als auf ihn zuzugehen.

„Guten Morgen, Liebster, so allein hier?“, fragte sie scherzhaft und gab ihm einen heißen Kuss. Dann sah sie ihn forschend an.

„Du schläfst ja lieber, anstatt mir Gesellschaft zu leisten“, antwortete er mit strahlendem Lächeln und zog sie auf seinen Schoß. Sie hatte kaum etwas an. Er hob ihr dünnes Hemdchen hoch und berührte zärtlich mit seinen Lippen ihren Busen. Angelique fing an zu kichern, denn seine Zunge kitzelte ihre Brustwarzen. Bei Matthew regte sich sofort etwas, und Angelique nahm ihn in sich auf.

„Oh Baby, wie wunderbar du dich anfühlst, so früh am Morgen. Ich begehre dich so sehr“, flüsterte er, während sie sich langsam auf und ab bewegte. Dabei schaute sie ihn an und entdeckte so viel Liebe und Begehren in seinem Blick, dass sie vor Glück zu weinen anfing. Matthew küsste liebevoll ihre Tränen weg und trieb sie sanft auf einen Höhepunkt zu.

„Ich liebe dich so sehr, Matthew“, flüsterte sie erregt. Dann küsste sie ihn leidenschaftlich und führte sein Gesicht an ihren Busen. Sie wollte ihn dort noch einmal spüren und lehnte sich genüsslich zurück. Matthew brachte sie erneut auf den Gipfel der Lust. Sie verweilte danach auf seinem Schoß, als plötzlich Claires Stimme erklang.

„Guten Morgen, ihr Turteltäubchen“, erklang aus der Tür.

Angelique errötete. Sie hoffte, dass Claire sie nicht beobachtet hatte und schaute scheu zu Matthew auf. Doch er lächelte nur belustigt, als ob er sagen wollte: Na und? Und küsste sie ununterbrochen weiter.

„Guten Morgen, Claire. Hast du gut geschlafen?“, fragte er dann, als er endlich seine Lippen von Angelique gelöst hatte. Claire kam mit einem Becher Kaffee in der Hand zu ihnen und setzte sich.

„Oh ja. Und wie! Diese Ruhe hier tut eindeutig gut. Ich habe seit einer Ewigkeit nicht mehr so wunderbar geschlafen. Danke“, antwortete sie und schaute aufs Meer hinaus. „Diese Aussicht von hier aus ist unbezahlbar“, fügte sie kurz darauf begeistert hinzu, als sie auf die Korallenbucht blickte.

„Ja, das denke ich auch jedes Mal, wenn ich hier sitze“, sagte Angelique mit leichter Röte in ihrem Gesicht.

„Du bist nun die Glückliche, die sie immer wieder genießen darf“, stellte Claire ein wenig neidisch fest.

„Dafür bin ich sehr dankbar“, sprach Angelique und schmiegte sich eng an Matthew, der seine Arme fest um sie geschlungen hatte und dabei zärtlich über ihren Rücken streichelte. Clair schaute in Matthews Augen und entdeckte pure Liebe darin. Einen solchen Mann hätte auch ich mir an meiner Seite gewünscht, dachte sie wehmütig und blickte erneut aufs Meer hinaus.

„Wollen wir heute ein wenig surfen lernen?“, fragte Matthew plötzlich. Der Wind war perfekt dafür.

„Mich kriegst du niemals da raus! Es gibt Haie da draußen“,

sprach Angelique. Das Entsetzen stand ihr erneut ins Gesicht geschrieben.

„Ich habe es noch nie versucht, könnte amüsant werden. Ich komme mit“, antwortete Claire, und als sie sich zurechtgemacht hatten, gingen alle drei frühstücken. Von Weitem schon sah Louise die drei ankommen und winkte ihnen fröhlich zu. Mateo saß neben ihr und immer wieder küssten sie sich lange und ausgiebig. Louise sah wunderschön aus. Sie hatte wieder einen Jumpsuit an, der nur von zwei dünnen Trägern gehalten wurde. Ihre Figur war einfach perfekt für solche Outfits. Ihr Körper hatte eine leichte Bräune angenommen und ihr Gesicht strahlte Zufriedenheit aus. Sie sah glücklich aus und ebenso Mateo. Seine Augen glänzten jedes Mal, wenn er Louise ansah und er konnte seine Hände und seine Lippen nicht von ihr lassen. Angelique war ein wenig überrascht, als sie die beiden so vertraut sah. Nach den Gesprächen, die sie mit Louise geführt hatte, hätte sie es ihr nicht zugetraut, sich jetzt schon in eine neue Beziehung stürzen zu wollen. Doch was sie sah, überzeugte sie vom Gegenteil, und sie freute sich sehr darüber.

„Möchtet ihr denn heute surfen lernen?“, fragte Matthew Louise und Mateo, als sie sich mit dem Frühstück zu ihnen setzten.

„Wirklich? Ist das dein Ernst?“, fragte Louise völlig aufgeregt und wollte sofort aufspringen.

„Hey Louise, mach mal halblang. Ich möchte erst in Ruhe frühstücken und du solltest es auch tun, weil du da draußen viel Kraft brauchen wirst!“, wies Matthew sie zurecht. Also begab sie sich

in den Speisesaal, füllte ihren Teller mit wertvollen Zerealien und Obst und kehrte dann zum Tisch zurück. Matthew nickte anerkennend. Einige Zeit später trudelten auch die anderen Gäste ein. Anna kam in Christophers Begleitung. Sie unterhielten sich erneut angeregt. Paisley hatte Aiden im Schlepptau und sah müde aus. War wohl eine lange Nacht gewesen, dachte Matthew schmunzelnd. Er war sich sicher, erneut einige spannende Momente geboten zu bekommen und freute sich jetzt schon darauf.
„Guten Morgen euch allen“, sprach Matthew, als alle endlich an den Tischen saßen. „Wer heute surfen lernen möchte, der ist in einer Stunde am Strand. Okay? Hat jemand von euch Jaden gesehen?“, fragte er dann in die Runde. Alle schüttelten den Kopf. Also blieb ihm nichts anderes übrig, als Jaden anzurufen. Er benötigte seine Hilfe bei dem Vorhaben, seinen Gästen das Surfen beizubringen. Also nahm er sein Handy und wählte Jadens Nummer. Dieser ging jedoch nicht dran. Und so blieb Matthew nichts anderes übrig, als persönlich nach ihm zu schauen. Er machte sich auf den Weg zu ihm. Jaden saß vor seinem Haus und grübelte nach.
„Warum gehst du nicht ans Telefon, wenn ich dich anrufe?“, fragte Matthew leicht verärgert. Als er jedoch Jadens verzweifelten Gesichtsausdruck sah, setzte er sich zu ihm.
„Was ist los? Ist etwas passiert, worüber ich Bescheid wissen sollte? Du weißt, dass du über alles mit mir reden kannst?“, sagte Matthew besorgt. Jaden schaute ihn lange an und überlegte, ob er ihm alles erzählen sollte.

„Matthew, es tut mir leid, aber ich glaube, ich werde deine Insel verlassen müssen“, sagte er dann leise, denn er sah keine andere Lösung für sein Problem.
„Was ist denn passiert? Ich dachte, du wärst glücklich über diesen Job hier?“ Matthew war entsetzt, so etwas zu hören. Er mochte Jaden und war mit seiner Arbeit mehr als zufrieden.
„Es liegt nicht an dir. Oder an meinem Job. Ich habe mich verliebt. Weiß nur nicht, ob diese Frau mit mir zusammen sein möchte.“ Jaden klang völlig verzweifelt.
„Wer ist es denn, wenn ich fragen darf? Und warum fragst du sie dann nicht?“ Matthew verstand sein Verhalten gar nicht. Dieses Problem musste allerdings schnell gelöst werden, denn so leicht würde er Jaden nicht aufgeben.
„Sie arbeitet für dich und weiß nichts von meinen Gefühlen“, sagte Jaden unsicher. Jetzt schaute Matthew ihn lange an.
„Und du bist dir sicher, dass du sie liebst? Wer ist es?“ Matthew drängte auf eine Antwort.
„Es ist Paisley, sie ist die Traumfrau für mich und ich möchte den Rest meines Lebens mit ihr verbringen“, sagte Jaden und legte verzweifelt seine Hände vors Gesicht. Matthew schaute ihn ungläubig an. Paisley war doch erst seit einigen Tagen hier. Wie kann das sein, fragte er sich in Gedanken. Doch mittlerweile überraschte ihn gar nichts mehr.
„Warum sprichst du sie denn nicht darauf an? Traue dich doch einfach mal. Versprich mir bitte, dass du mit ihr reden wirst, okay? Ich brauche dich jetzt allerdings dringend bei meinem

Vorhaben, den anderen das Surfen beizubringen. Darf ich mit dir rechnen? Bitte! Und danach kannst du mit Paisley sprechen. In einer halben Stunde erwarte ich dich mit deinem Boot am Strand. Geht das klar?“ Matthew stand auf, reichte ihm die Hand und zog ihn hoch. Dabei zwinkerte er ihm aufmunternd zu und sagte anschließend: „Es wird alles gut werden.“ Dann drehte er sich um und ging nach Hause, um sich umzuziehen.

Am Strand vor den Bungalows hatten sich alle seine Gäste bereits versammelt. Einige hatten Liegestühle mitgebracht und machten es sich darin bequem. Auf diese Weise konnten sie die Lehrlinge besser beobachten. Claire, Louise und Mateo standen bei den Surfbrettern und warteten ungeduldig auf Matthew, der mit leichter Verspätung dazukam. Dann hörten sie, wie ein Motorboot hinter dem Felsen hervorkam. Darin saß Jaden, der im Notfall Hilfe leisten würde. Nun konnte das Vergnügen losgehen. Es wurden zuerst Schwimmwesten verteilt und angezogen, denn Matthew war sehr auf Sicherheit bedacht. Dann erklärte er den dreien die Grundbewegungen und Handgriffe an den Surfbrettern und ließ sie im seichten Wasser üben. Schon selbst auf dem Surfbrett die Balance zu halten, war schwierig, und alle drei landeten immer wieder im Wasser. Dabei wurde allen bewusst, wie anstrengend das Windsurfen werden kann. Doch der Spaß dabei war unbezahlbar, darum ließen sie sich nicht so leicht entmutigen. Die Zuschauer kamen natürlich voll auf ihre Kosten. Enthusiastisch feuerten sie die Übenden an. Lachten allerdings auch herzlich, sobald einer wieder vom Brett fiel. Mateo war der Erste, der es einigermaßen hinbekommen hatte, sich längere Zeit auf dem Brett zu halten. Immer eleganter glitt er durch die Wellen und erntete begeisterte Pfiffe. Es war wahrscheinlich die erlernte Balance, die er beim Yoga eingeübt hatte, die ihm dabei half, das Gleichgewicht so gut halten zu können. Als er dann noch das Wenden immer besser beherrschte, wurde er mit tosendem Applaus dafür belohnt. Claire und Louise wurden mit der Zeit auch immer sicherer und jubelten jedes Mal aufs Neue, als es ihnen gelang, eine längere Strecke zu meistern. Völlig erschöpft kehrten sie nach einer Weile jedoch zum Strand zurück und fielen kraftlos in den Sand. Trotz der Erschöpfung strahlten beide eine unbändige Freude aus.

„Ich möchte am liebsten jeden Tag surfen", rief Louise mit völliger Begeisterung und schaute Matthew an. „Können wir gleich noch weiter üben? Bitte!", sagte sie fast schon bettelnd.

„Mein Vorschlag für heute ist, dass wir uns erst noch einmal ein wenig stärken und wenn der Wind weiterhin so bleibt wie bisher, dann üben wir später weiter. Ist das für euch okay?", fragte Matthew und ordnete eine kurze Pause an. Und so zog die gesamte Gesellschaft erneut in Richtung Speisesaal. Jaden schaute dabei permanent zu Paisley herüber und überlegte, wie er sie denn ansprechen sollte. Sein Herz schlug schnell und sein Hals war wie zugeschnürt. Doch er fasste seinen ganzen Mut zusammen und sprach sie an.

„Paisley, darf ich dich kurz entführen?", fragte er völlig nervös.

Matthew beobachtete die beiden mit Spannung.
„Wo soll es denn hingehen?“ Paisley schien gelangweilt.
„Lass dich überraschen. Kommst du nun mit? Bitte!“ Jaden hoffte, dass sein Vorhaben erfolgreich sein würde.
„Na gut. Lass uns gehen“, sagte sie dann lächelnd. Jaden führte sie zu seinem Boot und schaute dabei Matthew an. Dieser hob verschwörerisch den Daumen hoch und gab ihm damit zu verstehen, dass er voll hinter ihm stand. Dieses Zeichen ermutigte ihn und er beruhigte sich ein wenig. Dann fuhr er auch schon los. Sein Ziel war der einsame Strand, der nur mit dem Boot erreichbar war. Dort konnte er ungestört mit Paisley reden. Sie genoss die Fahrt. Dabei bewunderte sie die Insel vom Meer aus. Manchmal schaute sie zu Jaden herüber und überlegte, was denn der Grund für diesen Ausflug sein mochte. Er konzentrierte sich jedoch zuerst nur auf die Fahrt. Als sie den Strand erblickte, staunte Paisley nicht schlecht und war von dieser Kulisse auf Anhieb verzaubert. Jaden steuerte auf den Sand zu, sprang vom Boot und schob es auf den Strand. Paisley stieg aus und labte sich an der Schönheit des Ortes. Jaden kam nun auf sie zu, nahm sie bei der Hand und führte sie in den Schatten der Palmen. Sie sah ihn neugierig an.
„Paisley, ich möchte mit dir reden. Ich hoffe sehr, dass du mir ein wenig von deiner kostbaren Zeit schenkst“, sprach er und bat sie, sich neben ihn in den Sand zu setzen.
„Was ist denn so wichtig, dass du mich an so einen Ort bringen musstest, um mit mir darüber zu reden?“, fragte sie verdutzt.

Jaden schaute in ihre Augen und nahm dann seinen ganzen Mut zusammen.
„Paisley, du wirst mich bestimmt für verrückt erklären, aber ich habe mich in dich verliebt und möchte mit dir zusammen sein“, sagte er so ruhig, wie es ihm nur möglich war, obwohl ihn die innere Nervosität völlig aus der Bahn warf. Paisley traute ihren Ohren nicht und schaute ihn zuerst entsetzt an. So etwas war ihr noch nie im Leben passiert. Völlig überrumpelt saß sie da und schaute ihn ungläubig an. Ihr Herz schlug dabei rasend schnell. Jaden nahm ihre Hand und strich liebevoll darüber.
„Du bist einfach umwerfend, so wie du bist. Ich finde keine Worte, um meine Gefühle für dich zu beschreiben. Ich weiß nur, dass ich mit dir zusammen sein will. Könntest du dir vorstellen, einige Zeit mit mir hier auf der Insel zu verbringen? Oder ich gehe mit dir, wohin du willst, aber bitte gib mir die Chance, mit dir zusammen sein zu dürfen“, sagte er und sah sie erwartungsvoll an. Paisley schluckte erst einmal schwer. Sie hatte bisher keine feste Beziehung geführt, weil ihr noch nie der oder die Richtige begegnet war. Sie hatte Spaß am Sex, lebte gerne frei in den Tag hinein und wollte sich an niemanden binden. Jaden war zwar ein interessanter Mann, doch mehr war da nicht.
„Jaden, wie stellst du dir das denn vor? Du kennst mich doch gar nicht. Du kannst nicht nach einem Abend, den wir zusammen verbracht haben, zu mir sagen, dass du mich liebst! Das geht nicht!“ Paisley saß immer noch ungläubig da und wusste nichts mehr zu sagen.

„Du hast mich einfach verzaubert. Ich sehne mich nach dir, möchte dich berühren, dich anschauen, dir zuhören, dich spüren. Gefalle ich dir denn gar nicht?“, fragte er verzweifelt im Glauben, sie gehen lassen zu müssen.
„Hey, du bist ein toller Mann und der Abend mit dir war wunderbar, doch ich fühle nicht dasselbe. Ich bin gerne frei und es liegt mir nicht, mich an jemanden zu binden. Ich hoffe, du kannst es verstehen. Tut mir echt leid, aber diese Chance kann ich dir leider nicht geben. Sorry.“ Paisley sah ihm ins Gesicht, als sie es sagte und registrierte die Resignation in seinen Augen. Jaden wurde ganz still und schaute aufs Meer hinaus.
„Kein schönes Gefühl, so abgewiesen zu werden“, sagte er nach einer Weile ganz leise.
„Aber Liebe kann man doch nicht erzwingen“, antwortete Paisley und strich mit einer Hand tröstend über seinen Rücken. Als er sie wieder ansah, schimmerten Tränen in seinen Augen. Es kam selten vor, dass sie einen Mann weinen sah. Plötzlich tat er ihr leid. Sie hob sein Gesicht an, sah in seine traurigen Augen und fing an, ihn zu küssen. Zuerst erwiderte er ihren Kuss nicht und wollte sie von sich schieben. Doch dann gewann sein Begehren die Überhand und er ließ sich auf diese Zärtlichkeiten ein. Ihre Münder begegneten sich mit einer Intensität, die beide nicht erwartet hatten. Obwohl Jaden bei dem Gedanken, nicht mit ihr zusammen sein zu können litt, konnte er ihr nicht widerstehen. Er fing an, sie zärtlich zu berühren. Seine Lippen wanderten an ihr herunter. Er liebkoste sie mit heißem Verlangen. Sie schloss

die Augen und ließ ihren Körper alles auskosten. Als beide atemlos und völlig befriedigt im Sand liegen blieben, sah Paisley ihn erneut an. Sein Blick strahlte eine Traurigkeit aus, die ihr Herz tief berührte.

„Jaden, schau mich nicht so traurig an, bitte“, sagte sie leise und liebkoste seine Brust.

„Ich brauche dich wie die Luft zum Atmen. Du bist die Frau meiner Träume, wie soll ich dann nicht traurig sein“, sprach er und drückte sie fest an sich, um sie noch ein wenig länger spüren zu können.

„Ich mache dir einen Vorschlag. Um uns besser kennenzulernen, könnten wir vielleicht doch ein wenig Zeit miteinander verbringen. Du weißt aber, dass ich einen Vertrag zu erfüllen habe und falls nötig, auch mit anderen Männern Sex haben werde. Kommst du denn damit klar? Ich glaube nicht, dass es dir leicht fallen wird“, sagte sie und sah ihn neugierig an.

„Ich könnte Matthew bitten, dich von dem Vertrag zu entbinden.“

„Und womit soll ich dann mein Geld verdienen? Ich brauche es dringend!“ Paisley war ein wenig laut geworden, als sie es sagte. Der Job war gut bezahlt und Jaden hatte sich sicherlich keine Gedanken um ihre finanzielle Lage gemacht.

„Wir können von meinem Verdienst leben. Du könntest ein stressfreies Leben hier auf dieser Insel haben. Mich würdest du zum glücklichsten Mann der Welt machen, wenn du dich darauf einlassen würdest.“ Jaden sprang auf und strahlte sie voller

Begeisterung an.
„Und was mache ich, falls es mit uns nicht funktionieren sollte?“, fragte sie ihn kess.
„Dann kannst du immer noch nach Miami zurück. Oder wenn du sofort zurück möchtest, dann gehe ich mit dir. Ich gehe mit dir, wohin du willst, aber bitte bleib mit mir zusammen! Bitte!“ Jaden bettelte förmlich, und diesen Anblick fand Paisley total verrückt. Noch nie hatte jemand so um ihre Nähe gefleht. Vielleicht ist das Ganze doch einen Versuch wert. Vielleicht würde sie bald seine Gefühle erwidern können, überlegte sie in diesem Moment.
„Okay, okay! Dann versuchen wir es miteinander“, sagte sie lachend. Jaden zog sie hoch und erdrückte sie fast vor Glück. Sein Herz raste und er schrie ganz laut: „Jaaaaaaa!“, und sprang vor Freude ins Wasser. Paisley setzte sich wieder hin, beobachtete ihn mit Erstaunen und schüttelte ungläubig den Kopf. Nie im Leben hätte sie jemals daran gedacht, dass ihr so etwas passieren würde. Ich muss wohl verrückt sein, dachte sie vor sich hin, während Jaden im Wasser planschte.

41

Als Paisley und Jaden zurückkehrten, war das Surfen-Üben weiterhin im vollen Gange. Mateo segelte mit seinem Brett allen davon und war stolz darauf, es in so kurzer Zeit gelernt zu haben. Ehrgeizig versuchte er, Matthew nachzujagen, was gar nicht so einfach war. Matthew war nun schon ein alter Hase, was das Surfen anging. Es allen demonstrieren zu können, war besonders spaßig für ihn. Louise und Claire taten sich nicht so leicht und landeten immer wieder in den Wellen. Jaden und Paisley beobachteten das Geschehen eine Weile vom Boot aus, dabei küsste Jaden sie immer wieder. Es fühlte sich für ihn wie das Paradies an. Gierig sog er dieses Gefühl in sich auf. Aiden entging nicht, was da vor sich ging, und er bekam große Lust auf ein Sexabenteuer. Also stand er auf, nahm Anna bei der Hand und führte sie zum Island-Store. Christopher sah den beiden enttäuscht nach und begab sich dann zu seinem Bungalow. Der ursprüngliche Plan, den sie so sehr herbeigesehnt hatten, war in Wirklichkeit nicht sein Ding. Dabei hatte er es sich besonders vergnüglich vorgestellt. Nun musste er feststellen, dass er die Frau, die er begehrte, nicht teilen wollte und konnte. Er hätte es sich gewünscht, Anna ein wenig näher kennenzulernen, doch jetzt war Aiden mit ihr zugange. Schade, es hätte vielleicht was werden können mit uns beiden, dachte er und nahm auf seiner Terrasse Platz. Als Zuschauerin blieb also nur noch Angelique sitzen und schaute sich das Spektakel in Ruhe an. Sie ließ sich zum Surfen nicht überreden, hatte aber trotzdem ihren Spaß dabei. Außerdem war sie froh, mit Matthew zusammen zu sein, denn vielleicht wäre sie jetzt diejenige gewesen, die Aiden sich geschnappt hätte. Bei dem Gedanken bekam sie Gänsehaut, weil sie dazu überhaupt nicht bereit war. Oh Schicksal, ich danke dir dafür! Dachte sie heilfroh.

Im Island-Store ging es heiß her. Aiden lebte seine Gelüste an Anna aus. Es gab einige Hilfsmittel, zu denen er griff. Aber auch Anna war nicht ohne. Als Aiden seine Spielchen mit ihr beendet hatte, drehte sie den Spieß um. Sie war in dieser Hinsicht kein weißes Schäfchen. Auch sie konnte es den Männern zeigen, wo es langging. Das hatte Aiden besonders imponiert. Auch wenn sie ihm mehrmals Schmerzen hinzugefügt hatte, erregte es ihn aufs Äußerste. Sie legte ihm Handschellen an, verband seine Augen und machte seine Hände an den Haken in einer Ecke fest. Jetzt war er ihr ausgeliefert: nackig, schweratmend und völlig erregt. Es war das erste Mal, dass eine Frau so etwas mit ihm machte. Wie geil ist das denn, dachte er bewundernd. Und nun spürte er jede Berührung und jede Handlung, die Anna ausführte. Als er kurz vor dem Höhepunkt war, verbot Anna ihm, es zuzulassen. Ansonsten wird es Bestrafung geben. Doch diese Androhung hatte keine Wirkung, denn Aiden konnte ihn leider nicht mehr aufhalten.
„Und nun haben wir es. Jetzt muss ich dich bestrafen." Anna lachte laut.
„Mach mich los! Ich werde dir zeigen, wie meine Bestrafung für dich ausfällt!", zischte Aiden und wollte sich befreien. Anna dachte nicht im Traum daran. Sie hatte jetzt richtig Spaß an dem Ganzen. Sie entfernte sich kurz, und als sie sich ihm wieder näherte, spürte Aiden einen stechenden Schmerz am Po. Eine Peitsche sauste durch die Luft.
„Auaaa!!! Du bist verrückt. Mach mich los!", stöhnte er.

Trotzdem erregte ihn der Schmerz, und beim zweiten Hieb bemerkte Anna, dass sich sein bestes Stück doch wieder aufrichtete. Jetzt machte sie ihn tatsächlich los. Sie wollte ihn noch einmal spüren. Hemmungslos vergnügten sie sich erneut. Das ist genau meine Welt, dachte Aiden zufrieden, als sie eine Weile später den Store verließen.

42

Anna ging nach Hause, um zu duschen. Sie fühlte sich wunderbar und hatte ein schelmisches Lächeln auf den Lippen, als sie an ihrem Bungalow ankam. Dabei bemerkte sie nicht, dass Christopher auf ihrer Terrasse saß und auf sie wartete. Als sie ihn erblickte, senkte sie den Blick, denn sie wollte ihm so nicht begegnen. Christopher war in ihren Augen nicht der Typ, der damit klarkam, was hier vor sich ging. Er hatte sich eher aus Neugier als aus Überzeugung auf dieses Abenteuer eingelassen. Und das sah sie ihm jetzt an. Er saß einfach nur da und schüttelte den Kopf.

„Ich hätte nicht gedacht, dass es mir etwas ausmachen würde, dass du mit Aiden rumgemacht hast. Doch irgendwie fühlt es sich falsch für mich an, bei diesem Vorhaben mitzumachen“, sagte er, stand auf und wollte schon wieder gehen.

„Und warum, wenn ich fragen darf? Du hast doch genau gewusst, worauf du dich einlässt. Oder etwa nicht?“ Anna sah ihn provozierend an, als sie es sagte.

„Weil ich mir vorstellen könnte, dich ein wenig näher

kennenzulernen, ohne dich dabei mit den anderen teilen zu müssen“, sagte er verlegen. „Es ist ein schönes Gefühl für mich, in deiner Nähe zu sein, deinen Worten zu lauschen und dich bei allem, was du so machst, zu beobachten. Ich finde dich sehr begehrenswert, Anna“, sagte er leise. Er war von Anna fasziniert, von ihrer ruhigen Art, die sich positiv auf ihn übertrug, während sein Alltag nur Stress mit sich brachte. „Wie ist es mit dir? Bist du nur aus diesem einen Grund hier?“, fragte er neugierig.
„Christopher, ich kenne Matthew schon sehr lange und darum habe ich sein Angebot nicht ausschlagen können. Der Vertrag garantiert mir einen guten Verdienst, ich kann dabei meinen Hobbys nachgehen und dazu noch Spaß beim Sex erleben. Was ist denn so falsch daran?“, fragte sie. Anna sah ihre aktuelle Situation als sehr komfortabel an. Eigentlich sehnte sie sich in diesem Moment nur noch nach einer erfrischenden Dusche und einem leckeren Cocktail am Strand. Die schlechte Erfahrung ihrer letzten Beziehung hielt sie davon ab, sich auf eine neue einzulassen. Davon wusste Christopher allerdings nichts, darum verstand er ihr Verhalten auch nicht so ganz.
„Dann hast du also kein Interesse, dich ein wenig mehr auf mich einzulassen?“ Er klang ein wenig enttäuscht, als er es aussprach. „Interesse vielleicht schon“, sagte Anna und hob die Augenbrauen.
„Aber?“, fragte Christopher jetzt neugierig auf ihre Antwort. „Ach nichts!“, sagte sie nur, nahm ihn bei der Hand und zerrte ihn ins Haus. Bevor er reagieren konnte, schlüpfte sie aus ihrem

Kleid und führte ihn unter die Dusche. Er kam noch nicht mal dazu, zu protestieren. Sofort ließ Anna das Wasser laufen und küsste ihn. Dabei zog sie nach und nach seine nassen Sachen aus. Christopher stand einfach nur da und begriff sein Glück nicht. Anna fing an, ihn einzuseifen. Er spürte ihre Hände an seinem Körper entlangwandern und drehte sich zu ihr um. Ihr nackter Körper sah wunderschön aus. Das Wasser perlte an ihrer samtigen Haut ab und floss zwischen ihren Schenkeln hinunter. Er konnte sich nicht satt an ihr sehen. Anna griff nach seinem Kopf, versengte ihre Finger in seinem nassen Haar und küsste ihn wild. Bevor er wusste, wie es ihm geschah, war er in ihr und genoss dieses wunderbare Gefühl, sie zu besitzen. Später setzten sie ihre Spielchen in ihrem Schlafzimmer fort. Als sie erschöpft auf dem Bett liegen blieben, prustete Anna plötzlich los.

„Was gibt es denn zum Lachen?“, fragte Christopher völlig irritiert.

„So viel zum Thema: Es fühlt sich falsch an!“ Anna lachte immer noch. „Ich hoffe, es hat dir Spaß gemacht?“, fragte sie dann. Christopher legte sich neben sie und schaute sie ein wenig verständnislos an.

„Wie ist es denn mit dir? Hat es dir Spaß gemacht?“, stellte er die Gegenfrage. Anna schloss die Augen und versuchte, sich zu beruhigen. Christopher beobachtete sie dabei. Er schaute auf ihr Gesicht und fing an, es mit zärtlichen Küssen zu bedecken. Dabei wanderten seine Finger an ihrem Körper entlang. Anna genoss sichtlich diese Zärtlichkeiten. Sie spürte, wie sein Zeigefinger über ihre aufgerichtete Brustwarze strich. Sie bekam Gänsehaut und stöhnte leise vor Erregung. Sein Mund senkte sich darauf und seine Zunge glitt federleicht darüber. Nun fing Anna an, sich selbst zu streicheln. Christopher schaute ihr gespannt und erregt zu, denn noch nie hatte er es erlebt, dass sich eine Frau in seiner Gegenwart zum Höhepunkt brachte. Und als sie seine Erregung wahrnahm, ritten beide auf einer Welle, bis sie brach. Ihre Körper glänzten im Schweiß der ungehemmten Bewegung und ihr lustvolles Gestöhne war weit draußen zu hören. Diese Frau ist unersättlich, ging es Christopher durch den Kopf. Doch insgeheim genoss er ihre sexuelle Gier und hoffte darauf, noch mehrere solche Momente mit ihr erleben zu dürfen.

43

Es war Abend geworden, als Anna und Christopher endlich voneinander ließen. Später gingen sie eng umschlungen zur Korallenbucht. Nach diesem Sexmarathon war Anna hungrig geworden. Aiden lächelte ironisch, als sie sich zu ihm gesetzt hatten. Anna strahlte bis über beide Ohren, und auch Christopher sah sehr zufrieden aus. Oh Mann, nicht auch noch die beiden, dachte er wütend. Was ist nur mit den Menschen hier los, fragte er sich, während er seinen Blick über die Runde schweifen ließ. Ungläubig schüttelte er den Kopf. Wo man hinsah, nur noch Pärchen. Das war nicht so geplant. Sollte es nicht das reinste Vergnügen für alle werden? Etwas ist anscheinend gewaltig schiefgelaufen und so langsam hatte er keine Lust mehr darauf, noch länger

hierzubleiben. Matthew beobachtete ihn ganz genau und bemerkte den Unmut, der Aiden erfasste. Er ließ Angelique und Louise plaudernd zurück und setzte sich neben ihn.
„Hey Kumpel, alles klar?“, fragte er Aiden mit einem unsicheren Lächeln auf den Lippen.
„Was sollte denn klar sein? Meinst du nicht, dass dein ach so toller Plan voll in die Hose ging?“, sagte Aiden leicht gereizt. „Du hast mir Sexabenteuer versprochen! Mit wem sollte ich diese hier noch erleben können? Schau dich nur um.“ Er war jetzt richtig sauer.
„Weißt du, als ich es geplant habe, habe ich es mir nicht träumen lassen, dass solche intensiven Gefühle ins Spiel kommen. Es ist tatsächlich verrückt, was hier so passiert“, sagte Matthew und strahlte dabei eine Zufriedenheit aus, die Aiden in noch schlechtere Laune versetzte. „Doch irgendwie finde ich es auch toll, was ich erleben darf. Die Liebe ist doch das schönste Gefühl auf Erden. Und durch Angelique ist mir bewusst geworden, was mir zu meinem vollkommenen Glück gefehlt hatte“, sprach Matthew weiter und strahlte regelrecht vor Glück. Aiden war jedoch nicht an Liebe interessiert. Er wollte einfach nur Sex und Abenteuer erleben.
„Es heißt doch, dass die Mädels zu unserer Verfügung stehen müssen, oder?!“, stellte er fest und schaute sich provozierend in der Runde um. „Ich kann also weiterhin Sex haben, mit wem ich gerade möchte. Ist es immer noch so?“, fragte Aiden sarkastisch und so laut, dass es alle hören konnten. Matthew erstarrte. Er

hatte sich noch keine Gedanken darüber gemacht, wie es denn jetzt weitergehen sollte. Aiden kann es doch nicht ernst meinen, oder? Überlegte er fieberhaft. Nach allem, was in der letzten Zeit passiert ist, wird niemand mehr zu irgendetwas gezwungen werden. Nicht, wenn er es verhindern konnte. Ihm war der Frieden auf seiner Insel heilig.
„Aiden, es tut mir leid, dich enttäuschen zu müssen, doch du kannst niemanden zwingen, Sex mit dir zu haben. Wenn du dich hier nicht mehr wohlfühlst, dann möchte ich es dir nahelegen abzureisen. Sorry, mein Lieber, dass alles anders gekommen ist als geplant." Matthew sprach so laut, dass es alle hören konnten. Plötzlich fingen sie an zu applaudieren. Aiden stand wutentbrannt auf und verließ die Bucht. Viele sahen ihm zwar nach, doch niemand versuchte, ihn zurückzuholen. Nach einem kurzen Moment der Stille kehrte schnell wieder gute Laune in die versammelte Gemeinschaft. Es wurde viel gelacht, die Musik lauter gedreht und einige Tanzwütige bewegten sich zu karibischen Klängen. Matthew blieb wie immer sitzen und schaute sich um. Er tanzte nicht gerne, genoss jedoch die wunderbare Atmosphäre. So viele glückliche Menschen auf einem Fleckchen Erde zu sehen, erfüllte ihn mit wahrer Freude. Es war sein kleines Paradies, in dem sich die Liebe wie ein Lauffeuer ausgebreitet hatte. Und auch wenn er es sich noch vor ein paar Tagen anders vorgestellt hatte, mit dieser Entwicklung war er vollkommen zufrieden.

Der Abend wurde zur Nacht und die Müdigkeit übermannte alle nach und nach. Nach so einem ereignisreichen Tag wollten die meisten nur noch schlafen. Louise und Mateo brachen zuerst auf, es folgten Anna und Christopher. Auf der Liege am Strand saß Paisley in den Armen von Jaden und genoss seine Zärtlichkeiten. Matthew hielt Angelique in inniger Umarmung und sie küssten sich fast ununterbrochen. Nur Claire saß ein wenig abseits und beobachtete alles sehr genau. Das Verhalten, welches Aiden an den Tag gelegt hatte, hatte sie ein wenig schockiert. Sie hatte ihn anders eingeschätzt und war eigentlich gewillt, ihn ein wenig näher kennenzulernen. Doch jetzt im Nachhinein war sie froh, dass es nicht dazu kam. Solche Charakterzüge verabscheute sie persönlich abgrundtief. Nach einer Weile verabschiedete auch sie sich und verließ die Lounge. Bevor sie schlafen ging, machte sie noch einen Spaziergang am Strand entlang der Bungalows. Der Mond schien strahlend hell und sanfte Wellen umspülten ihre Füße. Als sie an der gebogenen Palme, die halb im Wasser lag, vorbeikam, sah sie eine Gestalt darauf sitzen. Sie erkannte Aiden und wollte einen großen Bogen um ihn machen. Doch Aiden hatte sie längst bemerkt.

„Na, so allein unterwegs?“, fragte er. Claire konnte die Ironie in diesem Satz förmlich spüren. Sie hörte den Sarkasmus in seiner Stimme und schüttelte verachtend den Kopf, ging dann aber doch auf ihn zu und setzte sich neben ihn. Sie liebte solche Herausforderungen. Lange schaute sie ihn an. Aiden konnte ihrem Blick nicht standhalten und sah aufs Meer hinaus.

„Was war das denn vorhin für eine Aktion?", fragte sie neugierig. Sie war in den Plan der vier Freunde nicht eingeweiht und konnte nicht wissen, worum es ging.
„Du hast keine Ahnung, oder?", fragte Aiden und schaute sie jetzt wieder an.
„Wovon denn?", fragte Claire verdutzt. Das hatte er sich schon gedacht.
„Über Matthews Plan und was daraus geworden ist", antwortete er mit einem ironischen Lächeln.
„Nein. Was für einen Plan? Was hat er vor?" Ihre Neugier war geweckt und sie würde nicht eher locker lassen, bis sie es erfahren würde.
„Hatte! Meine Liebe. Hatte! Denn sein Plan ist voll gescheitert!" Aiden lachte hysterisch, als er das sagte. Die Wut in ihm war immer noch am Brodeln.
„Und der war?", fragte Claire neugieriger als zuvor.
„Die jungen Damen, die du hier angetroffen hast, sollten eigentlich zu unserem sexuellen Vergnügen da sein! Matthew versprach es uns und wir freuten uns schon sehr darauf. Doch stattdessen verlieben die sich alle! Was für eine kranke Welt!" Aiden spie die Worte nur so aus sich heraus. Claire schaute ihn ungläubig an. Was für ein kranker Plan, dachte sie entsetzt.
„Aber Louise und Angelique entwerfen doch Mode, das habe ich selbst gesehen. Ich nehme sie unter Vertrag. Wie soll das denn zusammenpassen? Das kann ich mir einfach nicht vorstellen." Claire saß immer noch ungläubig da.

„Frag Matthew, er wird dir sicherlich sehr gerne alles erklären. Was mich angeht, ich haue morgen früh ab.“ Aiden kochte vor Wut. Claire antwortete nicht. Sie saß einfach nur da und grübelte über alles nach.

„Wenn sich alle verliebt haben, wie du es behauptest, dann ist es doch umso schöner, oder etwa nicht? Ich sehe, wie glücklich Matthew ist und beneide ihn auch ein wenig darum“, sagte Claire kurze Zeit später ganz leise, denn seine Wut ließ ihn immer lauter werden.

„Seit Jahren sind wir die besten Kumpels, Singles und glücklich. Und jetzt das! Die sind plötzlich verrückt geworden. Als ob es keine anderen Frauen mehr auf dieser Welt gäbe! Das ist doch abartig!“ Aiden war nicht mehr zu besänftigen.

„Warum ist Liebe für dich abartig?“, fragte Claire und schaute direkt in seine vor Wut leuchtenden Augen.

„Weil sie Menschen verändert. Und sie macht alles kompliziert!“, schrie er fast schon.

„Schlechte Erfahrungen gemacht?“, fragte Claire. Sie war noch nie jemandem begegnet, der so eine heftige Abneigung gegen das wunderbare Gefühl der Liebe empfand. Aiden schwieg eine Weile und langsam beruhigte er sich.

„Ja, das habe ich! Ich möchte aber nicht darüber reden“, sagte er in einem leisen Ton.

„Okay, das verstehe ich. Du kannst aber niemanden deswegen verurteilen. Manchmal geschehen Dinge um uns herum, mit denen man nicht rechnet, und anscheinend ist es dir auch gerade passiert. Eigentlich müsstest du dich für die anderen freuen“, sagte Claire und schaute aufs Meer hinaus. „Mich hat es sehr gefreut, dass Mateo endlich jemanden gefunden hat, der ihn glücklich macht. Ein wahrer Freund gönnt einem nur das Beste, meinst du nicht?“, fragte sie und schaute ihn jetzt herausfordernd an. Aiden senkte den Kopf und sagte nichts mehr. Claires Worte brachten ihn dazu, dass er sich plötzlich für sein aufbrausendes Verhalten schämte. Sie hatte recht. Und er hasste es, wenn Frauen recht hatten. Um es nicht zugeben zu müssen, stand er auf.

„Ich wünsche dir eine gute Nacht, Claire. Vielleicht sehen wir uns morgen noch. Schlaf gut“, sagte er leise und ging zu seinem Bungalow. Claire blieb noch lange am Strand sitzen. Sie hörte den Geräuschen der Nacht zu, sah in den Sternenhimmel, der hier in voller Pracht glänzte, und genoss es, wie die Wellen ihre Füße immer wieder umspülten. Sie dachte über alles nach. So einen Plan hätte sie Matthew nicht zugetraut und war völlig irritiert. Die Tatsache jedoch, dass sie zwei so wunderbar talentierte Mädels für sich gewinnen konnte, ließ sie alles andere in den Hintergrund stellen. Es waren alles erwachsene Menschen, die ihre Entscheidungen selbst getroffen hatten. Außerdem war es ihr vollkommen egal, wer mit wem was hatte. Jeder ist seines Glückes Schmied, dachte sie nur und freute sich wirklich darüber, so viele glückliche Menschen hier zu sehen. Auch wenn sie ihre große Liebe noch nicht gefunden hatte, gönnte sie den anderen ihr Glück von ganzem Herzen. Bei diesem Gedanken lächelte sie und ging dann schlafen.

44

Am nächsten Morgen sah Matthew Aiden auf der Terrasse vor seinem Haus sitzen. Angelique schlief noch und so ging er mit einem Becher Kaffee zu ihm.
„Guten Morgen, mein Freund. Möchtest du auch einen Kaffee? Oder lieber etwas Stärkeres?“, fragte Matthew mit einem ironischen Unterton in seiner Stimme.
„Guten Morgen“, antwortete Aiden besonders leise und bat um einen Kaffee. Der leise Ton in Aidens Stimme machte Matthew stutzig, denn er hatte mit einem erneuten Wutausbruch gerechnet. So ging er wieder ins Haus und brachte einen Kaffee für Aiden.
„Wie geht es dir heute?“, fragte Matthew und setzte sich ihm gegenüber, um ihn eingehender beobachten zu können. Aiden nahm einen Schluck und schaute Matthew schuldbewusst an. „Ich möchte mich bei dir für mein gestriges Verhalten entschuldigen. Es tut mir leid, dass ich so ausfallend geworden bin und hoffe, du trägst es mir nicht nach“, sagte Aiden kleinlaut. Matthew sah es ihm an, dass er es ernst meinte. Er stand auf und umarmte ihn herzlich.
„Schon vergessen. Möchtest du denn trotzdem noch bleiben? Ich würde mich sehr freuen, wenn du uns noch Gesellschaft leisten würdest. Allerdings ohne das versprochene Vergnügen. Sorry,

dass alles so gelaufen ist.“ Matthew wollte nicht, dass sein Freund jetzt schon die Insel verließ.
„Ich weiß nicht. Nach dem Vorfall gestern werden mich alle auslachen. Ich glaube, ich mache mich lieber auf den Heimweg. So viele Verliebte um mich herum kann ich im Moment eh nicht ertragen“, sagte Aiden scherzhaft und seine Augen strahlten wieder wie früher. Für Matthew war das ein gutes Zeichen, denn er wollte seinen Freund nicht verlieren.
„Wie du meinst. Doch du sollst wissen, dass du hier jederzeit willkommen bist. Ich liebe dich wie einen Bruder und unsere Freundschaft bedeutet mir wirklich sehr viel“, sagte Matthew und umarmte ihn erneut.
„Mir geht es genauso. Danke, mein Freund“, sagte Aiden und machte sich auf den Weg zu seiner Yacht. Matthew winkte ihm noch kurz zu und sprang dann zufrieden in den Pool, um seine Bahnen zu ziehen. Als er nach einiger Zeit hochblickte, sah er Angelique auf einer der Liegen sitzen. Sie schlürfte ihren Kaffee und schaute ihm beim Schwimmen zu. So zerzaust vom Schlaf sah sie unheimlich sexy aus. Matthew stieg aus dem Pool und setzte sich zu ihr.
„Wer reist denn da ab?“, fragte Angelique, zum Steg blickend. Dort konnte man in der Ferne eine Yacht ausmachen, die davonfuhr.
„Aiden war hier. Er hat sich für sein Verhalten gestern entschuldigt und ist abgereist“, sagte Matthew mit Bedauern in seiner Stimme.

„Oh, das überrascht mich gar nicht. Obwohl ich es schade finde, denn du hast dich ja so auf eure gemeinsame Zeit hier gefreut“, sagte sie und schaute Matthew voller Liebe an.
„Ja, das finde ich auch. Wenn man allerdings den jetzigen Umstand betrachtet, kann ich seine Entscheidung nachvollziehen.“ Matthew lachte laut bei dem Gedanken an die Entwicklung der letzten Tage. „Was sollte ihn hier noch halten? Er ist eh nur auf Sexabenteuer aus. Und das kann ich ihm leider nicht mehr bieten, so wie sich die Dinge entwickelt haben. Meinst du nicht auch?“ Matthew schmolz dahin, als er sie ansah.
„Wer hätte damit rechnen können? Ich glaube, es ist die Insel, die diese Wirkung auf uns hat. Oder hast du etwa Liebeshormone in die Luft versprüht?“, fragte sie scherzhaft und lächelte verschmitzt. „Denn nur so könnte ich es mir erklären“, fügte sie hinzu und fing an, ihn zu küssen. Matthew liebte es, sie zu schmecken und zu berühren. Sofort regte sich die Lust in ihm. Er trug sie ins Haus. Im Bad setzte er sie ab und zog sie aus. Immer wieder verschloss er mit sehnsuchtsvollen Küssen ihren Mund. Unermüdlich trieb er sie von einem Höhepunkt zum anderen, bis sich ein Glücksschrei ihrer Kehle entriss. Nass, wie sie waren, trug er sie ins Schlafzimmer. Dort verschmolzen ihre Körper miteinander. Erneut trieben sie in die Höhen, wo die Glückseligkeit sie empfing.
„Ich liebe dich so abgöttisch, dass ich es nicht auszudrücken vermag, meine Schöne“, flüsterte Matthew leise, als er auf ihr liegen blieb und ihr Gesicht zärtlich liebkoste. Angelique hatte ihre

Augen geschlossen und genoss seine Zärtlichkeiten. Ihr Herz schlug wie wild, denn auch sie liebte ihn so sehr, dass es sie fast schmerzte.
„Ich liebe dich über alles, mein Liebster“, sagte sie und schmiegte sich eng an ihn. Als es fast Mittag wurde, verließen sie ihr Liebesnest, denn der Hunger wurde nun übermächtig, und so begaben sie sich zur Korallenbucht.

45

Als Claire wach wurde, war es schon spät am Morgen. Anscheinend waren die Inselbewohner heute sehr träge, denn außer dem Personal war ihr noch niemand sonst begegnet. Also nutzte sie die freie Zeit nach dem Frühstück dazu, den Island-Store zu erkunden. Sie fand die Idee gut, ein Warenhaus dieser Art auf einer Insel einzurichten und sah sich neugierig um. Als sie jedoch den Raum mit den vielen Sexspielzeugen betrat, kam sie sich wie in einem Sexshop vor und staunte nicht schlecht darüber. Dieser Raum erschien ihr sehr verwegen. Ihr Mund stand offen und sie schüttelte ungläubig den Kopf, als sie alles etwas genauer inspizierte. Jetzt erst wurde ihr bewusst, was Aiden mit seiner Aussage meinte. Matthew hatte tatsächlich alles bis ins kleinste Detail geplant und es an nichts fehlen lassen. Kein Wunder, dass Aiden dermaßen enttäuscht reagierte. Beim Gedanken an Sex regte sich bei Claire die Lust. Sie ging die einzelnen Regale durch und suchte einige Sachen für sich aus. Gut ausgestattet machte sie sich auf den Weg zu ihrem Bungalow. Sie wollte so schnell wie möglich ihre Befriedigung erfahren, also schloss sie die Tür und begab sich in ihr Schlafzimmer.

Nachdem Matthew und Angelique sich gestärkt hatten, ging sie in ihr Bungalow, um weiter an ihrer Kollektion zu arbeiten. Matthew kam es sehr gelegen, denn er wollte unbedingt wieder einmal seine geistige Befriedigung erfahren und begab sich auf den schnellsten Weg zu seinem Haus. Nachdem er alle Systeme überprüft hatte, stöberte er ungeduldig in seinen Aufnahmen. Plötzlich entdeckte er Claire in ihrem Schlafzimmer. Sie lag auf dem Bett und stöhnte. Matthew zoomte sie näher heran und sah den Grund dieser Geräusche. Sein Herz schlug sofort schneller, denn dieser Anblick weckte erneut die Lust in ihm. In seiner Fantasie war er derjenige, mit dem sich Claire vergnügte. Dieser Gedanke war unbeschreiblich und sein Geist schwebte auf Wolke sieben. Und nicht nur das, endlich konnte er mit eigenen Augen beobachten, wie eine Frau sich selbst zu einem Höhepunkt brachte. Er war nun um eine Erfahrung reicher geworden. Seine Investition brachte langsam den ersehnten Erfolg. Er lehnte sich genüsslich zurück und fühlte sich fabelhaft. Für heute war nun seine Gier vollkommen gestillt und er machte sich wenig später auf den Weg zu seiner Liebsten. Schlechtes Gewissen befiel ihn, doch er schob es in den hintersten Winkel seines Gehirns. Solange niemand etwas entdeckte, würde er sich immer wieder diesen Genuss gönnen. Seine Obsession beherrschte seinen Willen.

Angelique saß auf der Terrasse und zeichnete fleißig in ihrem Block. In ihrem Kopf schwirrten so viele neue Ideen, sodass sie unbedingt auf Papier mussten. Als Louise und Mateo vorbeigingen, winkte sie den beiden nur kurz zu und arbeitete fleißig weiter. Kurze Zeit später bekam sie Besuch. Claire kam vorbei und schaute sich erneut ihre Zeichnungen an. Angelique nahm einen undefinierbaren, aber sehr angenehmen Duft an ihr wahr. Sie schaute sich Claire nun genauer an, als diese in ihren Zeichnungen blätterte. Ihr Gesicht war leicht gerötet und sie sah besonders sexy aus. Das Haar noch feucht vom Duschen und ungeschminkt strahlte diese Frau eine Erotik aus, die kaum zu toppen war.

„Mir gefällt es wirklich gut, wie du arbeitest." Claire schaute zu Angelique herüber, als sie es sagte und bemerkte, dass diese sie sehr genau beobachtete. Leicht verlegen strich sie sich eine Haarsträhne hinters Ohr und lächelte unsicher. Sie wurde das Gefühl nicht los, dass Angelique es ihr ansah, was sie vor wenigen Minuten erlebt hatte. Und sie errötete umso intensiver.

„Das freut mich außerordentlich, denn mit deinem Angebot geht mein größter Traum in Erfüllung! Ich bin Mateo wirklich sehr dankbar dafür, dass er dich hierher gebracht hat." Angelique musterte sie immer noch eingehend, nur dieses Mal lächelte sie unbekümmert.

„Angelique, was war eigentlich der wahre Grund, weswegen ihr hier seid?", fragte Claire jetzt geradeheraus. Angelique senkte den Blick und errötete stark. Sie schämte sich, Claire die

Wahrheit erzählen zu müssen, weswegen sie ursprünglich geblieben war. „Aiden hat mir von Matthews Plan erzählt. Soll ich es wirklich glauben? Oder hat er mich angelogen?“ Claire wollte unbedingt die Wahrheit herausfinden.

„Na ja, wie soll ich es dir erklären, ohne dass du uns im schlechten Licht sehen wirst? Es ist nicht gerade einfach“, sagte Angelique und schaute Claire unsicher an.

„Erzähle es mir einfach. Bitte.“ Claires Neugier wuchs ins Unermessliche.

„Als ich Matthew begegnet bin, habe ich kurz davor angefangen, an meinen Entwürfen zu arbeiten. Ich wohnte mit Louise zusammen. Wir sind noch nicht so lange in Miami und suchten nach Möglichkeiten, um über die Runden zu kommen. Als Matthew mich ansprach, war ich dermaßen von ihm fasziniert, dass ich mich auf sein Angebot eingelassen habe. Ich wollte einfach nur in seiner Nähe sein. Ich habe mich nämlich vom ersten Augenblick an in ihn verliebt. Der Gedanke, ihn mit anderen Frauen teilen zu müssen, war für mich zwar unerträglich, doch was tut man nicht alles, wenn man verliebt ist.“ Angelique unterbrach ihre Rede und schaute Claire an. „Doch ich gab die Hoffnung nicht auf, ihn für mich zu gewinnen. Sicher war sein ursprünglicher Plan nicht leicht zu verdauen, heute jedoch bin ich froh, durchgehalten zu haben, denn es hat sich gelohnt.“ Angelique strahlte, als sie es sagte, und man konnte ihr das Glücklichsein ansehen.

„Sein Plan ging wohl gewaltig schief, oder?“ Claire lachte

herzhaft, als sie es sagte.
„Es konnte doch keiner von uns ahnen, dass es die meisten genauso erwischt“, sprach Angelique weiter und schüttelte sich vor Lachen. „Und anscheinend hat Matthew kein Problem damit, dass es so ist, wie es ist“, gab Angelique hinzu und lachte immer noch.
„Das glaube ich auch. Ihr seht sehr glücklich aus, ihr beiden. Nur Aiden kam wohl nicht darauf klar. Schade eigentlich, dass er abgereist ist. Ich hätte ihn schon gerne etwas näher kennenlernen wollen“, sagte Claire mit leichter Wehmut in ihrer Stimme.
„Ach, ich weiß nicht, ob er so eine gute Wahl für dich wäre. Er ist an einer Beziehung nicht interessiert. Ich schätze ihn als einen Casanova ein. Das kann auf die Dauer nicht gut gehen. Wenn er damit glücklich ist, dann soll er ruhig so weitermachen. Bist du auch Single?“, fragte Angelique anschließend.
„Als eine erfolgreiche Unternehmerin ist es nicht leicht, einen ebenbürtigen Partner zu finden. Ja, ich bin immer noch Single. Manchmal sehne auch ich mich nach Liebe und Zuneigung. Weißt du, ich beneide dich ein wenig um Matthew.“ Claire zwinkerte Angelique verschwörerisch zu, als sie es sagte. Angelique verstand sie sofort.
„Tja, ich habe wohl mehr Glück als Verstand gehabt“, sagte sie und lachte erneut. „Und komme nicht auf die Idee, ihn mir wegzunehmen, das schaffst du nie!“, fügte sie dann leicht drohend hinzu.
„Ich glaube, ich hätte eh keine Chance! Denn so wie er dich

vergöttert, da ist kein Platz für eine andere Frau", stellte Claire fest und bemerkte aus dem Augenwinkel, dass Matthew sich ihnen näherte. „Wenn man vom Teufel spricht", sagte sie leise und zwinkerte Angelique erneut zu. Angelique sprang auf und schmiegte sich sofort in Matthews Arme. Sie klammerte sich an ihn und sie küssten sich leidenschaftlich. Kurz darauf sah er zu Claire herüber und schmunzelte ein wenig.

„Claire, wie gefällt dir der Aufenthalt auf meiner Insel? Ich hoffe nur, du tust es Aiden nicht gleich und reist ab. Ich freue mich nämlich sehr über deine Anwesenheit hier." Er hatte sofort ihre Aktion im Schlafzimmer vor Augen, als er es sagte und würde gerne noch so einiges erleben wollen. Davon ahnten beide Frauen jedoch nichts, das war auch besser so.

„Eigentlich viel zu schade, dass Aiden weg ist. Das hätte interessant werden können. Ich habe mir heute nämlich deinen Island-Store angeschaut und dabei einige, nicht gerade langweilige Dinge entdeckt." Claire schaute ihn aufreizend an, als sie es sagte und Matthew fing an zu lachen. Angelique errötete stark und senkte ihren Blick, denn dieses Thema war ihr immer noch nicht geheuer, ganz zu schweigen der Raum selbst. Irgendwann würde sie schon hingehen, um ihren Liebsten auch mal zu überraschen, nur war sie noch lange nicht dazu bereit.

„Soll ich Aiden bitten, zurückzukommen? Dann könntet ihr garantiert so einiges ausprobieren. Er hat es faustdick hinter den Ohren, was Sex angeht, glaube mir. Es könnte dir gefallen, was meinst du?" Matthews Blick wurde dunkel bei dem Gedanken, sie dabei beobachten zu können. Seine Obsession war stark und er kam nicht gegen sie an.

„Nein, Matthew, danke. Ich brauche deine Hilfe dabei nicht. Komme auch allein zurecht“, sagte Claire scherzhaft, stand auf und machte sich auf den Weg zur Korallenbucht. Sie hatte Durst und wollte ihn mit einem Cocktail stillen. Als sie jedoch kurz zurückblickte, sah sie, wie die beiden zum Island-Store gingen. Neugierig kehrte sie um. Sie näherte sich dem Gebäude und schlich leise hinein. Ihr Durst war vergessen, denn eine starke Erregung durchströmte ihren Körper. Sie hoffte darauf, die beiden bei ihrem Liebesspiel beobachten zu können. Ihr Herz schlug laut, als sie an der Tür lauschte.

Hinter der Tür brachte Matthew Angelique dazu, sich zu entkleiden. Dann fesselte er sie und fing seine Spielchen mit ihr an. Mit verbundenen Augen konnte sie ihn spüren. Ihr Atem ging stoßweise. Jede Faser ihres Körpers war bis zum Äußersten angespannt. Als sie ihn in ihrer Mitte spürte, schrie sie vor Erregung. Mittlerweile liebte sie es, von ihm auf diese Weise verwöhnt zu werden und gab sich diesem Genuss hin. In diesem Moment schob Claire die Tür einen Spalt auf und spähte hinein. Sie sah die nackten Körper in einem Tanz der Liebe vereint und eine grandiose Erregung ließ ihr Herz rasen. Ihre Hand wanderte hinunter und spielte ihre eigene Musik, dem Rhythmus der beiden angepasst. Dabei bemerkte sie nicht, dass Matthew sie sah. Er lächelte verstohlen und trieb beide auf einen hinreißenden

Höhepunkt zu. Als er später noch einmal zur Tür blickte, war diese wieder verschlossen. Erneut lächelte er, ließ es sich aber nicht anmerken. Claire entfernte sich in Windeseile, denn das Letzte, was sie wollte, war entdeckt zu werden. Schnell ging sie zur Bar und bestellte einen Cocktail. Sie sah erhitzt aus, doch niemand ahnte den Grund dafür, und so konnte sie es auf die Hitze des Tages schieben.

Es ist eine verrückte Welt, in die ich hier reingeraten bin, dachte Claire, während sie an ihrem Cocktail schlürfte. Jedoch angenehm verrückt, dachte sie weiter. Und sie war gespannt, was denn in Zukunft auf sie zukommen würde. Es hing so viel Erotik und Liebe in der Luft. Sie selbst hatte auch nichts dagegen, bei diesem Spaß mitzumachen. Nur waren die meisten Männer hier leider schon vergeben. Als sie langsam aus ihren Gedanken in die Realität zurückkehrte, bemerkte sie, dass Alex sie eindringlich beobachtete. Augenblicklich errötete sie und schaute auf den Strohhalm, mit dem sie im Cocktail rührte. Sie hob ihren Blick wieder und sah, dass Alex sie immer noch ansah und dabei verschmitzt lächelte. Kann er etwa Gedanken lesen, fragte Claire sich und blickte ihn unverwandt an. Sie legte ihre Lippen um den Strohhalm und saugte an ihm. Alex schmolz bei diesem Anblick dahin. Claire war sein Blick nicht entgangen und so fing sie zusätzlich noch an, mit ihrer Zunge über den Zuckerrand am Glas zu lecken. Dann stand sie auf, ging auf ihn zu und hauchte leise in sein Ohr: „Besuche mich. Würde mich sehr freuen!“ Dann verließ sie die Lounge. Zurück blieb Alex, der seine Erregung nicht mehr kontrollieren konnte. Er schaute ihr lange nach und überlegte, was er tun sollte. Da zurzeit niemand in Sicht war, der eventuell seine Dienste benötigen würde, eilte er zu ihr. Endlich wieder ein wenig Spaß erleben, das ist jetzt genau das Richtige, dachte er und freute sich schon wahnsinnig darauf. Als er an Angeliques Bungalow vorbeiging, sah er sie und Matthew auf der Terrasse sitzen. Kurz winkte er ihnen zu und eilte weiter. Beide schauten ihn verdutzt an und überlegten, wohin er es denn so eilig hatte. Claire hatte einen anderen Weg genommen, um niemandem zu begegnen. Ihre Spannung wuchs, denn sie konnte sich nicht sicher sein, ob Alex überhaupt kommen würde. Auch ihr Wunsch, körperliche Befriedigung zu erfahren, wurde von Minute zu Minute stärker. Immer noch das Bild von Angelique und Matthew vor Augen, erwachte in ihr ein Verlangen, welches sie seit langem nicht mehr verspürt hatte. Also entkleidete sie sich schnell und stieg unter die Dusche. Plötzlich spürte sie Männerhände an ihrem Körper. Er ist doch gekommen, dachte sie zufrieden und ließ sich verwöhnen.

46

Am Abend, als es langsam dunkel wurde, erwachte die Lounge, wie so oft, zum Leben. Den ganzen Tag über blieben die meisten Pärchen für sich und man hatte sich kaum gesehen. Eigentlich hatte Matthew damit gerechnet, dass Louise, Mateo und Claire erneut surfen üben würden. Doch es kam alles anders. Er hatte

Mateo und Louise gar nicht zu Gesicht bekommen, auch Jaden und Paisley waren ihm nicht begegnet. Das überraschende Erlebnis mit Claire im Store ließ ihn jedoch nicht los. Auch wenn er heute einen wunderbaren Tag erlebt hatte, an dem er sein Verlangen nach Sex und geistiger Befriedigung vollends stillen konnte, beschäftigte es ihn trotzdem. Anscheinend hatte auch sie Spaß am Zuschauen, sonst hätte sie es ja nicht gemacht. Er war sich nicht sicher, wie er ihr Verhalten deuten sollte. Immer wieder geisterte es in seinem Kopf herum. Jetzt trudelten alle nach und nach ein. Er beobachtete alle sehr genau und es gefiel ihm wirklich gut, was er sah. Mateo und Christopher hielten ihre Eroberungen in den Armen. Es wurde gekuschelt, geküsst und auch viel getanzt. Jaden und Paisley waren unzertrennlich, ihre Münder wie zusammengewachsen. Auch im Tanz fanden sie den gleichen Rhythmus und schmiegten sich eng aneinander. Angelique sah Matthew an, dass er zufrieden war und lehnte sich glücklich an ihn. Er nahm sie in seine Arme und küsste sie leidenschaftlich. Er konnte sein Glück immer noch nicht fassen, dass das Schicksal ihm diese Liebe geschenkt hatte. Und genau in diesem Moment brannte plötzlich ein einziger Wunsch in seinem Herzen. Und er hoffte sehr, dass dieser Wunsch in Erfüllung ging.

Da er Angelique am nächsten Tag überraschen wollte, sorgte er dafür, dass sie frühzeitig nach Hause gingen. Matthew versuchte, seine innere Unruhe, die ihn momentan gefangen hielt, zu unterdrücken. Also wünschten sie allen eine gute Nacht und zogen sich zurück. Die Nacht war jedoch von kurzer Dauer, denn sehr früh am Morgen weckte Matthew seine Liebste und fuhr mit ihr zum Festland. Im Wohnzimmer standen bereits zwei Koffer, die Martha auf seine Anweisung hin gepackt hatte. Als Angelique diese erblickte, blieb sie wie versteinert stehen.

„Was ist los?“, fragte sie erschrocken. „Schmeißt du mich etwa wieder raus?“, fragte sie weiter und wurde kreidebleich dabei. Doch Matthew reichte ihr einen Umschlag entgegen, den sie aufmachen sollte, und lächelte sie liebevoll an. Mit zitternden Händen machte sie ihn auf. Darin befand sich die Buchung für einen Flug nach Frankreich. Sie schaute ihn ungläubig an. Martha stand ganz in ihrer Nähe und beobachtete mit Freudentränen in den Augen, was da gerade vor sich ging. Sie ist von Matthew eingeweiht worden und freute sich über sein Vorhaben.

„Wir fliegen zu deinen Eltern. Freust du dich denn, sie zu sehen?“, fragte er und schaute sie angespannt an. Erst in diesem Moment realisierte sie, wie sehr sie doch ihre Eltern vermisste. Sie schmiegte sich in seine Arme und fing vor Freude an zu weinen. Liebevoll küsste Matthew ihre Tränen weg. Oh, wie sehr er diese Frau jetzt schon liebte, ging ihm dabei durch den Kopf.

„Komm, wir müssen uns fertigmachen, der Flug geht in drei Stunden.“ Matthew mahnte zur Eile. Angelique war völlig aufgeregt. Sie konnte sich gar nicht richtig konzentrieren. Matthew beobachtete sie heimlich und schmunzelte immer wieder, denn seinen richtigen Plan würde sie nie im Leben erraten. Nach einer halben Stunde waren beide zur Abfahrt bereit. Das Taxi stand bereits vor der Haustür. Nach einer herzlichen Umarmung wünschte Martha ihnen einen guten Flug und schon waren sie auf dem Weg zum Flughafen.

Angelique konnte währenddessen immer noch nicht fassen, was ihr gerade widerfahren ist.
„Wissen meine Eltern denn davon, dass wir kommen?“, fragte sie völlig aufgewühlt.
„Nein, ich denke, dass sie sich über diese Überraschung freuen werden. Was meinst du?“, fragte er in der Hoffnung, dass es so sein würde. Angelique war vor Freude wieder den Tränen nahe. Sie sah ihre Heimat vor sich und auch ihre Eltern, die ihr das alles, was sie bisher erleben durfte, ermöglicht hatten. Die Freude, sie wiederzusehen, überwog alles. Sie schmiegte sich in Matthews Arme. Der Flug verlief ruhig. Angelique hatte viel geschlafen. Matthew dagegen viel gelesen. Er hatte die Zeit genutzt, um sich über Frankreich zu informieren, denn er wollte nicht unvorbereitet ihren Eltern gegenübertreten. Als sie vom Flughafen in Nizza mit dem Taxi nach Saint-Martin-du-Var fuhren, wurde Angelique immer unruhiger, denn sie freute sich auf das Wiedersehen mit ihren Eltern. Sie hatte ihnen so viel zu erzählen. Matthew saß ruhig neben ihr und betrachtete die Landschaft, an der sie entlangfuhren. Angeliques Heimatort lag an einem Fluss mit dem Namen Var in einem Tal, das von nicht allzu hohen Bergen umgeben war. Je näher sie ihm kamen, umso nervöser wurde auch Matthew. Er war noch nie in Europa gewesen und so

langsam machte sich ein Gefühl der Neugier in ihm breit. Er war sich auch unsicher, wie er denn bei ihren Eltern ankommen würde. Viel wusste er nicht über sie. Nur, dass sie in einem kleinen Haus am Rande des Ortes lebten und einen Feinkostladen in Nizza betrieben. Als das Taxi vor dem Haus parkte, stürmte Angelique sofort heraus und lief freudestrahlend hinein. Matthew hörte schon von Weitem, wie sie freudig von ihrer Mutter begrüßt wurde. Er stand nun in der Tür und schaute diesem wunderbaren Schauspiel zu. Beide umarmten sich innig und weinten vor Freude. Er räusperte sich. Angelique löste sich aus der Umarmung ihrer Mutter und stellte ihn vor.

„Mama, darf ich dir Matthew vorstellen? Er ist meine große Liebe und wir sind zusammen.“ Angelique schmiegte sich wieder eng an ihre Mutter, die ihn jetzt sehr genau musterte. Matthew trat auf sie zu und reichte ihr die Hand zur Begrüßung.

„Hallo Matthew, willkommen in Frankreich“, sagte die Mutter ein wenig zurückhaltend und bat sie beide hinein. Sofort kamen zwei süße Katzen auf Angelique zugestürmt und schlichen um ihre Beine herum. Angelique setzte sich auf den Boden und fing an, beide zu knuddeln. Sie küsste und drückte sie so fest an sich, dass es ihnen fast zu viel wurde.

„Ich habe euch so vermisst, meine Süßen! Es ist schön, wieder hier zu sein“, sagte sie und machte dann weiter. Matthew betrachtete sie dabei mit so viel Liebe, dass er alles um sich herum vergaß. Damit gewann er sofort das Herz der Mutter. So kann nur jemand schauen, der wahre Liebe empfindet, dachte sie. Und sie nahm ihn in die Arme, drückte ihn herzlich und sagte: „Willkommen in unserer Familie.“ Jetzt hatte Matthew Tränen in den Augen, denn diese Geste rührte ihn sehr. Es war lange her, als seine Mutter ihn so herzlich umarmt hatte. Diese Umarmung bedeutete ihm sehr viel.

47

„Was ist denn hier los?“, hörten sie plötzlich eine Männerstimme von oben rufen. Angeliques Vater hatte es noch gar nicht mitbekommen, dass seine Tochter zu Besuch war. Es war nämlich früh am Morgen, als die beiden ankamen. Die Mutter bereitete zu dem Zeitpunkt gerade das Frühstück vor und der Vater hielt sich noch im Bad auf. In dem Moment stürmte Angelique nach oben und warf sich in seine Arme.

„Oh Papa, ich habe euch beide so vermisst! Ich freue mich, hier zu sein“, sagte sie von ihren Gefühlen völlig überwältigt.

„Angelique, meine Prinzessin! Ich freue mich auch, dich zu sehen. Warum hast du uns nicht Bescheid gegeben, dass du kommst? Wir hätten dich vom Flughafen abgeholt“, sagte er und streichelte sanft über ihren Rücken, während er sie glücklich ansah. Doch dann veränderte sich plötzlich sein Blick und er schaute sie besorgt an. „Ist denn etwas passiert, dass du so unerwartet nach Frankreich zurückgekommen bist? Muss ich mir Sorgen machen?“, fragte er ängstlich, und Angelique fing an zu lachen.

„Nein, Papa, ich bin sehr glücklich und es ist alles wunderbar. Ich

habe jemanden mitgebracht, den ich dir unbedingt vorstellen möchte. Komm bitte mit runter“, und sie nahm ihn an der Hand und führte ihn zu Matthew.
„Papa, ich möchte dir meine große Liebe vorstellen. Das ist Matthew, er lebt in Miami Beach. Wir sind jetzt zusammen“, sprach Angelique und schaute ihren Schatz strahlend an. Der Vater stand vor ihm, sah ihn prüfend an und versuchte, ihn einzuschätzen. Tausend Gedanken schossen ihm durch den Kopf. Seine Prinzessin wurde erwachsen. Ein neuer Mann in ihrem Leben. Nach der schlechten Erfahrung mit Pierre war er sich sicher, dass es nicht so schnell zu einer neuen Beziehung kommen würde. Auf diese Begegnung hier war er nicht vorbereitet. Doch Matthew schenkte ihm sein ehrlichstes Lächeln und machte den ersten Schritt. Er reichte dem Vater die Hand zur Begrüßung.
„Hallo, ich freue mich hier zu sein“, sagte Matthew und drückte fest die Hand des Vaters.
„Hallo Matthew, willkommen in Frankreich“, erwiderte der Vater ein wenig zurückhaltend, da er ihn erst einmal etwas näher kennenlernen wollte. Diese Überraschung hat ihn verunsichert. Kommt Zeit, kommt Rat, dachte er, gespannt zu erfahren, wie denn der neue Freund seiner Tochter so ist.
„So ihr Lieben! Genug der Begrüßung. Ihr seid sicherlich hungrig, kommt in die Küche, bitte. Ich habe Frühstück vorbereitet“, sagte die Mutter und ging allen voran. Matthew schaute sich dabei ein wenig um. Er war neugierig, wie man in Frankreich so wohnte. Die Räume des Hauses waren alle hell gestaltet und

dezent dekoriert. Vereinzelt entdeckte er auch einige Kunstobjekte und fühlte sich sofort wohl. Die geräumige Küche bot genügend Platz zum Verweilen. Der Tisch war schlicht gedeckt und es duftete nach frisch gebrühtem Kaffee und Gebäck. Matthew lief das Wasser im Mund zusammen, als er sich zu Tisch begab. Der Vater setzte sich ihm gegenüber und beobachtete ihn genau, das spürte er. Und jedes Mal, wenn sich ihre Blicke trafen, lächelte Matthew ihn selbstsicher an. Angelique schaute immer wieder zwischen den beiden hin und her. Dann fing sie an zu lachen. „Hey, Papa! Matthew liebt mich und du brauchst keine Angst um mich zu haben. Bitte akzeptiere das", sagte sie immer noch lachend und küsste Matthew auf den Mund. Die Mutter drückte sanft die Hand ihres Mannes, als ob sie sagen wollte: Tue es! Und der Vater lächelte erleichtert. Wenn meine geliebte Frau es so fühlt, dann wird es wohl richtig sein, dachte er und gab seiner Frau einen liebevollen Kuss. Denn auch nach 30 Jahren Ehe waren die beiden unzertrennlich und ihre Liebe zueinander unzerstörbar. Nun frühstückten sie ausgiebig und es wurde viel erzählt. Allmählich schwand beim Vater die Skepsis, was Matthew anging, und er wurde immer zugänglicher. Da ans Arbeiten nicht zu denken war, tätigte der Vater einen Anruf, um es seiner Verkäuferin mitzuteilen und blieb dann zu Hause. Ein wenig Zeit mit seiner geliebten Tochter zu verbringen, bedeutete ihm sehr viel und machte ihn glücklich. Angelique war ihr einziges Kind. Ihre lange Abwesenheit belastete die Eltern sehr, umso mehr genossen sie jetzt die Zeit mit ihr. Nach dem Frühstück beschlossen alle, einen kleinen Spaziergang durch den Ort zu machen. Im Vergleich zu Miami war das Örtchen winzig. Viele kannten sich und so mussten sie oft stehen bleiben und Bekannte begrüßen. Matthew wurde jedes Mal vorgestellt und neugierig begutachtet. Für ihn selbst war es immer wieder ein eigenartiges Gefühl, denn er verstand die französische Sprache nicht. Und nicht jeder hier sprach Englisch, doch Matthew störte das nach kurzer Zeit gar nicht mehr. Er lächelte immer nur freundlich und erfreute sich am Glücklichsein seiner Liebsten. Angelique strahlte bis über beide Ohren, ließ seine Hand jedoch nicht eine Sekunde los. Als ob sie Angst hätte, er würde verschwinden, wenn sie es tat. Später nahmen sie Platz in einem Restaurant am Flussufer. Die Aussicht von hier aus war bezaubernd. Vor ihnen lag der Fluss, umgeben von Bergen, an denen vereinzelte Weinplantagen zu sehen waren. Matthew genoss diesen Ausblick, doch so langsam spürte er, wie sich der Jetlag bemerkbar machte. Er wurde müde und bestellte doppelten Espresso, um die Müdigkeit zu vertreiben. Angelique tat es ihm gleich. War der Kaffee ja schließlich ihr Lieblingsgetränk. Als dann die Speisen gebracht wurden, lernte Matthew die französische Küche näher kennen. Das Essen schmeckte ihm vorzüglich. Bei der Auswahl der Gerichte verließ er sich voll und ganz auf seine Gastgeber, denn selbst die Namen davon auszusprechen, würde für ihn die reinste Blamage bedeuten und das wollte er unbedingt vermeiden. Kurz bevor sie aus dem Restaurant wollten, wurde Angelique panisch. Sie sah draußen Pierre vorbeigehen. Sie packte Matthews Hand so stark, dass

sie ihm fast die Finger gebrochen hätte. Alle schauten sie erschrocken an.
„Da ist er wieder. Er hat es doch tatsächlich wieder nach Hause geschafft. Oh Gott. Was mache ich nur?“ Angelique konnte kaum atmen. Pierre hatte sie nicht bemerkt und war dann auch schon weg. Doch die Panik blieb. Nun musste Angelique ihren Eltern erzählen, was in Miami vorgefallen war. Völlig entsetzt hörten sie ihr zu. Dass Pierre ein wenig verrückt war, war ihnen zwar bewusst. Dass er aber ihre Tochter zu entführen versuchte, das hätten sie ihm nicht zugetraut. Jetzt wurden sie eines Besseren belehrt.
„Du gehst nirgendwo alleine hin, hörst du! Keinen Schritt ohne mich!“ Matthew war alarmiert. Schnell bezahlten sie die Rechnung, nahmen ein Taxi und fuhren den direkten Weg nach Hause. Sie wollten es nicht riskieren, von Pierre gesehen zu werden. Der Nachmittag verging wie im Flug. Zu Hause fühlte Angelique sich sicher und wurde ein wenig ruhiger. Es gab noch so viel zu erzählen. Matthew entschuldigte sich daraufhin und verschwand in Angeliques Zimmer, um ein vermeintliches Nickerchen zu machen. Der Jetlag machte ihm tatsächlich mehr zu schaffen, als er gedacht hatte, doch zum Schlafen war jetzt nicht der richtige Zeitpunkt. Auch Angelique gab sich nicht geschlagen. Sie wollte jede kostbare Minute mit ihren Eltern verbringen. Also saßen sie an einem schattigen Plätzchen im Garten, tranken Wein und genossen die gemeinsame Zeit.

48#

Matthew hatte ans Schlafen gar nicht erst gedacht, als er sich zurückgezogen hatte. Es gab für ihn sehr viel zu organisieren. Jetzt, wo er wusste, dass Pierre hier im Ort war, musste alles umso schneller gehen. Er führte mehrere Telefonate, tätigte Buchungen und hoffte, dass Angelique nicht ins Zimmer kam, auch wenn er sie am liebsten nur an seiner Seite hätte. Er plante jedoch etwas, das nicht durchschaut werden sollte. Und so stand er zusätzlich unter Stress. Als er sich dann sicher war, dass alles nach seinem Plan verlief, ging er zurück in den Garten und setzte sich zu den anderen. Seine innere Anspannung blieb, doch auch jetzt ließ er sich diese nicht anmerken. Um sich zu beruhigen, küsste er Angelique begierig und unendlich lange. Die kurze Zeit ohne sie weckte in ihm eine Sehnsucht nach ihr, die kaum auszuhalten war. Am liebsten würde er sie sofort entführen und auf der Stelle lieben, doch das ging nun mal nicht. Was würden ihre Eltern nur über ihn denken, würde er es tun? Er musste damit bis heute Abend warten. Angelique spürte seine Sehnsucht und errötete bei dem Gedanken, was passieren könnte, wenn sie jetzt allein wären. Matthew rang um Beherrschung und sprach dann die Eltern an.

„Liebe Elaine, lieber Paul und natürlich auch du, meine Liebste, ich möchte euch alle dazu einladen, das kommende Wochenende mit mir in Paris zu verbringen. Was haltet ihr davon?“ Matthews Herz schlug wie wild, als er es aussprach, denn er fürchtete, dass

sie ihm absagen könnten. Elaine und Paul schauten ihn ungläubig an. Seine Einladung überraschte beide sehr. Angelique sprang begeistert auf und warf sich Matthew in die Arme.
„Oh! Was für eine wunderbare Idee! Sicher kommen die beiden mit! Paris ist fantastisch“, rief sie begeistert, ohne die Antwort der Eltern abzuwarten.
„Müssen wir denn nicht erst ein Hotel buchen? Es ist so kurzfristig. Wie soll das denn gehen?“, fragte die Mutter besorgt.
„Es ist schon alles gebucht. Ihr müsst einfach nur ja sagen“, antwortete Matthew und sah beide angespannt an.
„Aber das können wir doch gar nicht annehmen“, sagte Paul unsicher. Schließlich hatte er Matthew heute erst kennengelernt. Außerdem gingen sie immer sehr sparsam mit ihrem Geld um. Die Vorstellung, wie teuer so ein Wochenende in Paris werden konnte, bremste Pauls Unternehmungslust. Sie waren bis jetzt nur einmal in Paris gewesen, und das war kurz nach ihrer Hochzeit. Es war jetzt fast 30 Jahre her.
„Ihr würdet mir eine Riesenfreude machen, wenn ihr zusagt, bitte…“, sagte Matthew und schaute beide fast schon bettelnd wie ein Kind an.
„Bitte Papa, bitte Mama, sagt doch ja!“, rief Angelique und strahlte wie ein Honigkuchenpferd bei dem Gedanken, mit Matthew Paris erleben zu dürfen. Das sahen ihre Eltern ihr auch an und sagten dann schweren Herzens zu. Sie wussten nicht einmal, in welchem Hotel Matthew für sie die Zimmer gebucht hatte. In zwei Tagen sollte es losgehen. Alle waren von nun an

sehr aufgeregt. Die Mutter überlegte angestrengt, was sie denn alles an Kleidung mitnehmen sollte. Auch Angelique hatte ein Problem damit. Denn für Paris war ihre Garderobe nicht gerade gut geeignet. Also beschlossen sie am nächsten Tag nach Nizza zu fahren, um ordentlich für diesen Trip zu shoppen. Die Vorfreude wuchs von Minute zu Minute mehr, und die Frauen konnten über nichts anderes mehr reden als über Paris. Matthew und Paul saßen daneben und beobachteten sie mit amüsiertem Lächeln. Matthews Anspannung löste sich langsam auf und die Vorfreude machte sich nun auch bei ihm breit. Alles lief nach Plan. Als es Nacht wurde, fielen alle in ihre Betten. Die Aufregung des Tages hatte Spuren hinterlassen und der Schlaf übermannte sie alle. Matthew, der seine Liebste noch körperlich spüren wollte, fiel als erster in einen tiefen Schlaf. Angelique lag neben ihm, betrachtete ihn noch eine Weile und war dann, auf seiner Brust liegend, eingeschlafen. Sie träumte von Paris.

Als Matthew am nächsten Morgen wach wurde, war sein Bett neben ihm leer. Panisch schaute er sich um. Durch den Jetlag war sein Zeitgefühl völlig durcheinandergeraten. Angst kroch in ihn hinein. Konnte Pierre sie sich doch holen? Warum war sie nicht bei ihm? Fragte er sich und eilte ins Bad. Auf dem Flur hörte er jedoch ihre vertraute Stimme und seine Panik wich zurück. Angelique und Elaine saßen in der Küche und unterhielten sich angeregt. Ein betörender Kaffeeduft lockte ihn, also ging er ohne Umwege dorthin. Bei seinem Anblick sprang Angelique vom

Stuhl und umarmte ihn so fest, dass ihm die Luft wegblieb. „Schön, dass du wach bist, Liebster. Ich liebe dich, mein Knuddelbärchen. Möchtest du einen Kaffee?“, fragte sie, obwohl sie wusste, dass diese Frage absolut überflüssig war und schenkte ihm sofort einen Kaffee ein. Ihre Mutter beobachtete diese Szene mit großer Freude, denn anscheinend hatte Angelique tatsächlich ihre wahre Liebe gefunden. Der Gedanke daran machte sie glücklich. Was sie jedoch im selben Augenblick traurig stimmte, war die Gewissheit, dass sie ihre Tochter ab jetzt sehr selten sehen würde, sollte diese in Amerika leben wollen. Doch so ist nun mal der Lauf der Welt, das Schicksal wollte es anscheinend so, und das musste sie akzeptieren, auch wenn es ihr sehr schwerfiel.
„Wo ist Paul?“, fragte Matthew, als er sich umschaute.
„Er ist schon in Nizza. Es gibt noch einiges zu tun, bevor wir morgen aufbrechen, darum ist er schon weg. Doch wir können ihn später in unserem Laden besuchen, wenn du möchtest“, sagte Elaine.
„Oh ja! Sehr gerne“, antwortete Matthew begeistert. „Ich bin schon sehr gespannt auf euren Laden und auch auf die Stadt selbst.“ Er konnte es kaum abwarten, Nizza zu sehen, nachdem er so viel darüber gelesen hatte.
„Dann wird es langsam Zeit, sich auf den Weg zu machen, sonst schaffen wir all das nicht, was wir uns vorgenommen haben“, drängte Angelique und entführte Matthew nach oben. Elaine lächelte nur und fing an, die Frühstücksutensilien wegzuräumen. Matthew und Angelique gingen duschen. Als Matthew sie unter

der Dusche erblickte, konnte er nicht anders, als wenigstens einen Quickie auf die Schnelle mit ihr zu erleben. Für mehr reichte die Zeit nicht. Später flüsterte er ihr ins Ohr: „ In Paris gibt es mehr davon. Versprochen!“ Angelique kicherte vergnügt und antwortete: „Ich nehme dich beim Wort, schließlich ist Paris die Stadt der Liebe.“
„Das weiß ich, auch wenn ich aus Amerika komme“, antwortete Matthew und lachte zufrieden. In wenigen Minuten waren beide bereit, loszuziehen. Elaine erwartete sie schon. Sie bestellte ein Taxi, das sie nach Nizza brachte.

Im Zentrum angekommen, staunte Matthew nicht schlecht über die Lebendigkeit dieser Stadt. Angelique bat den Taxifahrer, in der Altstadt anzuhalten. Als sie aus dem Taxi stiegen, bot sich Matthew ein traumhafter Anblick. Sie gingen durch schmale Gassen, gesäumt von wunderschönen, bunten Häusern. Die Sonne ließ die Farben viel kräftiger erstrahlen. Ein Gefühl der Wärme durchströmte ihn. Die bunten Farben der Häuser erinnerten ihn ein wenig an seine Insel und die farbigen Bungalows dort. Viele kleine Boutiquen luden zum Shoppen ein. Doch ihr heutiges Ziel war die Promenade mit den exklusiven Geschäften. Dorthin wollte Matthew mit den beiden Damen. Als Elaine seine Absicht bemerkte, erschrak sie mächtig. Sie kannte die Preise der dort angebotenen Ware und war nicht gewillt, so viel Geld auszugeben. Wie sollte sie es Matthew nur begreiflich machen, ohne peinlich zu wirken? Also sprach sie Angelique in Französisch an und bat sie, es ihm nahezulegen, in günstigere Läden einkaufen zu gehen. Nachdem Angelique die Bitte der Mutter übersetzt hatte, lächelte Matthew sie entwaffnend an und erklärte, dass der Preis für ihn keine Rolle spielen würde. Und so schlenderten sie von einer teuren Boutique zur anderen, suchten elegante Garderobe aus, von solcher Elaine früher nur träumen konnte, und waren Stunden später mit so vielen Tüten bepackt, dass sie sie kaum noch tragen konnten. Es war also an der Zeit, ihren Feinkostladen aufzusuchen. Dieser befand sich im Zentrum in einer belebten Straße. Schon beim Näherkommen bemerkte Matthew, dass das Geschäft hervorragend lief. Es war viel los darin. Selbst er suchte einige Leckereien aus, um sie am Abend seinen Gastgebern anzubieten. Nachdem Paul die Tüten erblickte, wurde es ihm schwindelig. Noch wusste er nicht, dass seine Frau keinen Cent dafür ausgegeben hatte. Angelique beruhigte ihn, indem sie ihm alles genau erklärt hatte. Trotzdem fand er es übertrieben. Und als sie alles im Büro verstaut hatten, gingen sie gemeinsam zum Mittagessen. An der Promenade gab es tolle Restaurants und die Entscheidung fiel dieses Mal auf einen Italiener. Französisch hatten sie gestern schon probiert und Matthew war sehr auf die italienische Küche gespannt. Seine Erwartungen wurden vollends erfüllt, denn das Essen schmeckte köstlich. Später trennten sich ihre Wege. Während Elaine und Paul zurück zum Laden kehrten, entführte Angelique ihn auf den Berg oberhalb Nizza. Die Aussicht von dort oben war atemberaubend. Man schaute auf die gesamte Stadt und die Bucht davor. Das Wasser darin schimmerte türkisblau und er hatte das Gefühl, auf seiner Insel zu sein. Nur waren die Dimensionen hier ein wenig anders. Die Stadt lag eingebettet in einem Tal. Von dem lebhaften Treiben im Zentrum war hier oben nicht viel zu spüren. Sie saßen auf der Mauer einer Burgruine und genossen die Sonnenstrahlen. Matthew bestaunte das Panorama und nahm die vielen Eindrücke in sich auf. Er war glücklich wie noch nie.

„Mit dir hierherzukommen, war eine wunderbare Idee. Ich bin so glücklich, dich kennengelernt zu haben. Und erst recht, deine Liebe zu erfahren“, sagte er nach einer Weile und küsste sie liebevoll. In seinen Augen schimmerten Tränen. Es waren Tränen des Glücks. Sie schaute ihn lange an. Dann nahm sie seine Hand und verflocht ihre Finger mit seinen.

„Ich möchte nie wieder ohne dich sein! Ich liebe dich über alles, Matthew. Verspreche mir, dass du mich nie verlässt!“, sagte sie und küsste ihn inbrünstig. Matthews Herz schlug wie wild. Dieses Gefühl hatte er bisher nicht gekannt. Er begehrte sie unendlich und sofort regte sich wieder sein Verlangen nach körperlicher Liebe mit ihr. Angelique bemerkte, was sie mit ihrem Kuss angerichtet hatte und schmunzelte verführerisch. Matthew führte ihre Hand an seinen Schoß. Dann verdunkelte sich sein Blick und er stöhnte leise. Er war heiß und hätte sie am liebsten hier auf dieser Mauer vernascht. Leider waren sie in der Öffentlichkeit und sein Vorhaben nicht durchzuführen. Er schaute sich um. Ein Stückchen weiter unter ihnen entdeckte er einen Eingang, der in die Mauer eingelassen war. Das war es doch, wonach er Ausschau hielt. Dort unten würde sie niemand sehen. Er sprang von der Mauer und zog Angelique herunter. Sie erkannte seine Absichten und fing an zu kichern. Schnell liefen sie zu dem Eingang. Es war ein Tunnel, der in wenigen Metern Tiefe mit Gittern verschlossen war. Nun war Matthew nicht mehr zu bremsen. Mit heißen Küssen bedeckte er ihren Körper. Die Gefahr, doch noch entdeckt zu werden, machte dieses Vorhaben zu einem gefährlichen Abenteuer. Umso schneller wollte Angelique es hinter sich bringen. Matthew wiederum genoss dieses aufregende Gefühl und bescherte ihr einen Höhepunkt nach dem anderen. Wildes Gestöhne hallte an den Wänden in den Tunnel hinein. Mit einem Kuss erstickte Matthew Angeliques Glücksschrei, während sie in seinem Schoß saß. Schwer atmend nahm er sie in seine Arme.

„Du machst mich wahnsinnig glücklich, meine Schöne“, flüsterte er leise und schaute in ihre Augen. Sie funkelten wie zwei Diamanten. Auch sie war glücklich.

„Wir müssen langsam zurück in die Stadt“, sprach sie und zog ihn hoch. Matthew legte beide Hände an ihr Gesicht, verschloss ihren Mund mit seinem und küsste sie, als ob die Welt untergehen würde. Er musste sie erneut schmecken, denn so schmeckte für ihn die pure Liebe und er bekam nicht genug davon. Einige Augenblicke später schlichen sie dann kichernd wie zwei verliebte Teenager an der Mauer entlang und suchten nach einem geeigneten Aufstieg.

Als sie im Laden der Eltern ankamen, waren diese gerade dabei zu schließen. Perfektes Timing, dachte Matthew und half dabei, die gesamten Einkäufe des Tages in den Wagen des Vaters zu bringen. Zu Hause angekommen, bereiteten die Frauen das Abendessen zu, während die Männer auf der Terrasse im Garten den Tisch deckten und eine Flasche Wein aufmachten. Matthew kam es vor, als ob sie sich schon ewig kennen würden und er fühlte sich richtig wohl. Später saßen sie gemütlich bei Kerzenschein, genossen die Leckereien, die Matthew aus ihrem Laden mitgebracht hatte und tranken viel Wein. Ihm fiel auf, dass Elaine und Paul sehr liebevoll miteinander umgingen. Sein größter Wunsch für die Zukunft war es, das gemeinsame Leben mit Angelique auf genauso liebevolle Art zu verbringen. In Respekt und ewiger Liebe. Er hatte in seiner Kindheit leider keine Gelegenheit bekommen, seine Eltern so zu erleben, denn sein Vater starb, als er vier Jahre alt war. Seine Erinnerungen an ihn waren mit der Zeit verblasst. So wuchs er nur mit seiner Mutter auf, ohne Vater und ohne weitere Geschwister. Die Liebe der Mutter zu ihm war grenzenlos, doch er vermisste seinen Vater sehr. Umso mehr genoss er jetzt die Augenblicke hier in Frankreich, wo er besonders herzlich in Angeliques Familie aufgenommen wurde. Angelique sah ihn kurz an und merkte, dass er traurig war.

„Alles in Ordnung, mein Schatz?“, fragte sie besorgt.

„Ja, Liebes, alles gut. Ich musste nur gerade an meinen Vater denken. Tut mir leid, wenn ich dich beunruhigt habe.“ Matthew

nahm sie in den Arm und küsste sie liebevoll.
„Was ist denn mit deinem Vater?“, fragte Paul, da er noch nichts über Matthews Vergangenheit wusste. Daraufhin erzählte Matthew von seiner Kindheit und bedankte sich bei Elaine und Paul für die Herzlichkeit, mit der sie ihm begegneten. Es wurde spät, als sie sich schlafen legten. Ein aufregendes Wochenende erwartete sie.

49

Sehr früh am Morgen weckte Matthew Angelique, indem er mit zwei Bechern frisch gebrühten Kaffees ins Zimmer kam. Der Duft lockte sie aus dem Schlaf. Sie rekelte sich genüsslich und setzte sich auf.
„Wie spät ist es denn?“, fragte sie völlig verschlafen.
„Es ist sechs Uhr und Zeit zum Aufstehen“, antwortete er und lächelte, als er ihr verdutztes Gesicht sah.
„So früh weckst du mich? Warum?“, stöhnte sie immer noch verschlafen. Der Wein war schuld, dass sie jetzt so neben der Spur war.
„Schon vergessen? Es geht heute nach Paris, und da wollen wir doch nicht zu spät kommen, oder?“, fragte er, während er begehrlich ihren Hals liebkoste. Der Kaffee war nun vergessen. Mit all seiner Liebeskunst weckte er sie auf.

Elaine und Paul saßen in der Küche, als Matthew und Angelique herunterkamen. Schnell frühstückten sie eine Kleinigkeit, denn vor lauter Aufregung hatte kaum jemand Hunger. Elaines Freundin wurde beauftragt, die zwei Katzen zu versorgen. Dann kam auch schon das Taxi und brachte sie zum Flughafen nach Nizza. Matthew hatte einen Privatjet gebucht, der sie nach Paris fliegen sollte. Elaine und Paul kamen aus dem Staunen nicht heraus, als sie realisierten, was gerade geschah. Nie im Leben hätten sie sich so etwas träumen lassen. Der Laden, den sie führten, lief zwar ausgezeichnet und sie konnten davon leben, so einen Luxus jedoch würden sie sich nie leisten können. Angelique gewöhnte sich langsam daran, dass Matthew nun mal so vermögend war, aber auch sie war gerade in diesem Moment baff. Ein Privatjet, Paris und wer weiß, was noch. Ihre Gedanken spielten verrückt. Sie liebte ihn und wollte nie mehr ohne ihn sein, egal ob reich oder arm. Als die Maschine abhob, gab es Champagner zum Anstoßen und alle genossen die Aussicht über den Wolken. Paul sah immer mal wieder zu den Verliebten herüber. Ihre Liebe zueinander überwältigte ihn und er freute sich sehr für seine Tochter. Sein größter Wunsch für Angelique war schon immer gewesen, dass auch sie so glücklich in einer Beziehung sei wie er. Er liebte seine Elaine über alles und freute sich in diesem Moment wahnsinnig darauf, noch einmal mit ihr Paris erleben zu dürfen. Was für eine glückliche Fügung es doch war, dass ausgerechnet seine Tochter jemandem wie Matthew begegnete und dass dieser das alles hier möglich machte.

Vom Flughafen aus ging es mit dem Taxi zum Hotel. Und zwar in das berühmte InterContinental Paris Le Grand. Es war ein opulentes Gebäude aus dem Jahr 1862, das in direkter Nähe zur Opera Garnier stand. Als das Taxi hielt und sie ausgestiegen waren, konnte keiner mehr ein Wort herausbringen. Matthew bezahlte den Taxifahrer, während die anderen nur da standen und sich das prachtvolle Gebäude anschauten.
„Matthew, bist du denn verrückt geworden? Du hast nicht wirklich dieses Hotel für uns gebucht, oder? Das ist der reinste Wahnsinn“, sagte Elaine, als sie ihre Stimme wiederfand.
„Oh doch, liebe Elaine. Dazu noch die Suiten in der obersten Etage. Ich hoffe, ihr genießt den Aufenthalt und lasst euch verwöhnen“, antwortete Matthew stolz und drückte Angelique an sich. Auch sie war immer noch sprachlos und kam aus dem Staunen nicht heraus. Doch Matthew sah es ihr an, dass sie seine Wahl befürwortete. Dieses Gebäude war faszinierend und passte zu Paris. Einen Augenblick später checkten sie ein. Ein Concierge brachte sie dann zu den Räumlichkeiten. Elaine und Paul kamen die Tränen, als sie die Riesensuite betraten. Sie waren berührt und glücklich zugleich. Der Ausblick aus dem Fenster war überwältigend. Sie blickten auf die Opera Garnier, die mit ihrem märchenhaften Kuppeldach alle Blicke auf sich zog. Keiner der beiden wollte sich rühren, als es an der Tür klopfte. Es klopfte erneut und nun ging Paul doch noch hin. Matthew war gekommen, um ihnen eine Liste mit den Uhrzeiten zu den verschiedenen Unternehmungen, die sie in den drei Tagen machen würden, zu

geben. Paul starrte ihn ungläubig an, als er diese kurz überflog. Was für ein Programm, dachte er. Das kann man doch alles gar nicht bezahlen, überlegte er und sprach es auch laut aus. Matthew lächelte ihn an und drückte ihn dann herzlich an sich. Es machte ihn besonders glücklich, den beiden so eine Freude zu bescheren. Dann war er auch schon wieder verschwunden. Laut Plan sollte es in einer Stunde Mittagessen hier im Hotel geben. Sie hatten also nicht viel Zeit, um alles zu erkunden. Und so machten sich Paul und Elaine kurz frisch und zogen los. Dieses Gebäude faszinierte sie, wo man auch hinschaute. Irgendwie kamen sie sich fehl am Platz vor, denn solchen Luxus waren sie gar nicht gewöhnt. Nach einer Weile begegneten sie Angelique und Matthew, die genauso überwältigt waren wie sie selbst. Sie gingen nun gemeinsam zum Speisesaal, wo ihnen ein mehrgängiges Menü serviert wurde. Bis zum Abend blieb ihnen dann ein wenig Zeit, um sich die Gegend anzuschauen. Am Abend war nämlich der Besuch der Opera Garnier geplant. Und so schlenderten sie zu viert am Louvre vorbei, bis an die Seine, den Fluss, der durch Paris fließt. Dort nahmen sie in einem Café Platz und bestellten Kaffee, Eclairs und süße kleine Macarons, typisches Kaffeegebäck Frankreichs. Matthew stopfte nun eins nach dem anderen in Unmengen in sich hinein. So fantastisches Gebäck hatte er noch nie probiert, obwohl Martha eine Spitzenköchin war und auch sehr gut backen konnte. Die anderen beobachteten ihn eine Weile und prusteten dann los. Matthew errötete dabei, lachte dann aber doch noch mit ihnen. Die Macarons waren nun mal köstlich und er konnte da wirklich nicht widerstehen. Als sie gingen, bestellte er noch eine Schachtel Macarons zum Mitnehmen und nahm sie dann glücklich entgegen, als die Bedienung sie brachte. Angelique lachte erneut.

„Du bekommst einen Zuckerschock, wenn du so weiter machst“, sagte sie dann zu ihm.

„Egal, diese Teile sind es wert“, antwortete Matthew und hielt die Schachtel fest in seiner Hand. Diese würde ihm keiner mehr nehmen können, auch wenn er sie mit seinem Leben verteidigen müsste.

Der Nachmittag verging leider viel zu schnell und sie mussten zurück ins Hotel. Es war an der Zeit, sich für die abendliche Vorstellung in der Opera Garnier fertigzumachen. Sie verabredeten die Uhrzeit zum Treffen am Ausgang und zogen sich in ihre Suiten zurück. Beide Paare nutzten die wenige Freizeit zwischen den Terminen zur Liebesbezeugung. Paris ohne Sex ginge gar nicht, war die Devise. Und so erlebten sie unvergessliche Momente in einer Umgebung, die nicht alltäglich war und herrliche Erinnerungen hinterlassen würde. Als am Abend beide Paare im Foyer des Hotels erschienen, staunten sie nicht schlecht. Die Damen hatten wunderschöne Abendkleider und die Herren einen Smoking an. Perfekt für den bevorstehenden Anlass. Es ging ja schließlich in die Oper. Im Programm: „Die Hochzeit des Figaro“ von Mozart. Eine turbulente Liebesgeschichte. Für Matthew war eine Oper zwar Neuland, doch als er Angelique und ihre Eltern beobachtete, wie gefühlvoll sie dieses Spektakel verfolgten und miterlebt hatten, schien es für ihn die richtige Wahl gewesen zu sein. Zufrieden lehnte er sich zurück und genoss die Vorstellung. Bald würde auch sein Tag kommen, dachte er und freute sich schon riesig auf dieses Ereignis. Nach der Vorstellung nahmen sie noch einen kleinen Absacker in der Hotelbar zu sich und begaben sich auf ihre Zimmer. Todmüde fielen alle in einen tiefen Schlaf.

 # 50 #

Am Samstag war das Tagesprogramm wieder völlig durchgetaktet. Es standen mehrere Termine zur Besichtigung einiger Museen und berühmter Plätze in Paris an, dazu ein mitternächtliches Dinner am Eiffelturm. Wie das möglich war, konnte Paul sich kaum erklären und war besonders gespannt, was sie dort erwartete. Und so ging es schon sehr früh los. Frühstück in der Suite, dann das Tagesprogramm. Seit ihrem letzten Aufenthalt hatte sich vieles in Paris verändert, stellte Paul im Laufe des Tages fest. Es wurden schöne Parks geschaffen, der Platz um den Eiffelturm herum verschönert und die Stadt ist um einiges größer geworden. Das konnten sie bei der Fahrt nach oben erkennen. Der Ausblick raubte ihnen auch heute wie schon vor 30 Jahren den Atem. Das Wetter war an diesem Tag perfekt und so konnte man über fast ganz Paris blicken. Keiner von ihnen wagte zu sprechen. Alle schlenderten langsam über die Plattform und bewunderten die Aussicht. Auch Matthew war überwältigt und versuchte, alles Gesehene in seinen Erinnerungen festzuhalten. Mal schauen, wie es wird, in der Nacht hier zu sitzen und zu dinieren, überlegte er fieberhaft. Hoffentlich geht alles gut, betete er in Gedanken, denn das, was er vorhatte, machte ihn zunehmend nervös.

Pünktlich um Mitternacht fuhren erneut alle vier mit dem Aufzug zur oberen Plattform am Eiffelturm. Als sie ausstiegen, entfuhr Angeliques Kehle ein Freudenschrei. Sie konnte es nicht glauben, was ihr Liebster für sie alle organisiert hatte. Elaine und Paul wagten es nicht, den nächsten Schritt zu machen und blieben wie angewurzelt vor dem Aufzug stehen. Auf der Plattform wurde ein runder Tisch aufgestellt. In der Mitte ein Riesenarrangement aus weißen und blauen Blüten, Angeliques Lieblingsfarben. Sehr dezent daneben die Kerzen und das Geschirr. Dazu ringsherum Fackeln, die ein warmes Licht spendeten. Etwas abseits stand die Bedienung bereit, das Dinner zu servieren. Gegenüber saß ein Musiker, der auf seiner Geige zauberhaften Melodien spielte. Matthew führte Angelique zum Tisch. Dann bat er Elaine und Paul, Platz zu nehmen. Angelique strahlte Matthew an, als er sich neben sie setzte.
„Oh mein Liebster, was du hier organisiert hast, übersteigt meine Vorstellungskraft! Ich bin wirklich überwältigt! Mir fehlen die Worte. Danke, mein Schatz“, brachte sie nur mühsam hervor, denn sie war schon wieder den Tränen nahe. So sehr rührte sie dieser Moment. Elaine und Paul ging es ähnlich. Matthew selbst

schluckte schwer, denn das, was jetzt kommen würde, berührte auch ihn extrem. Er stand auf und besprach sich kurz mit dem Musiker. Nachdem dieser das Lied „Show Me Heaven" angestimmt hatte, ging Matthew vor Angelique in die Knie, öffnete eine Schachtel, die den schönsten Ring, den sie je gesehen hatte, enthielt und sagte: „Liebe Angelique, mein Leben hätte ohne dich keinen Sinn mehr. Ich liebe dich über alles und frage dich: Möchtest du mich heiraten?" Seine Stimme zitterte und er sah sie angespannt an. Ungläubig schaute sie zu ihm herunter. Sie war wie erstarrt. Jetzt erst realisierte sie diese ganze Inszenierung. Ihr Herz raste und Tränen liefen ihre Wangen hinab. Langsam stand sie auf, zog Matthew hoch und küsste ihn ewig lange.
„Ja, mein Liebster, das will ich!", antwortete sie unter Tränen des Glücks und ließ sich von Matthew den Ring anstecken...

La vie est faite de petits bonheurs.
Life is full of little pleasures.
Das Leben besteht aus kleinen Freuden.

Danksagung

Mein größter und herzlichster Dank geht an Elisabeth Schmitz, die Autorin zweier wundervoller Romane mit den Titeln: „…denn alles ist vorherbestimmt“ und „Shimasani“. Auch ihre Kurzgeschichten mit dem Titel: „Die kleine vergessene Pflanze“ möchte ich hier erwähnen und euch ans Herz legen. Wir beide haben uns auf einem ungewöhnlichen Weg kennengelernt und nur durch sie habe ich den Mut gefunden, dieses Buch zu schreiben. Sie war diejenige, die an mich geglaubt und mich immer wieder dazu ermuntert hatte, es zu Papier zu bringen. Nachdem ich ihre Bücher sprichwörtlich verschlungen habe, habe ich den Sinn unserer Begegnung verstanden und bin dem Schicksal wirklich dankbar dafür. Mit ihrer Hilfe und den vielen Tipps, die sie mir im Laufe der Zeit gegeben hatte, entstand dieser Roman, der euch hoffentlich gefallen hat. Genauso herzlich möchte ich meinem Mann Janus dafür danken, dass auch er an mich geglaubt und mich in allem unterstützt hatte. Vielen lieben Dank euch beiden für eure Unterstützung und Geduld. Und dir liebe Betty für deine Freundschaft, die uns bis heute verbindet. Danke auch euch allen, die dieses Buch gelesen haben. Ich hoffe, ihr hattet Spaß dabei.

Eure H. Anna Ziaja